DEVOTO-OLI
ZINGARELLI

ED. LE MONNIER

In copertina:
Amina Lafont Calderara - *Firenze: l'abbruciamento di fra' Girolamo Savonarola.*
(Olio su tela, 1968) - *particolare*

Estella Galasso Calderara

LA LINGUA DEL *SÌ*

Corso d'italiano per stranieri

PARTE PRIMA

CENTRO EDITORIALE TOSCANO

Via Bastianelli, 38 - tel. 055.417709 - fax 055.430783 - 50127 FIRENZE

ISBN 88-7957-033-1

Stampato in Italia - *Printed in Italy*

Tipolitografia Centro Stampa 2P srl - Firenze e Pontassieve
Stabilimento di Pontassieve (FI) - Settembre 1998

Prefazione

Questo libro è nato dalla mia esperienza didattica al Centro di Cultura per Stranieri dell'Università di Firenze. Ciò spiega in parte perché questa non sia una grammatica tradizionale, ma piuttosto una raccolta dei principali problemi grammaticali (affrontati attraverso schemi di sintesi delle varie regole), corredata da un ampio supporto di esercizi, di scelte lessicali, di letture.

Tengo a specificare che questo è un libro di appoggio, un libro che fornisce una serie di strumenti didattici: l'insegnante lo userà in aula, insieme ai suoi studenti, volta a volta dilatando le parti grammaticali o linguistiche che necessiteranno di maggior spazio, o sorvolando su quelle non bisognose di ulteriori approfondimenti. È infatti riservato ai docenti il compito d'intuire le difficoltà di ognuno (secondo la lingua di origine, il livello di studi raggiunto, l'età, ecc.) e di scegliere i mezzi idonei a risolverle: in questo senso nessun libro - e tanto meno le grammatiche tradizionali - può sostituire la perizia dell'insegnante. In altre parole, lo studente straniero che s'illudesse d'imparare l'italiano da solo, sfogliando queste pagine, rimarrebbe deluso perché esse, per costituire una valida chiave d'apprendimento, devono essere manovrate con abilità e metodo dai docenti.

Estella Galasso Calderara

Premessa alla IV edizione

Ho ritenuto opportuno aggiungere a questa IV edizione della *Lingua del sì* un'appendice di esercizi, la cui novità principale è costituita da varie schede, contenenti brani letterari o interi racconti, nelle quali, all'infinito posto fra parentesi, gli studenti devono sostituire i verbi nei modi e tempi richiesti dalla logica della narrazione.

L'esperienza didattica mi ha dimostrato l'efficacia di queste schede che facilitano ai discenti l'apprendimento della sintassi, contribuendo parallelamente a un rimarchevole arricchimento stilistico e lessicale.
È proprio tenendo conto dei risultati conseguiti ai fini dell'approfondimento dello studio della lingua italiana che ho fatto largo uso di queste schede nel secondo volume della *Lingua del sì* e mi piace darne un anticipo, come validi strumenti di lavoro, in chiusura di questo primo volume, in maniera tale che il metodo d'insegnamento, da una parte, e l'apprendimento dall'altra, risultino omogenei e progressivi.

Desidero ringraziare il Sig. Pandolfi che, con tanta pazienza e competenza, asseconda le mie difficili richieste d'impaginatura, di variazioni di caratteri, di schemi, ecc.

E.G.C.

I. L'ARTICOLO

ARTICOLO DETERMINATIVO

MASCHILE SINGOLARE	MASCHILE PLURALE
IL davanti a consonante: *il cane* **LO** davanti a S impura : *lo stivale* GN : *lo gnomo* PS : *lo psicologo* PN (1) : *lo pneumatico* Z : *lo zio* X : *lo xilofono* Y : *lo yòghurt* I + vocale : *lo iettatore* **L'** davanti a vocale : *l'amico*	**I** davanti a consonante: *i cani* **GLI** davanti a S impura : *gli stivali* GN : *gli gnomi* PS : *gli psicologi* PN : *gli pneumatici* Z : *gli zii* X : *gli xilofoni* Y : *gli yòghurt* I + vocale : *gli iettatori* **GLI** davanti a vocale : *gli amici* **GL'** solo davanti a I : *gl'italiani*
FEMMINILE SINGOLARE	FEMMINILE PLURALE
LA davanti a consonante: *la donna* **L'** davanti a vocale : *l'isola*	**LE** davanti a consonante e a vocale: *le donne, le isole*

ARTICOLO INDETERMINATIVO

MASCHILE SINGOLARE	MASCHILE PLURALE (2)
UN davanti a consonante e a vocale: *un cane, un amico*	**DEI** davanti a consonante : *dei cani* **DEGLI** davanti a vocale : *degli amici* **DEGL'** solo davanti a I : *degl'italiani*
UNO davanti a S impura : *uno stivale* GN : *uno gnomo* PS : *uno psicologo* PN : *uno pneumatico* Z : *uno zio* X : *uno xilofono* Y : *uno yòghurt* I + vocale : *uno iettatore*	**DEGLI** davanti a S impura : *degli stivali* GN : *degli gnomi* PS : *degli psicologi* PN : *degli pneumatici* Z : *degli zii* X : *degli xilofoni* Y : *degli yòghurt* I + vocale : *degli iettatori*
FEMMINILE SINGOLARE	FEMMINILE PLURALE (2)
UNA davanti a consonante: *una donna* **UN'** davanti a vocale: *un'isola*	**DELLE** davanti a consonante e a vocale: *delle donne, delle isole*

1) Esiste anche la forma *il pneumatico, i pneumatici, un pneumatico, dei pneumatici*, ma è meno corretta.

2) L'articolo indeterminativo non ha plurale: al suo posto usiamo le preposizioni articolate *dei, degli, delle*.

Attenzione: le (articolo determinativo femminile plurale) e **delle** (preposizione articolata usata come articolo indeterminativo femminile plurale) *non si apostrofano mai*.

Eccezione: *il dio, gli dei, un dio, degli dei*.

Attenzione:

1) *Con i nomi propri di persona*
(Marco è un ragazzo simpatico.)

2) *Per dare più sveltezza al discorso*
(Ragazzi, prendete carta e matita e scrivete.)

3) *Nelle enumerazioni*
(Al mercato ho comprato limoni, pesche, banane, insalata e zucchini.)

4) *Nelle esclamazioni, nelle invocazioni, nelle insegne stradali e dei negozi*
(Attenzione!; Aiutatemi, signori!; Scuola; Lavanderia.)

5) *In alcune espressioni generiche*
(Ho fame, ho sete, ho caldo, ho freddo, ho sonno, ho paura, ho bisogno, ho voglia, ecc.)

6) *Con i nomi di città* (**eccezione**: Il Cairo, La Spezia, L'Aquila, L'Aia, L'Avana, ecc.) *e piccole isole* (**eccezione**: l'Elba, la Capraia, la Gorgona, ecc.)

Attenzione: se il nome è accompagnato da un aggettivo (la Roma imperiale) o da una specificazione (la Firenze dei Medici) richiede l'articolo.

7) *Nelle apposizioni*
(Elisabetta, regina d'Inghilterra; Ferdinando II dei Medici, granduca di Toscana, ecc.)

8) *Con gli aggettivi possessivi riferiti a nomi di parentela al singolare* (**eccezione: loro** prende sempre l'articolo)

Attenzione: se il nome di parentela è alterato o familiare (mammina; mamma), oppure preceduto o seguito da altri aggettivi, richiede l'articolo.
(Mio zio; il loro zio; il mio zietto; il mio caro zio)

L'ARTICOLO DETERMINATIVO **NON** SI USA

1. Metti gli articoli determinativi e indeterminativi davanti alle seguenti parole: es. giorno, **il** giorno, **i** giorni, **un** giorno, **dei** giorni.

anello, armadio, scrivania, candela, notte, zero, collana, leone, pirata, nave, vela, mare, zolfo, cornice, porta, finestra, fuoco, fiamma, bocca, orso, pinza, rospo, psicofarmaco, unghia, maniglia, registro, lavagna, cattedra, giardino, fontana, alba, tramonto, romanzo, medico, psicopatico, zanzara, fiasco, zaino, scudo, mosca, aquilone, saponetta, pennello, forchetta, cucchiaio, stagno, minuto, brivido, fiammifero, soffitto, balcone, spruzzo, squillo, lampo, fulmine, burrasca, temporale, pioggia, sorriso, statua, città, zucchino, cappello, cravatta, zingaro, gnocco, violino, yo-yo, cassetto, busta, lettera, scatola, yacht, frutto, consiglio, bacio, saluto, bottone, stivale, scuola, pipa, sigaretta, mela, fragola, poltrona, tavolo, libro, scrittore, cane, avvocato, dizionario, quadro, albero, cipresso, nuvola, gatto, topo, chiesa, cattedrale, anatra, cigno, oca, automobile, foglia, spina, stelo, pesce, ombrello, bastone, straniero, banco, divano, calza, giacca, imbuto, bicicletta, nodo, ciliegia, esempio, lezione, scherzo, sciroppo, parola, articolo, marito, moglie, fratello, nonno, viale, amico, nemico, cugino, abbraccio, fotografia, sciopero, asino, segretario, cintura, trattoria, gioiello, scorpione, scoiattolo, dio, stomaco, imbarcazione, idraulico, zoccolo, sconforto, sconfitta, iodio, sbirro, iugoslavo, iodoformio.

2. Sostituisci ai puntini la forma appropriata dell'articolo determinativo:

1. .... marito di Anna è medico. 2. .... zio di Mirella è avvocato. 3. .... porta è aperta. 4. .... giardino è pieno di fiori. 5. Ieri ho lavorato tutto .... giorno. 6. Silvia è .... mia nipote prediletta. 7. .... zaffiro è una pietra preziosa. 8. .... gatto è un felino. 9. .... pianista che abbiamo applaudito è molto giovane. 10. .... xilofono è uno strumento musicale. 11. .... yo-yo è un giocattolo. 12. .... scoiattolo vive nei boschi. 13. .... spettacolo inizia alle ore 21. 14. .... anello di Marta vale dieci milioni. 15. Mario ha rotto .... maniglia della porta. 16. .... oche sono animali da cortile. 17. .... scherzi sono belli quando durano poco. 18. .... capelli di Orietta sono biondi e morbidi come .... seta. 19. .... sciopero finirà alle 11. 20. .... psicanalista riceve dalle 16 in poi. 21. .... orsi amano .... miele. 22. .... zoo apre la mattina alle 9. 23. .... collega di mio padre è rimasto ferito in un incidente d'auto. 24. .... nipote di Michele si è sposata ieri. 25. .... zucchero fa ingrassare. 26. Paola non ha saputo risolvere .... problema di matematica. 27. Questa mattina .... insegnante di storia dell'arte è arrivata in ritardo. 28. .... teatro è tutto esaurito: ormai non si trovano più biglietti. 29. .... cinema Odeon è stato completamente restaurato. 30. .... fortuna aiuta .... audaci.

3. *Sostituisci ai puntini la forma appropriata dell'articolo indeterminativo:*
1. Silvia ha .... anello con .... zaffiro. 2. Il cane è per l'uomo .... amico fedele. 3. Oggi è .... giorno stupendo. 4. Ingmar Bergman è .... famoso regista svedese. 5. Anna è .... intellettuale: è impossibile parlare con lei di argomenti frivoli. 6. Paola è .... madre affettuosa. 7. Piero ha comprato .... orologio di ottima marca. 8. Sull'albero c'è .... scoiattolo. 9. Devo mettermi .... stivali perché piove. 10. Antonio ha preso .... brutto raffreddore. 11. Elisa ha .... volto simpatico. 12. Giovanni abita in .... bella casa alla periferia della città. 13. Ho voglia di fumare .... sigaretta. 14. Roberta è .... bella ragazza. 15. Tiziano è .... studente di architettura che ho conosciuto a Napoli. 16. Guido vuole acquistare .... automobile nuova. 17. Carla ha .... amiche sincere che l'aiutano spesso. 18. Chi trova .... amico trova .... tesoro. 19. Rossella ha .... stipendio ottimo. 20. .... antico proverbio dice: chi fa da sé fa per tre. 21. .... persona intelligente sa sempre quello che deve fare. 22. Mi hanno detto che Miranda ha comprato .... stupendo attico nel centro storico. 23. In giardino c'è .... gatto che miagola. 24. L'estate prossima Laura partirà per .... lungo viaggio. 25. Per fare le cose bene, occorre sempre .... po' di attenzione. 26 Leonardo è stato non solo .... artista, ma anche .... grande scienziato. 27. Giulia è .... ottima insegnante. 28. Gualtiero è .... ottimo insegnante di matematica, 29. .... zingaro mi ha predetto molta fortuna. 30. Sull'albero accanto alla fontana c'è .... passero infreddolito. 31. L'ambizione è .... stimolo allo studio.

4. *Sostituisci ai puntini l'articolo appropriato (determinativo o indeterminativo) secondo il senso delle frasi:*
1. Oggi c'è .... sole. 2. Oggi c'è .... sole abbagliante. 3. Caterina ha .... bei capelli. 4. Miranda ha .... capelli castani. 5. Paperino (Donald Duck) è .... personaggio di Walt Disney. 6. Paperino è .... più simpatico personaggio di Walt Disney. 7. Giorgio è .... padre di Marco. 8. Giorgio è .... padre severo. 9. Ugo è .... uomo simpatico. 10. Milena è .... bella ragazza. 11. Ilaria è .... ragazza di Folco. 12. .... marito di Roberta è inglese. 13. .... cavallo è .... animale molto intelligente. 14. Pierre e Peter studiano con impegno .... lingua italiana. 15. Al cinema Ariston proiettano .... film western. 16. Oggi ho .... occhi arrossati per il vento. 17. Giulia ha .... occhi verdi 18. Agli Uffizi sono esposti .... quadri famosi in tutto .... mondo. 19. .... automobile di Ludovico è nuova. 20. Ludovico ha .... automobile nuova. 21. Franz è .... studente tedesco. 22. Guidare per otto ore senza sosta è .... fatica eccessiva. 23. .... inglese è .... lingua utile per i contatti internazionali. 24. Il tedesco è .... lingua di Uta. 25.

Lucia dorme in .... letto a due piazze. 26. .... letto di Lucia è a due piazze. 27. Carlotta ha .... vestito nero molto elegante. 28. .... vestito che Carlotta ha acquistato ieri è nero. 29. Erminia ha .... gonna gialla. 30. Giacomo Leopardi è .... famoso poeta italiano dell'Ottocento. 31. Giacomo Leopardi è .... più grande poeta italiano dell'Ottocento. 32. Giacomo Leopardi nacque a Recanati, ... cittadina delle Marche. 33. Ieri faceva .... freddo terribile. 34. Per trovare .... buon lavoro occorre conoscere almeno .... lingua straniera. 35. Firenze è .... città in cui vivo. 36. Firenze è .... bella città. 37. Quel negozio vende .... ottimo vino. 38. .... Chianti è .... vino che preferisco. 39. I critici apprezzano molto .... poesia di Montale. 40. *L'Infinito* è .... poesia di Giacomo Leopardi. 41. Fra .... varie arti, Eugenio apprezza soprattutto .... poesia e .... musica. 42. Per acquistare .... Dalì oggi occorrono miliardi. 43. Dalì è .... pittore che apprezzo maggiormente. 44. Dalì è .... fra i più grandi pittori di questo secolo. 45. Alla Scala danno .... opera di Giuseppe Verdi. 46. Lorenzo si crede .... genio e invece è .... sciocco. 47. .... genio di Leonardo è noto in tutto .... mondo. 48. Augusto possiede .... rara edizione del *Decameron*. 49. Valeria mi ha regalato .... squisiti dolci siciliani. 50. Con tutti .... amici che ha, Paola non rimane mai sola. 51. .... nuoto è .... sport salutare. 52. .... cifra che chiedono per quella casa è troppo alta. 53. Per quella casa chiedono .... cifra troppo alta. 54. Daniele paga .... affitto modesto.

5. CACCIA ALL'ERRORE.

Correggi gli eventuali errori contenuti nelle seguenti frasi:

1. L'Alighieri, grande poeta fiorentino, scrisse *La Divina Commedia*. 2. Il Dante, grande poeta fiorentino, scrisse *La Divina Commedia*. 3. Il Dante Alighieri, grande poeta fiorentino, scrisse *La Divina Commedia*. 4. Il Mario è partito ieri per Londra. 5. La Firenze dei Medici è stata un modello di arte e cultura per l'intera Europa. 6. La Genova è il capoluogo della Liguria. 7. La bella Genova è una città in cui il fascino della natura si unisce a quello delle antichità. 8. Il Cairo è la capitale dell'Egitto. 9. La Roma è la capitale dell'Italia. 10. La Roma classica, con le sue antichità, costituisce una grande attrazione per gli studiosi di tutto il mondo. 11. Il David di Michelangelo è una scultura esposta al Museo dell'Accademia di Firenze. 12. Il David uccise il Golia. 13. La Venere del Botticelli è una pittura esposta agli Uffizi. 14. La Venere è l'antica dea della bellezza. 15. La Sicilia e la Sardegna sono le due più grandi isole italiane. 16. L'Inghilterra è la patria di Shakespeare. 17. La Malta è una piccola isola famosa per le sue bellezze naturali e il clima mite. 18. La

Cipro è un'isola del Mediterraneo orientale. 19. La Corsica e la Capri sono due isole: la prima è grande; la seconda è piccola. 20. Oggi la Roma gioca contro il Milan. 21. Il mio padre è scrittore. 22. Il mio papà è medico. 23. Il mio zio è avvocato. 24. Il mio zietto è avvocato. 25. Il mio caro zio è avvocato. 26. Il mio fratello ha vent'anni. 27. Il mio fratellino ha quattro anni. 28. I miei fratelli abitano a Venezia. 29. Marta e Nicoletta abitano a Firenze con la loro madre. 30. La Carla è una ragazza sincera.

II. IL PRESENTE INDICATIVO. IL VERBO ESSERE E IL VERBO AVERE

Lui *ha* sempre caldo; io sempre freddo. D'estate, quando è veramente caldo, non *fa* che discutere del gran caldo che *ha*. *Si sdegna* se *vede* che *m'infilo*, la sera, un golf.

Lui *sa* parlare bene alcune lingue; io non ne *parlo* bene nessuna. Lui *riesce* a parlare, in qualche suo modo, anche le lingue che non *sa*.

Lui *ha* un grande senso dell'orientamento; io nessuno. Nelle città straniere, dopo un giorno, lui *si muove* leggero come una farfalla. Io *mi perdo* nella mia propria città; *devo* chiedere indicazioni per ritornare alla mia propria casa. Lui *odia* chiedere indicazioni; quando *andiamo* per città sconosciute, in automobile, non *vuole* che chiediamo indicazioni e mi *ordina* di guardare la pianta topografica. Io non *so* guardare le piante topografiche, *m'imbroglio* su quei cerchi rossi, e si *arrabbia*.

Lui *ama* il teatro, la pittura, e la musica: soprattutto la musica. Io non *capisco* niente di musica, m'*importa* molto poco della pittura, e *m'annoio* a teatro. *Amo* e *capisco* una cosa sola al mondo, ed è la poesia.

Lui *ama* i musei, e io ci *vado* con sforzo, con uno spiacevole senso di dovere e fatica. Lui *ama* le biblioteche, e io le *odio*.

Lui *ama* i viaggi, le città straniere e sconosciute, i ristoranti. Io resterei sempre a casa, non mi muoverei mai.

Lo *seguo*, tuttavia, in molti viaggi. Lo *seguo* ai musei, nelle chiese, all'opera. Lo *seguo* anche ai concerti, e *mi addormento*.

Siccome *conosce* dei direttori d'orchestra, dei cantanti, gli *piace* andare, dopo lo spettacolo, a congratularsi con loro. Lo *seguo* per i lunghi corridoi che *portano* ai camerini dei cantanti, lo *ascolto* parlare con persone vestite da cardinali e da re.

Non è timido; e io *sono* timida. Qualche volta, però, l'ho visto timido. Con i poliziotti, quando *s'avvicinano* alla nostra macchina con taccuino e matita. Con quelli *diventa* timido, sentendosi in torto.

E anche non sentendosi in torto. *Credo* che nutra rispetto per l'autorità costituita.

Io, l'autorità costituita, la *temo*, e lui no. Lui ne *ha* rispetto. È diverso. Io, se *vedo* un poliziotto avvicinarsi per darci la multa, *penso* subito che vorrà portarmi in prigione. Lui, alla prigione, non *pensa*; ma *diventa*, per rispetto, timido e gentile.

(Natalia Ginzburg - da *Lui e io*)

Ed è subito sera

Ognuno *sta* solo sul cuor della terra
trafitto da un raggio di sole
ed è subito sera.

(Salvatore Quasimodo)

Sera di febbraio

Spunta la luna.
            Nel viale è ancora
giorno, una sera che rapida *cala*.
Indifferente gioventù *si incontra*
sbanda a povere mete.
            Ed è il pensiero
della morte che, in fine, *aiuta* a vivere.

(Umberto Saba)

Attenzione: i verbi in corsivo sono al **presente indicativo**.

Il verbo **essere** significa *esistere, stare, trovarsi*, ecc.

INDICATIVO PRESENTE					
1S (*)	io	sono	1P	noi	siamo
2S	tu	sei	2P	voi	siete
3S	lui, egli, esso lei, ella, essa Lei	è	3P	loro, essi loro, esse Loro	sono

Il verbo **avere** significa *possedere*.

INDICATIVO PRESENTE					
1S (*)	io	ho	1P	noi	abbiamo
2S	tu	hai	2P	voi	avete
3S	lui, egli, esso lei, ella, essa Lei	ha	3P	loro, essi loro, esse Loro	hanno

Attenzione: *essere* e *avere*, oltre che nel loro significato e uso proprio, vengono anche utilizzati per la formazione dei tempi composti. Per questo motivo, cioè in quanto aiutano gli altri verbi nella coniugazione, sono detti **ausiliari**.

(*) 1S significa *prima persona singolare*; 2S *seconda persona singolare*; 3S *terza persona singolare*; 1P *prima persona plurale*, ecc.

LE CONIUGAZIONI DEI VERBI

I verbi italiani sono:

1. della I coniugazione quando all'infinito terminano in	ARE
2. della II coniugazione quando all'infinito terminano in	ERE
3. della III coniugazione quando all'infinito terminano in	IRE

BALL ▽ radice	ARE ▽ desinenza	*ballare* è un verbo della I coniugazione
PIANG ▽ radice	ERE ▽ desinenza	*piangere* è un verbo della II coniugazione
DORM ▽ radice	IRE ▽ desinenza	*dormire* è un verbo della III coniugazione

L'INDICATIVO PRESENTE

	I	**BALLARE**	II	**PIANGERE**	III	**DORMIRE**
io		ball**o**		piang**o**		dorm**o**
tu		ball**i**		piang**i**		dorm**i**
lui, lei, Lei (*)		ball**a**		piang**e**		dorm**e**
noi		ball**iamo**		piang**iamo**		dorm**iamo**
voi		ball**ate**		piang**ete**		dorm**ite**
loro, Loro (*)		ball**ano**		piang**ono**		dorm**ono**

L'indicativo presente si forma con la radice del verbo + le desinenze:

o	i	a	iamo	ate	ano,	per la I coniugazione
o	i	e	iamo	ete	ono,	per la II coniugazione
o	i	e	iamo	ite	ono,	per la III coniugazione

(*) Oggi i più usati pronomi personali soggetto per la 3.a persona singolare sono: **lui** (maschile), **lei** (femminile) e **Lei** (maschile e femminile, nella formula di cortesia); quello più usato per la 3.a persona plurale è **loro** (maschile e femminile. Si usa anche nella formula di cortesia).

Attenzione: molti verbi della III congiugazione vogliono il suffisso **isc** tra la radice e le desinenze della 1.a, 2.a e 3.a persona singolare, e della 3.a persona plurale.
Es.: CAPIRE: cap**isco**, cap**isci**, cap**isce**, capiamo, capite, cap**iscono**.

I più usati sono: finire, preferire, costruire, ferire, seppellire, unire, pulire, proibire, sparire, subire, ubbidire, disubbidire, fornire, abolire, stabilire, colpire, guarire, sostituire, riferire, restituire, favorire, agire, capire, starnutire, ecc.

IL MODO INDICATIVO SI USA PER ESPRIMERE AZIONI REALI, OGGETTIVE, CERTE

Il presente indicativo si usa per:

1. *Le azioni che avvengono mentre parliamo*
   (Ora) Silvia legge.
   (Ora) il gatto beve il latte.

2. *Le azioni o gli stati abituali*
   Tutte le mattine alle 9 Carlo apre il negozio.
   Tutte le settimane Lucia fa la spesa al Supermercato.

3. *Le azioni future non lontane nel tempo, ma imminenti*
   Domani parto (partirò) per le vacanze.
   Questa sera vado (andrò) a teatro.

4. *I proverbi*
   Chi tace acconsente.
   Chi dorme non piglia pesci.

5. *Le azioni passate della storia (presente storico)*
   Nel 1492 Cristoforo Colombo scopre (scoprì) l'America.
   Nel 1648 la pace di Westfalia segna (segnò) la fine della guerra dei Trent'Anni.

6. *Riferire opinioni e sentenze di personaggi storici*
   Niccolò Machiavelli afferma che il fine giustifica i mezzi.
   Leopardi afferma che la vita oscilla fra il dolore e la noia.

FORME IRREGOLARI

a. I verbi che terminano in **care** e **gare** prendono una **h** davanti alle desinenze che incominciano per **i** (2.a persona singolare e 1.a persona plurale).

Es.:	CERCARE	PREGARE
1S	cerco	prego
2S	**cerchi**	**preghi**
3S	cerca	prega
1P	**cerchiamo**	**preghiamo**
2P	cercate	pregate
3P	cercano	pregano

b. I verbi che terminano in **ciare** e **giare** perdono la **i** finale della radice davanti alle desinenze che incominciano per **i** (2.a persona singolare e 1.a persona plurale).

Es.:	BACIARE	VIAGGIARE
1S	bacio	viaggio
2S	**baci**	**viaggi**
3S	bacia	viaggia
1P	**baciamo**	**viaggiamo**
2P	baciate	viaggiate
3P	baciano	viaggiano

c. I verbi che terminano in **iare (con i non accentata)** perdono la **i** finale della radice davanti alle desinenze che incominciano per **i** (2.a persona singolare e 1.a persona plurale).

Es.:		STUDIARE	RIPUDIARE
	1S	studio	ripudio
	2S	**studi**	**ripudi**
	3S	studia	ripudia
	1P	**studiamo**	**ripudiamo**
	2P	studiate	ripudiate
	3P	studiano	ripudiano

Invece i verbi che terminano in **iare (con i accentata)** mantengono la **i** finale della radice alla 2.a persona singolare, ma la perdono alla 1.a persona plurale.

Es.:		RINVIARE	AVVIARE
	1S	rinvìo	avvìo
	2S	rinvìi	avvìi
	3S	rinvìa	avvìa
	1P	**rinvìamo**	**avvìamo**
	2P	rinvìate	avvìate
	3P	rinvìano	avvìano

d. I verbi che terminano in **arre, orre** e **urre** derivano da una forma antica dell'infinito (es: *trarre* dal latino *tràhere, porre* da *pònere; condurre* da *condùcere*). Appartengono alla II coniugazione e sono irregolari. I più usati sono:

TRARRE	traggo, trai, trae, traiamo, traete, traggono
ATTRARRE	attraggo, attrai, attrae, attraiamo, attraete, attraggono
DISTRARRE	distraggo, distrai, distrae, distraiamo, distraete, distraggono
CONTRARRE	contraggo, contrai, contrae, contraiamo, contraete, contraggono
PORRE	pongo, poni, pone, poniamo, ponete, pongono
COMPORRE	compongo, componi, compone, componiamo, componete, compongono
IMPORRE	impongo, imponi, impone, imponiamo, imponete, impongono
PROPORRE	propongo, proponi, propone, proponiamo, proponete, propongono
CONDURRE	conduco, conduci, conduce, conduciamo, conducete, conducono
TRADURRE	traduco, traduci, traduce, traduciamo, traducete, traducono
PRODURRE	produco, produci, produce, produciamo, producete, producono
RIDURRE	riduco, riduci, riduce, riduciamo, riducete, riducono

e. Molti verbi sono irregolari e hanno una coniugazione propria. I più usati sono:

POTERE	posso, puoi, può, possiamo, potete, possono
VOLERE	voglio, vuoi, vuole, vogliamo, volete, vogliono
DOVERE	devo, devi, deve, dobbiamo, dovete, devono
SAPERE	so, sai, sa, sappiamo, sapete, sanno
USCIRE	esco, esci, esce, usciamo, uscite, escono
UDIRE	odo, odi, ode, udiamo, udite, odono
SEDERE	siedo, siedi, siede, sediamo, sedete, siedono
MORIRE	muoio, muori, muore, moriamo, morite, muoiono
ANDARE	vado (vo), vai, va, andiamo, andate, vanno
DARE	do, dai, dà, diamo, date, danno
STARE	sto, stai, sta, stiamo, state, stanno
FARE	faccio (fo), fai, fa, facciamo, fate, fanno
DIRE	dico, dici, dice, diciamo, dite, dicono
BERE	bevo, bevi, beve, beviamo, bevete, bevono
VENIRE	vengo, vieni, viene, veniamo, venite, vengono
RIMANERE	rimango, rimani, rimane, rimaniamo, rimanete, rimangono
SALIRE	salgo, sali, sale, saliamo, salite, salgono
SCEGLIERE	scelgo, scegli, sceglie, scegliamo, scegliete, scelgono
SCIOGLIERE	sciolgo, sciogli, scioglie, sciogliamo, sciogliete, sciolgono
SPEGNERE (SPENGERE)	spengo, spegni (spengi), spegne (spenge), spegniamo (spengiamo) spegnete (spengete), spengono
GIACERE	giaccio, giaci, giace, giaciamo, giacete, giacciono

1. *Sostituisci all'infinito fra parentesi la forma appropriata dell'indicativo presente.*

1. Io (vivere) .... a Roma, ma (venire) .... spesso a Firenze, città in cui (abitare) .... mia madre. 2. Noi (cercare) .... di svolgere il nostro lavoro con serietà. 3. Cinzia (uscire) .... di casa ogni mattina alle 8 e (rientrare) .... alle 14. 4. Giulia e Andrea (capire) .... bene il francese, ma non (riuscire) .... a parlarlo. 5. Dove (andare) .... ogni giorno Paolo, appena (finire) .... di studiare? 6. La mattina Daniele (bere) .... solo un caffè; io, invece, (fare) .... sempre una colazione abbondante. 7. Aldo e Marcello (volere) .... comprare una casa in campagna. 8. Noi (cercare) .... una casa in affitto. 9. Orietta (essere) .... molto prepotente: (imporre) .... sempre la sua volontà agli amici. 10. Ormai tu (rinviare) .... la partenza da troppi mesi. 11. Simona (essere) .... una bella donna: (attrarre) .... molto gli uomini. 12. Cane e gatto (essere) .... spesso nemici. 13. La sera Tommaso non (volere) .... mai uscire; (preferire) .... guardare la televisione. 14. Sergio (essere) .... molto raffreddato: (starnutire) .... in continuazione. 15 Il mio gatto (avere) .... gli occhi verdi. 16. Lucilla (cogliere) .... spesso dei fiori per sua madre. 17. I miei stivali (essere) .... vecchi: (io - volere) .... degli stivali nuovi. 18. (Essere) .... mezzanotte: adesso (io - spegnere) .... la luce e (dormire) .... 19. Samantha (comporre) .... della musica piena di ritmo. 20. Luigi e Marco (bere) .... troppi caffè. 21. Antonietta (dare) .... troppa importanza ai soldi. 22. Questa mattina gli studenti (sedere) .... attenti e (ascoltare) .... in silenzio la lezione. 23. Susanna non (ubbidire) .... mai a suo padre. 24. È una situazione molto difficile: Patrizia e io non (sapere) .... che cosa fare. 25. Che noia! (Io - proporre) .... di andare al cinema. 26. (Io - morire) .... dalla voglia di mangiare un gelato. 27. Dove (tu - andare) .... questa sera? 28. I tuoi discorsi non mi (convincere) .... 29. Fabio e io (mancare) .... da Milano da due anni. 30. In genere Paola e Franco (salire) .... le scale senza fatica. 31. Adesso noi (uscire) .... Voi che cosa (fare) ....? 32. Franca (scegliere) .... dei vestiti troppo appariscenti. 33. Non tutti (dire) .... quello che (pensare) .... 34. Io (fare) .... quello che (potere) .... 35. In piazza Beccaria alcuni esponenti di associazioni ambientalistiche (raccogliere) .... firme contro la caccia. 36. Sandro (contrarre) .... troppi debiti: tutti i suoi amici (essere) .... preoccupati per lui. 37. Il calore della fiamma

(sciogliere) .... il burro in pochi attimi. 38. Ugo (stare) .... male: (giacere) .... in un tremendo stato di prostrazione e i medici non (sapere) .... come curarlo. 39. Giulio (cercare) .... un lavoro perché i suoi genitori sono stanchi di mantenerlo. 40. Questi rubini non (valere) .... niente.

2. *Al posto dei puntini inserisci uno dei verbi qui elencati:*
fa, traduce, esce, abitano, piove, scrive, fuma, partono, dipinge, leggo, ho, mangia, giocano, suona, vive, guida.
1. Mario .... la pipa. 2. Maya .... da scuola tutti i giorni alle 13. 3. A pranzo Clarissa .... soltanto una bistecca e un pomodoro. 4. Adriana e Gisella .... domani per le vacanze. 5. Elena .... quadri con fiori e animali. 6. Le bambine .... con le bambole. 7. Maurizio .... spesso lunghe e affettuose lettere a suo padre. 8. Oggi è nuvolo e .... freddo. 9. Vado a letto perchè .... sonno e sono stanco. 10. Carlo .... l'automobile con molta abilità. 11. Peter è tedesco, ma .... in Italia da cinque anni. 12. Ogni giorno (io) .... brutte notizie sul giornale. 13. Prendo l'ombrello perché .... a dirotto. 14. Mara .... un libro dal tedesco in italiano. 15. Gabriella e Giovanni .... in via Masaccio. 16. Giancarlo .... lo xilofono, il pianoforte e la chitarra.

III. IL NOME. IL GENERE (MASCHILE E FEMMINILE)

I nomi possono essere maschili o femminili. I nomi che terminano in:

o *sono quasi tutti maschili* (es: l'albero, il libro, l'ombrello, l'occhio, l'orologio, il letto, l'uomo, il fungo, lo specchio, il pomodoro, il telefono, il cuscino, il giorno, lo scherzo, il tramonto, il sorriso, il lavoro, il pianto, il negozio, ecc.);
sono molto rari i femminili (es: la mano, la radio, la biro, la dinamo, la virago, ecc.).

a *sono quasi tutti femminili* (es: la casa, la bambola, la sedia, la penna, la cintura, la chiesa, la palla, la matita, la libreria, la spazzola, la donna, l'isola, la foglia, la barca, la bandiera, la bottiglia, la poltrona, la parola, l'alba, ecc.);
sono rari i maschili (es: il teorema, il tema, il problema, l'anatema, il sistema, il panorama, l'atleta, il poeta, il dentista, il profeta, l'anacoreta, l'eremita, il telegramma, il diploma, il dramma, ecc.).

e *sono maschili* (es: il padre, il fiore, il giornale, il cane, lo stivale, il pesce, il maiale, il candeliere, il pettine, il bicchiere, il serpente, l'aquilone, il sapone, il balcone, il raffreddore, lo stupore, il fulmine, il grembiule, ecc.);
o femminili (es: la madre, la volpe, l'automobile, la chiave, la lezione, la cornice, l'estate, la neve, la moglie, la nazione, la mente, la febbre, la rondine, la classe, la superficie, la stazione, la tigre, ecc.).

i *sono quasi tutti femminili* (es: la sintesi, la parentesi, la crisi, la dieresi, la metropoli, la megalopoli, la sintassi, la profilassi, ecc.);
sono rari i maschili (es: il brindisi, l'alibi, ecc.).

u *sono maschili* (es: lo gnu, ecc.);
e femminili (es: la gru, ecc.).

ò *sono maschili* (es: dal francese: il paltò, il rondò, il comò, l'oblò, ecc.).

à *sono quasi tutti femminili* (es: la società, la città, l'università, la facoltà, la pietà, la povertà, la sanità, la verità, la falsità, la sincerità, la senilità, la realtà, la stupidità, la puerilità, ecc.);
sono rari i maschili (es: il pascià, il podestà, il papà, il lillà, ecc.)

è *sono quasi tutti maschili* (es: il caffè, il tè, il canapè, lo scimpanzè, ecc.);

é *sono molto rari i femminili* (es: la mercé, ecc.).

ì *sono quasi tutti maschili* (es: il colibrì, il lunedì, il martedì, il mercoledì, il giovedì, il venerdì, ecc.);
sono molto rari i femminili (es: la pipì, ecc.).

ù *sono maschili* (es: il tabù, il caucciù, il bambù, lo zebù, il sovrappiù, ecc.);
e femminili (es: la virtù, la gioventù, la servitù, la schiavitù, la tribù, ecc.).

Sono *maschili*, salvo eccezioni, i nomi:

a. *di origine straniera con consonante finale*: lo sport, il golf, il bar, il pullover, il film, l'autobus, il tennis, il gas, ecc. (eccezioni: la colt, la star, ecc.)

b. *di esseri viventi di sesso maschile*: l'uomo, il gatto (*), ecc.

c. *dei mari*: il Mediterraneo, il Baltico, ecc.

d. *degli Oceani*: il Pacifico, l'Atlantico, ecc.

e. *dei laghi*: il Trasimeno, il Garda, ecc.

f. *dei monti*: il Kilimangiaro, il Monte Rosa, il Cervino, ecc. (eccezioni: le Alpi, le Ande, la Sila, ecc.)

g. *dei mesi*

h. *dei giorni* (eccezione: la domenica)

i. *dei metalli*: l'oro, il platino, il ferro, ecc.

l. *degli alberi da frutto*: il pero, il melo , il mandorlo, ecc.

(*) Molti nomi di animali hanno una sola forma (maschile o femminile) per indicare sia il maschio che la femmina. Es: la volpe, la lepre, il topo, il falco, la scimmia, ecc. In questi casi, per specificare il sesso dell'animale, al suo nome dobbiamo aggiungere l'aggettivo *maschio* o *femmina*.

Sono *femminili*, salvo eccezioni, i nomi:

a. *di esseri viventi di sesso femminile*: la donna, la gatta, ecc.

b. *di città*: la Firenza antica, la dotta Bologna, ecc.

c. *di isole*: la Corsica, la Sardegna (eccezione: il Madagascar, ecc.)

d. *di continenti*

e. *dei frutti che hanno lo stesso nome dell'albero che li produce* (gli alberi però sono maschili): la pera, la mela, la mandorla, ecc. (eccezione: il fico, il limone, il mandarino, ecc.)

LA FORMAZIONE DEL FEMMINILE

Per formare il femminile di un nome che indica persona o animale, in alcuni casi si può sostituire a:

o finale del maschile	**a**:	il gatto	- la gatt*a*
		lo scolaro	- la scolar*a*
		il cavallo	- la cavall*a*
		il ragazzo	- la ragazz*a*, ecc.
e finale del maschile	**a**:	il signore	- la signor*a*
		l'infermiere	- l'infermier*a*
		il portiere	- la portier*a*, ecc.
	essa:	il leone	- la leoness*a*
		il professore	- la professor*essa*
		lo studente	- la student*essa*, ecc.
a finale del maschile	**essa**:	il poeta	- la poetessa
tore finale del maschile	**trice**:	il pittore	- la pit*trice*
		l'imperatore	- l'impera*trice*
		lo scrittore	- la scrit*trice*, ecc.
	essa:	il dottore	- la dottor*essa*, ecc.
	tora:	il pastore	- la pas*tora*, ecc.

Esistono dei nomi che hanno il femminile uguale al maschile: il loro genere si distingue quindi solo dall'articolo. I più comuni sono:

(un, una) nipote
(un, una)parente
(un, una) consorte
(un, una) concertista
(un, una) cantante
(un, una) pianista

(un, un') insegnante
(un, un') artista

(un, una) suicida
(un, un') omicida

Attenzione: al plurale rimangono uguali per i due generi solo i nomi che terminano in *e* (es: i nipoti, le nipoti); gli altri hanno due forme distinte (es: i pianisti, le pianiste).

NOMI CHE HANNO IL FEMMINILE COMPLETAMENTE DIVERSO DAL MASCHILE. I più comuni sono:

l'uomo	la donna	il maschio	la femmina
il padre	la madre	il babbo (il papà)	la mamma
il fratello	la sorella	il genero	la nuora
il marito	la moglie	il compare	la comare
il celibe	la nubile	il padrino	la madrina
il montone	la pecora	il becco	la capra
il porco	la scrofa	il fuco	l'ape

NOMI CHE HANNO IL FEMMINILE IRREGOLARE. I più comuni sono:

il re	la regina	l'eroe	l'eroina
il dio	la dea	il cane	la cagna
il gallo	la gallina	lo stregone	la strega
l'abate	la badessa	il doge	la dogaressa

NOMI CHE CAMBIANO SIGNIFICATO DAL MASCHILE AL FEMMINILE. Esistono alcuni nomi che hanno un significato al maschile e uno (diverso) al femminile. I più comuni sono:

il pianto	la pianta	il fodero	la fodera
il mento	la menta	il mazzo	la mazza
il modo	la moda	il cero	la cera
il tappo	la tappa	il gambo	la gamba
il punto	la punta	il picco	la picca
lo stecco	la stecca	il colpo	la colpa
lo scalo	la scala	il porto	la porta
il manico	la manica	il limo	la lima
il sego	la sega	il covo	la cova
il ballo	la balla	il pozzo	la pozza
il tasso	la tassa	il lotto	la lotta
il pollo	la polla	il soffitto	la soffitta
il velo	la vela	il poltrone	la poltrona
il costo	la costa	il fine	la fine
il collo	la colla	il pezzo	la pezza
il fallo	la falla	il razzo	la razza
il fronte	la fronte	il pizzo	la pizza
il filo	la fila	il cartello	la cartella
il tempio	la tempia	lo scopo	la scopa
il foglio	la foglia	il banco	la banca
il maglio	la maglia		

1. Metti l'articolo determinativo appropriato davanti ai seguenti nomi:
...... nave, ... pollo, ... genero, ... volpe, ..., ... gallina, ... casa, ... cognato, ... nuora, ... padre, ... dottoressa, ... cane, ... re, ... professoressa, ... leone, ... pesce, ... vino, ... sorella, ... zio, ... stivale, ... fiore, ... mese, ... anno, ... pianto, ... negozio, ... stazione, ... radio, ... mano, ... città, ... gru, ... brindisi, ... tema, ... teorema, ... dinamo, ... dieresi, ... dramma, ... teatro, ... cinema, ... pellicola, ... neve, ... sistema, ... fulmine, ... profeta, ... telegramma, ... lettera, ... rondine, ... asceta, ... gioventù, ... scimpanzè, ... panorama, ... bambù, ... colibrì, ... schiavitù, ... caffè, ... latte, ... sincerità, ... falsità, ... pascià, ... alibi, ... rondò, ... metropoli, ... necropoli, ... sintassi, ... cagna, ... maiale, ... crisi, ... domenica, ... polvere, ... poeta, ... strega, ... dio, ... gamba, ... nubile, ... pizza, ... gnu, ..., ... pullover, ... star, ... tabù, ... tribù, ... ferro, ... argento, ... rame, ... mela, ... limone, ... frate, ... suora, ... tennis, ... fungo, ... sentinella, ... quadro, ... problema, ... diagnosi, ... tigre, ... scittrice, ... collera, ... colera, ... influenza, ... giovedì, ... settembre, ... Monte Bianco, ... manico, ... sapone, ... psichiatra, ... celibe, ... serpente, ... museo, ... lezione, ... chiave, ... virtù, ... sovvrappiù.

2. Volgi al femminile i seguenti nomi:
Il gatto ......, il re ......, il professore ......, il dio ......, il cacciatore ......, il bue ......, lo studente ......, l'asino ......, il leone ......, il maschio ......, l'abate ......, lo scrittore ......, l'oste ......, lo zio ......, il poeta ......, il cane ......, il conte ......, il marchese ......, il doge, ..., il signore ......, il marito ......, il fratello ......, il presidente ......, l'infermiere ......, il pittore ......, l'attore ......, il cavallo ......, il gallo ......, l'eroe ......, il ladro ......, lo stregone ......, l'imperatore ......, il fuco ......, il porco ......, il nonno ......, il topo ......, lo zingaro ......, lo scolaro ......, il cantante ......, il consorte ......, lo scultore ......, il pianista

.................................., lo psichiatra ...., lo psicanalista ...., il pediatra ...., il dottore ....

3. Volgi al maschile i seguenti nomi:
la sacerdotessa ...., la cognata ...., la volpe ...., l'attrice ...., la cuoca ...., la presentatrice ...., la nuora ...., l'ape ...., la madrina ...., la comare ...., l'anatra ...., la direttrice ...., la principessa ...., la padrona ...., la suocera ....

4. Sostituisci ai puntini uno dei due nomi fra parentesi, preceduto dall'articolo appropriato, determinativo o indeterminativo, secondo il senso della frase.

1. .... è un animale da cortile (pollo - polla). 2. Le donne amano seguire .... (modo - moda). 3. Devo trovare .... per guadagnare molti soldi (modo - moda). 4. Il valzer è .... (ballo - balla). 5. Dal rubinetto esce .... d'acqua (filo - fila). 6. Davanti al teatro Manzoni c'è .... di persone in attesa di acquistare il biglietto (filo - fila). 7. Chi dorme sempre e non vuole mai alzarsi quando suona la sveglia è davvero .... (poltrone - poltrona). 8. .... e l'ago servono per cucire (filo - fila). 9. 500.000 lire? .... di questo vestito è davvero eccessivo (costo - costa). 10. Voglio comprare .... di rose per metterla in giardino (pianto - pianta). 11. .... delle donne commuove quasi sempre gli uomini (pianto - pianta). 12. .... è una pianta aromatica (mento - menta). 13. Il cigno ha .... lungo e sottile (collo - colla). 14. ...., sega, martello, tenaglie, pinze, pialla sono strumenti del falegname (limo - lima). 15. .... è il fango degli stagni dove sguazzano le rane (limo - lima). 16. Per colazione voglio dei biscotti e .... di cioccolata (pezzo - pezza). 17. Sabrina si copre .... con una lunga frangia di capelli (il fronte - la fronte). 18. Quando scoppia una guerra i soldati partono per .... (il fronte - la fronte). 19. .... di un giorno di festa è sempre un po' triste (il fine - la fine). 20. Nel mio salotto ci sono .... e due divani (il poltrone - la poltrona). 21. Il mio ombrello ha .... di legno (manico - manica). 22. Uno schizzo di pomodoro ha macchiato .... del mio golf nuovo (manico - manica). 23. Augusto ha i baffi e .... (pizzo -

pizza). 24. .... di questa camicetta da sera è di qualità molto raffinata (pizzo - pizza). 25. .... dei banditi è sulla montagna (covo - cova). 26. Dov'è .... di questa bottiglia (tappo - tappa)? 27. Non è facile girare per Firenze: devo comprare .... della città (pianto - pianta). 28. Da Torino a Napoli facciamo .... a Firenze (tappo - tappa). 29. A pranzo ho bevuto una birra e ho mangiato .... (pizzo - pizza). 30. L'aritmetica è .... debole di Giacomo (punto - punta). 31. Bisogna rifare .... alla matita (punto - punta). 32. .... è una stanza posta subito sotto il tetto (soffitto - soffitta). 33. La scorsa estate ho percorso con la macchina .... del Tirreno dalla Liguria alla Calabria (costo - costa). 34. Roberto, smetti di perdere tempo! Prendi .... e matita e scrivi (foglio - foglia). 35. Oggi ho camminato troppo e ora mi fa male .... (gambo - gamba). 36. .... di questo fiore è rotto: bisogna tagliarlo (gambo -gamba). 37. .... è un grosso e pesante martello di ferro (maglio - maglia). 38. Oggi è molto freddo: per andare in montagna ci vuole .... pesante (maglio - maglia). 39. L'unico indumento di Adamo era .... di fico (foglio -foglia). 40. Devo andare in .... a ritirare un po' di soldi (banco - banca). 41. .... è il tempo in cui gli uccelli covano le uova (covo - cova). 42. Piera fa la sarta e ha comprato .... di tweed per fare cappotti e giacche alle sue clienti (pezzo - pezza). 43. .... è un edificio adibito al culto della divinità (tempio - tempia). 44. L'uomo è morto sul colpo: gli hanno sparato un proiettile in .... (tempio - tempia). 45. Per volare, alle streghe basta .... (scopo - scopa). 46. Nella vita bisogna avere .... (scopo - scopa). 47. Se esci dalla stanza, chiudi .... (porto - porta). 48. "Ma più beata ché in .... accolte serbi l'itale glorie" (tempio - tempia) (Foscolo). 49. Vado a prendere .... perché voglio lavare il lampadario del salotto (scalo - scala). 50. Dove fa .... l'aereo? (scalo -scala). 51. Per giocare a biliardo occorre .... (stecco - stecca). 53. .... è un grasso di origine animale (sego - sega). 54. Voglio segare questo ramo: dammi ...., per fare (sego - sega). 55. Ezio mi ha raccontato .... (ballo - balla). 56. Per mettere in ordine il mio studio, devo gettare in .... tutti i vecchi quaderni e le cartacce (ballo - balla). 57. .... è un animale che trascorre l'inverno in letargo (tasso -tassa). 58. Hai pagato .... di circolazione? (tasso - tassa). 59. Attualmente le banche concedono .... d'interesse molto basso (tasso -tassa). 60. Livia si è sposata in chiesa con l'abito lungo e .... (velo -vela). 61. Cesare ha comprato una barca a .... (velo - vela). 62. Per accomodare questa sedia, devo usare .... (collo - colla). 63. Ho messo un piede in .... (fallo - falla). 64. Nella carena della nave c'è .... (fallo - falla). 65. Questa giacca è troppo leggera: non ha neanche .... (fodero - fodera). 66. "Con questo cuoio devi fare .... per la mia spada", ordinò il cavaliere all'artigiano (fodero - fodera). 67. Se c'è .... di carte, possiamo giocare a poker (mazzo - mazza). 68. Il baseball si gioca con .... (mazzo -mazza). 69. .... si usa per fabbricare le candele (cero - cera). 70. .... è una grossa candela (cero - cera). 71. .... è un'antica arma della fanteria (picco -picca). 72. La costa si ergeva a .... sul mare (picco - picca). 73. Marcella è capricciosa: fa le cose per .... (picco - picca). 74. Taranto è .... militare (porto - porta). 75. La polizia trovò la vittima in .... di sangue (pozzo - pozza). 76. Pierluigi è .... di scienza: sa sempre tutto (pozzo - pozza). 77. Nel chiostro di San Salvatore c'è .... del Quattrocento (pozzo - pozza). 78. .... stradale invita alla prudenza (cartello - cartella). 79. Guglielmo, se sei troppo lontano dalla lavagna e non ci vedi, puoi cambiare .... (banco - banca). 80. .... del mio studio è di legno (soffitto - soffitta). 81. .... è un pesce che ha gli occhi sul dorso e la bocca sul ventre (razzo - razza). 82. Mucci è un gatto di .... (razzo -razza). 83. La notte di Capodanno Diego ha acceso .... (razzo - razza). 84. Ogni mattina alle 8 Eleonora prende .... e va a scuola (cartello - cartella).

IV. IL NOME. IL NUMERO (SINGOLARE E PLURALE)

Quando passano dal singolare al plurale, i nomi di solito cambiano terminazione:

1. i nomi maschili che terminano in **o**, al plurale terminano in **i**

Es:	l'alber*o*	gli alber*i*
	il libr*o*	i libr*i*
	lo zingar*o*	gli zingar*i*

2. i nomi femminili che terminano in **a**, al plurale terminano in **e**

Es:	la scarp*a*	le scarp*e*
	la cas*a*	le cas*e*
	l'isol*a*	le isol*e*

3. tutti i nomi (maschili e femminili) che terminano in **e**, al plurale terminano in **i**

Es:	il pesc*e*	i pesc*i*
	il bicchier*e*	i bicchier*i*
	la nav*e*	le nav*i*
	la chiav*e*	le chiav*i*

4. i nomi maschili che terminano in **a**, al plurale terminano in **i**

Es:	il poet*a*	i poet*i*
	il dramm*a*	i dramm*i*
	il pianist*a*	i pianist*i*

eccezioni:	il cinem*a*	i cinem*a*
	il boi*a*	i boi*a*
	il pari*a*	i pari*a*
	il tobog*a*	i tobog*a*
	il sosi*a*	i sosi*a*
	il delt*a*	i delt*a*
	il lam*a*	i lam*a*
	il bo*a*	i bo*a*
	il vagli*a*	i vagli*a*
	il gorill*a*	i gorill*a*

5. i nomi femminili che terminano in **ca** e **ga**, al plurale terminano in **che** e **ghe**

Es:	l'ami*ca*	le ami*che*
	l'ostri*ca*	le ostri*che*
	la ri*ga*	le ri*ghe*
	la pa*ga*	le pa*ghe*

6. i nomi maschili che terminano in **ca** e **ga**, al plurale terminano in **chi** e **ghi**

Es:		
	il patriar*ca*	i patriar*chi*
	il du*ca*	i du*chi*
	il collega	i colle*ghi*
	lo strate*ga*	gli strate*ghi*

7. i nomi maschili che terminano in **co** e **go**, al plurale terminano spesso in **chi** e **ghi** e più raramente in **ci** e **gi**. Essendo molto difficile stabilire una regola fissa poiché le eccezioni sono troppe, sarà opportuno ricordare il plurale dei nomi più usati:

il parco	i parchi
il banco	i banchi
l'albergo	gli alberghi
l'arco	gli archi
l'ago	gli aghi
il cuoco	i cuochi
lo spacco	gli spacchi
il lago	i laghi
il sindaco	i sindaci
il medico	i medici
il portico	i portici
il parroco	i parroci
il manico	i manici
l'intonaco	gl'intonaci
l'asparago	gli asparagi
l'amico	gli amici
il nemico	i nemici
il greco	i greci
il pizzico	i pizzichi
l'incarico	gl'incarichi
il valico	i valichi
l'obbligo	gli obblighi
l'affresco	gli affreschi
il chirurgo	i chirurghi
il castigo	i castighi
il fuoco	i fuochi
il ricco	i ricchi
il profugo	i profughi
il taumaturgo	i taumaturgi
il lastrico	i lastrichi
il porco	i porci

	lo stomaco	gli stomaci
	il farmaco	i farmaci
	il traffico	i traffici
	il mago	i maghi (ma *i re magi*), ecc.

8. i nomi maschili che terminano in **logo**:
a. se indicano **cose**, al plurale terminano in **loghi**:

Es:	il cata*logo*	i cata*loghi*
	il dia*logo*	i dia*loghi*
	il pro*logo*	i pro*loghi*
	il mono*logo*	i mono*loghi*

b. se indicano **persone**, al plurale terminano in **logi**:

Es:	l'astro*logo*	gli astro*logi*
	il teo*logo*	i teo*logi*
	il socio*logo*	i socio*logi*
	l'archeo*logo*	gli archeo*logi*

9. i nomi maschili che terminano in **fugo**, al plurale terminano in **fughi**:

Es:	il calli*fugo*	i calli*fughi*
	il vermi*fugo*	i vermi*fughi*

10. i nomi maschili che terminano in **fago**, al plurale terminano in **fagi**:

Es:	il sarco*fago*	i sarco*fagi*
	l'eso*fago*	gli eso*fagi*
	l'antropo*fago*	gli antropo*fagi*

11. i nomi femminili che terminano in **cia** e **gia** (con **i atona**)
a. se davanti a **cia** e **gia** hanno una **vocale**, al plurale terminano in **cie** e **gie**:

Es:	la cami*cia*	le cami*cie*
	la cilie*gia*	le cilie*gie*

b. se davanti a **cia** o **gia** hanno una **consonante**, al plurale terminano in **ce** e **ge**:

Es:	la roc*cia*	le roc*ce*
	la bis*cia*	le bis*ce*
	la reg*gia*	le reg*ge*
	la fran*gia*	le fran*ge*

12. i nomi femminili che terminano in **cìa** e **gìa** (con **i tonica**, cioè accentata), al plurale terminano in **cìe** e **gìe**:

Es:	la farma*cìa*	le farma*cìe*
	la bu*gìa*	le bu*gìe*

13. i nomi maschili che terminano in **io** (con **i atona**), al plurale terminano in **i**:

Es:	lo specch*io*	gli specch*i*
	l'orolog*io*	gli orolog*i*

ECCEZIONI		
	il temp*io*	i templ*i* (o tempi*i* o temp*î*)
	il princip*io*	i principi*i* (o princip*î*)
	l'orator*io*	gli oratori*i* (o orator*î*)
	il benefic*io*	i benefici*i* (o benefic*î*)
	il malefic*io*	i malefici*i* (o malefic*î*)
	il martir*io*	i martiri*i* (o martir*î*), ecc.

Attenzione: nei plurali di *tempio*, *principio*, *oratorio*, *beneficio*, *maleficio*, *martirio*, ecc. è necessario usare la **doppia i** o la **i con l'accento circonflesso** allo scopo di evitare confusioni con i plurali di *tempo* (tempi), *principe* (principi), *oratore* (oratori), *benefico* (benefici), *malefico* (malefici), *martire* (martiri), ecc.

14. i nomi maschili che terminano in **ìo** (con **i tonica**), al plurale terminano in **ii**:

Es:	lo z*ìo*	gli z*ìi*
	il pend*ìo*	i pend*ìi*
	il mormor*ìo*	i mormor*ìi*
	l'add*ìo*	gli add*ìi*
	il brus*ìo*	i brus*ìi*
	lo scintill*ìo*	gli scintill*ìi*
	il calpest*ìo*	i calpest*ìi*
	lo scampan*ìo*	gli scampan*ìi*
	il brontol*ìo*	i brontol*ìi*
	il martell*ìo*	i martell*ìi*
	il legg*ìo*	i legg*ìi*

Attenzione: *in italiano l'accento tonico* (cioè quello che cade su una sillaba che viene pronunciata con maggiore intensità di tono) *in genere non si scrive*. È obbligatorio scrivere l'accento solo nel caso in cui esso cada sull'ultima sillaba (**accento grafico**). Negli esempi precedenti gli accenti tonici sono stati scritti allo scopo di far comprendere meglio i casi nei quali la voce si posa sulle terminazioni in **ìo**, **ìa**, **ìi**, **ìe**, diverse da quelle in **io**, **ia**, **ii**, **ie**.

NOMI INVARIABILI AL PLURALE

Hanno il plurale **uguale** al singolare:

			Singolare	Plurale
a.	i nomi che terminano che terminano in **i** e **u**	Es:	il brindisi	i brindisi
			la crisi	le crisi
			lo gnu	gli gnu
			la gru	le gru
b.	i monosillabi	Es:	il re	i re
			il bis	i bis
			il dì	i dì
c.	i nomi con l'accento sulla ultima vocale	Es:	la città	le città
			il pascià	i pascià
			lo scimpanzè	gli scimpanzè
			il colibrì	i colibrì
			l'oblò	gli oblò
			il tabù	i tabù
			la tribù	le tribù
d.	i nomi stranieri (*) e i nomi che terminano per consonante	Es:	il gas	i gas
			il bar	i bar
			il soviet	i soviet
e.	molti nomi femminili che terminano in **ie**	Es:	la carie	le carie
			la serie	le serie
			la specie	le specie
		però:	*la moglie*	*le mogli*
			la superficie	*le superfici*
f.	i nomi composti formati da due verbi	Es:	il saliscendi	i saliscendi
			il parapiglia	i parapiglia
			il voltafaccia	i voltafaccia
g.	i nomi composti formati da un verbo e da un avverbio	Es:	il benestare	i benestare
			il posapiano	i posapiano

(*) Per le parole straniere si possono anche usare, purché in modo corretto, le consuete forme del plurale della lingua d'origine.

Attenzione: i nomi composti non seguono una regola unica nella formazione del plurale. Oltre ai due casi già citati, ne esistono altri di:

nomi composti da un aggettivo + un sostantivo maschile o femminile	a. *volgono al plurale solo il nome*: il francobollo - i francobolli la vanagloria - le vanaglorie b. *raramente* (soprattutto nei composti con *mezzo*) *volgono al plurale anche l'aggettivo*: il mezzobusto - i mezzibusti la mezzamanica - le mezzemaniche
nomi composti da due aggettivi	*volgono al plurale il secondo aggettivo*: il chiaroscuro - i chiaroscuri la sordomuta - le sordomute
nomi composti da un sostantivo maschile o femminile + un aggettivo	*volgono al plurale sia il sostantivo che l'aggettivo*: il pellerossa - i pellirosse (*) la cassaforte - le casseforti **Eccezione**: il palcoscenico - i palcoscenici
nomi composti da due sostantivi	a. *quanto i sostantivi sono dello stesso genere, volgono al plurale solo il secondo di essi*: l'arcobaleno - gli arcobaleni la cassapanca - le cassapanche b. *quando i sostantivi sono di genere diverso, volgono al plurale solo il primo*: il pescespada - i pescispada **Eccezioni**: il boccaporto - i boccaporti la ferrovia - le ferrovie la banconota - le banconote
nomi composti da un verbo + sostantivo plurale	*al plurale non mutano*: il portaombrelli - i portaombrelli il portalettere - i portalettere

(*) È molto usata anche la forma *pellirossa*.

nomi composti da un verbo + un sostantivo maschile singolare

volgono al plurale il sostantivo:

il passaport*o* - i passaport*i*

Attenzione: seguono questa regola anche le parole composte con *mano*:

l'asciugaman*o* - gli asciugaman*i*

il baciaman*o* - i baciaman*i*

nomi composti da un verbo + un sostantivo femminile singolare

al plurale in genere non mutano:

il guardiacaccia - i guardiacaccia

il voltafaccia - i voltafaccia

nomi composti da *capo* + un sostantivo

a. *quanto in essi è fondamentale il termine* **capo** (es: il capostazione è essenzialmente un **capo**, cioè il *capo della stazione*; il capotreno è il capo del treno; il capofamiglia è il capo della famiglia, ecc.) *hanno il plurale composto da* **capi** + *il sostantivo invariato*:

il capostazione - i cap*i*stazione

il capotreno - i cap*i*treno

il capofamiglia - i cap*i*famiglia

il caposquadra - i cap*i*squadra

b. *quando in essi è fondamentale il sostantivo che è rafforzato dal termine* **capo** (es: il capotecnico è essenzialmente un **tecnico** più importante di altri che sono sotto di lui; il capocomico è un **comico**, cioè un attore, che dirige una compagnia teatrale) *hanno il plurale composto da* **capo** + *il plurale del sostantivo*:

il capotecnico - i capotecnic*i*

il capocomico - i capocomic*i*

il capolavoro - i capolavor*i*

il capocronista - i capocronist*i*

nomi composti da un avverbio (o una preposizione) + un sostantivo

a. *volgono al plurale il sostantivo se questo è dello stesso genere del nome composto*:

il surgelat*o* - i surgelat*i*

il soprammobil*e* - i soprammobil*i*

b. *sono invariabili se il sostantivo è di genere diverso da quello del nome composto*:

il sottoscala - i sottoscala

il retroterra - i retroterra

Attenzione: di *pomodoro* esistono tre plurali: i *pomidoro*, i *pomidori*, i *pomodori*. Il più usato è POMODORI.

FORME IRREGOLARI			
Hanno il plurale irregolare:			
il dio	gli dei	il dito	le dita
l'uomo	gli uomini	l'uovo	le uova
il bue	i buoi	il miglio	le miglia
l'ala	le ali	il paio	le paia
la mano	le mani	l'arma	le armi
la radio	le radio	la biro	le biro
la moto	le moto	la foto	le foto
l'auto	le auto,	il carcere	le carceri, ecc.

Hanno solo il **singolare**:	
la fame	Silvia mangia una pizza perché ha *fame*.
la sete	Oggi è caldo e Michele ha molta *sete*.
il latte	Tutte le sere il mio gatto beve il *latte*.
il sangue	Il conte Dracula è un vampiro assetato di *sangue*.
il pepe	Sale e *pepe* rendono i cibi più saporiti.
il miele	Le api producono il *miele*.
il fiele	Emanuele non vuole la medicina: dice che è amara come il *fiele*.
la pietà	Gli animali vecchi e malati suscitano *pietà*.
la pazienza	Luisa non ha *pazienza* con i bambini.
la sapienza	La *sapienza* è una qualità rara.
la gente	D'estate molta *gente* va al mare.
la roba	Questa mattina Cristina è andata in centro e ha comprato troppa *roba*.
la prole	Giulio è sposato con *prole*.
il mercurio	Il *mercurio* è l'unico metallo liquido a temperatura ambiente.
l'arsenico	*L'arsenico* è un potente veleno.
ecc.	

Hanno solo il **plurale**:

i pantaloni	I *pantaloni* di Andrea sono di velluto.
le mutande	Lulù indossa sempre *mutande* di seta.
gli occhiali	Alberto è miope e deve portare gli *occhiali*.
le forbici	Queste *forbici* sono pericolose: tagliano come un rasoio.
le redini	Le *redini* servono a guidare il cavallo.
le manette	Appena arrivati, i poliziotti hanno messo le *manette* al malfattore.
le fondamenta	La casa di Monica e Marcello è molto solida: ha buone *fondamenta*.
i viveri	I paesi ricchi mandano *viveri* e medicinali ai paesi del terzo mondo.
le dimissioni	Federico è stanco di lavorare in banca e vuole dare le *dimissioni*.
le nozze	Ugo e Daniela festeggiano oggi le *nozze* d'argento (25 anni di matrimonio).
le ferie	Tutti gli anni Andrea trascorre le *ferie* al mare.
i dintorni	Ada e Piero hanno una villa nei *dintorni* di Pisa.
gli annali	Gli *annali* del 1630 parlano dell'assedio di Mantova.
le stoviglie	Mara lava le *stoviglie* due volte al giorno.
le esequie, ecc.	Alle *esequie* di un uomo celebre partecipano tutte le personalità della nazione.

Hanno un doppio plurale:

l'anello	a.	*gli anelli* (d'oro, d'argento, ecc.)
	b.	*le anella* (dei capelli = i boccoli)
il braccio	a.	*i bracci* (della bilancia, di un candeliere, di un fiume, di una croce)
	b.	*le braccia* (del corpo umano)
il budello	a.	*i budelli* (= gallerie lunghe e strette)
	b.	*le budella* (= gl'intestini)
il cervello	a.	*i cervelli* (= gl'ingegni)
	b.	*le cervella* (dell'uomo e degli animali)
il ciglio	a.	*i cigli* (dei fossi, della strada)
	b.	*le ciglia* (degli occhi)
il corno	a.	*i corni* (= strumenti musicali a fiato)
	b.	*le corna* (degli animali)
il dito	a.	*i diti* (in senso particolare: i diti mignoli)
	b.	*le dita* (in senso complessivo: le dita della mano)
il filo	a.	*i fili* (di seta, di cotone, di ferro, del telegrafo, ecc.)
	b.	*le fila* (di una congiura)
il fondamento	a.	*i fondamenti* (del sapere, della scienza, ecc.)
	b.	*le fondamenta* (di un edificio)
il fuso	a.	*i fusi* (= i fusi per filare, i fusi orari)
	b.	*le fusa* (del gatto)
il gesto	a.	*i gesti* (= i movimenti del corpo)
	b.	*le gesta* (= le imprese)
il labbro	a.	*i labbri* (= gli orli di una ferita)
	b.	*le labbra* (della bocca)
il lenzuolo	a.	*i lenzuoli* (in senso generico)
	b.	*le lenzuola* (una coppia, un paio)
il membro	a.	*i membri* (di un'associazione)
	b.	*le membra* (del corpo)
il muro	a.	*i muri* (di una casa)
	b.	*le mura* (di una città)
il grido	a.	*i gridi* (degli animali)
	b.	*le grida* (degli uomini)
l'osso	a.	*gli ossi* (del pollo, della bistecca, ecc.)
	b.	*le ossa* (del corpo)
il riso, ecc.	a.	*i risi* (= varie qualità dei chicchi bianchi commestibili)
	b.	*le risa* (= effetti del ridere)

Attenzione: con il plurale di oro (gli **ori**), argento (gli **argenti**), bronzo (i **bronzi**) ecc. indichiamo una serie di oggetti fabbricati con i metalli stessi. Es: *gli ori dei Maya* (= i gioielli d'oro dei Maya); *il Museo degli Argenti*; *i bronzi degli Etruschi*, ecc.

1. *Forma il plurale dei seguenti nomi, mettendo davanti a essi l'articolo determinativo appropriato (maschile o femminile)*:

stomaco ....; re ....; moglie ......
......; uomo ....; camicia ......
......; uovo ....; sangue ......
......; brindisi ....; sintassi ......
......; gru ....; città ....;
tabù ....; pepe ....; farmacia ......
......; dio ....; bugia ......
......; verità ....; capolavoro ......
......; pascià ....; caccia ......
......; striscia ....; strega ......
......; oca ....; amico ......
......; amica ....; bar ......
......; freccia ....; occhio ......
......; boa ....; chirurgo ......
......; mosca ....; frangia ......
......; portico ....; gorilla ......
......; bue ....; tempio ......
......; ape ....; fame ......
......; pirata ....; barca ......
......; telegramma ....; francobollo ......
......; zio ....; pendio ......
......; volpe ....; orologio ......
......; problema ....; boia ......
......; teorema ....; ago ......
......; lepre ....; fungo ......
......; lago ....; gente ......
......; ala ....; roba ....;
paio ....; antologia ....; scia ......
......; goccia ....; parroco ......
......; apologo ....; riepilogo ......
......; esofago ....; superfici ......
......; carie ....; biancospino ......
......; pomodoro ....; pianoforte ......
......; banconota ....; palcoscenico ......
......; grattacapo ....; copricapo ......
......; segnalibro ....; soprammobile ......
......; capofabbrica ....; dramma ......
......; sosia ....; benestare ......
......; dì ....; alibi ....;

pellerossa ....; ciliegia ....; diagnosi ....; portacenere ....; antropologo ....; astrologo ....; neurologo ....; catalogo ....; latte ....; sindaco ....; intonaco ....;

2. *Volgi queste frasi al plurale*:

Es: La tigre vive in Asia - Le tigri vivono in Asia

1. La volpe è un animale molto astuto ....
2. Il medico pietoso fa la piaga purulenta ....
3. La gru è un uccello migratore ....
4. Il corno è uno strumento musicale a fiato ....
5. Il cinema è vuoto ....
6. Il pianista suona una bella musica popolare ....
7. La gente spende volentieri per viaggiare ....
8. Il riso abbonda sulle labbra degli sciocchi ....
9. Il pepe rende saporito il cibo ....
10. Il colibrì è un piccolo uccello dai colori vivaci ....
11. Questa camicia costa poco ....
12. Questo camice non è pulito ....
13. Il boia giustizia il condannato ....
14. Il re combatte il nemico ....
15. Il cane è amico dell'uomo ....
16. Questa biro non scrive ....
17. L'aquila ha un becco robusto e tagliente ....
18. Il bue è un animale laborioso e paziente ....
19. Questo fungo è velenoso ....
20. Il dio pagano è spesso vendicativo e crudele ....
21. Il tempio sorge sull'altura ....
22. Durante l'estate la città è vuota ....
23. La scrofa è la femmina del porco ....
24. La bottega chiude alle 13 ....
25. L'omicida torna sempre sul luogo del delitto ....
26. Il brontolio del tuono annuncia la tempesta ....
27. Questo romanzo è un capolavoro ....
28. L'attore recita sul palcoscenico ....
29. Quella ragazza sogna il principe azzurro ....
30. Il carcere è pieno di detenuti ....
31. Questo farmaco fa più male che bene ....
32. Questa valigia è troppo pesante ....
33. Il sociologo studia i problemi della società ....
34. Il sordomuto è una persona che non può udire, né parlare ....
35. Questo passaporto è scaduto ....

V. PASSATO PROSSIMO E PARTICIPIO PASSATO. VERBI TRANSITIVI E INTRANSITIVI

Non c'era corrente elettrica, e il fronte doveva essere a pochi chilometri di distanza. Così si spiegava la stanchezza dei soldati tedeschi addormentati in macchina, esausti al punto di non tentare nemmeno più la ritirata. Venivano certamente dalla battaglia.

Ho chiesto di un medico. Mi *hanno detto* che dormiva, che era stanco morto. Avendo operato tutto il giorno passato e tutta la notte, non bisognava disturbarlo. Gianni aveva ripreso a tremare, gli *hanno buttato* addosso una coperta. Un'ora dopo l'altra passava, non *ha* mai *disturbato*, finché mi ha tirato per la sottana e mi *ha detto*: "Ti prego, Suni, fai qualche cosa. Non ce la faccio più".

Sono entrata nella camera dove dormiva il dottore. Si *è alzato* a sedere sul letto. Aveva la testa rotonda con i capelli grigiastri, cortissimi, quasi rasati. Mi *ha fissato* meravigliato. Gli *ho domandato* di venire a vedere mio fratello; gli si staccava il piede, non ce la faceva più.

Mi *ha detto* che non c'era niente che lui potesse fare. Non c'era acqua, né corrente elettrica, né materiale di medicazione. *Ho chiuso* la porta alle mie spalle e l'*ho guardato* negli occhi. "Senta," *ho detto* "stiamo cercando di attraversare le linee. Mio fratello si chiama Giovanni Agnelli. È il vicepresidente della Fiat. Stiamo viaggiando con documenti falsi. Lei può, se vuole, andare a denunciarci ai tedeschi, altrimenti può cercare di salvare la gamba di mio fratello".

Si *è passato* la mano sulla testa rasata massaggiandosela da una parte all'altra.

"Bisogna che ci pensi" *ha dichiarato*.

Poi è *venuto* a vedere Gianni.

"Chi gli darà l'anestetico se lo opero?"

"Sono infermiera" *ho sussurrato*, atterrita.

"Va bene, faremo l'operazione, ma dobbiamo aspettare che ci mettano in moto il generatore per la radiografia".

Ho messo la maschera sulla faccia di Gianni e *ho tenuto* nell'altra mano la bottiglia del cloroformio come avevo visto fare in sala operatoria. Prima che incominciassi Gianni *ha mosso* le dita in segno di saluto. Avevo paura di addormentarlo troppo e che non si svegliasse più, così ogni tanto si muoveva e il dottore diceva "Gliene dia ancora". Gli *ha tolto* tutto l'astragalo e dopo gli *ha rimesso* insieme il piede. Era molto soddisfatto dell'operazione e io ero molto felice che Gianni fosse ancora vivo.

L'*abbiamo messo* dentro a un letto e *ho pregato* che gli alleati arrivassero.

(Susanna Agnelli - da *Vestivamo alla marinara*)

Veglia

Un'intera nottata
buttato vicino
a un compagno
massacrato
con la sua bocca
digrignata
volta al plenilunio
con la congestione
delle sue mani
penetrata
nel mio silenzio
ho scritto
lettere piene d'amore
Non *sono* mai *stato*
tanto
attaccato alla vita.
(Giuseppe Ungaretti)

Ora che sale il giorno

Finita è la notte e la luna
si scioglie lenta nel sereno,
tramonta nei canali.

È così vivo settembre in questa terra
di pianura, i prati sono verdi
come nelle valli del sud a primavera.
Ho lasciato i compagni,
ho nascosto il cuore dentro le vecchie mura,
per restare solo a ricordarti.

Come sei più lontana della luna,
ora che sale il giorno
e sulle pietre batte il piede dei cavalli!
(Salvatore Quasimodo)

Attenzione: i verbi in corsivo sono al **passato prossimo**.

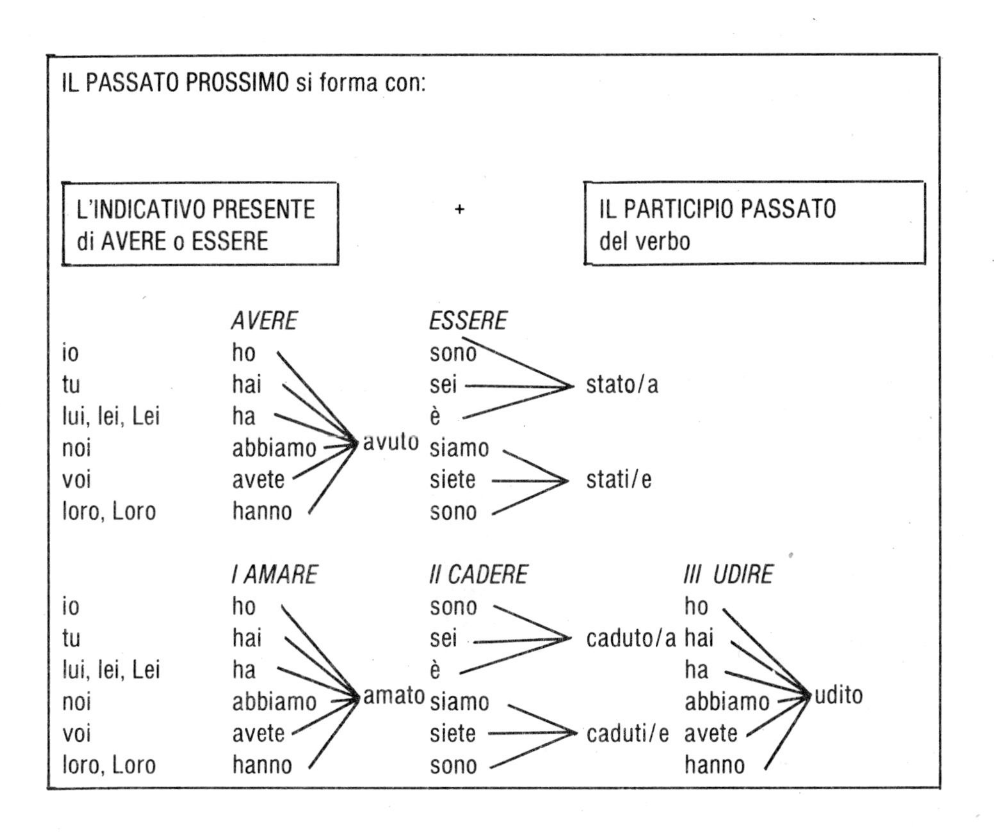
IL PASSATO PROSSIMO si forma con:
L'INDICATIVO PRESENTE di AVERE o ESSERE
+
IL PARTICIPIO PASSATO del verbo
AVERE
ESSERE
io ho sono
tu hai sei
lui, lei, Lei ha è
noi abbiamo siamo
voi avete siete
loro, Loro hanno sono
avuto
stato/a
stati/e
I AMARE
II CADERE
III UDIRE
io ho sono ho
tu hai sei hai
lui, lei, Lei ha è ha
noi abbiamo siamo abbiamo
voi avete siete avete
loro, Loro hanno sono hanno
amato
caduto/a
caduti/e
udito

IL PARTICIPIO PASSATO

Il participio passato si forma con la radice del verbo + le desinenze:

1) ATO, per la I coniugazione
2) UTO, per la II coniugazione
3) ITO, per la III coniugazione

I Coniugazione - ARE

Infinito		Participio passato
*AM*ARE		AMATO
*PARL*ARE		PARLATO
*AND*ARE	+ *ATO*	ANDATO
*MANGI*ARE		MANGIATO
*TORN*ARE		TORNATO

II Coniugazione - ERE

Infinito		Participio passato
*VEND*ERE		VENDUTO
*SAP*ERE		SAPUTO
*CAD*ERE	+ *UTO*	CADUTO
*CRED*ERE		CREDUTO
*TEM*ERE		TEMUTO

III Coniugazione - IRE

Infinito		Participio passato
*SAL*IRE		SALITO
*USC*IRE		USCITO
*PART*IRE	+ *ITO*	PARTITO
*FIN*IRE		FINITO
*GRAD*IRE		GRADITO

Attenzione: Alcuni verbi all'infinito finiscono in URRE e al participio passato hanno la desinenza OTTO

Infinito		Participio passato
*COND*URRE		CONDOTTO
*TRAD*URRE	+ *OTTO*	TRADOTTO
*RID*URRE		RIDOTTO

Il participio passato di ESSERE è STATO Il participio passato di AVERE è AVUTO

Molti verbi hanno *il participio passato irregolare*. I più usati sono:

accendere	acceso	assolvere	assolto
difendere	difeso	vincere	vinto
scendere	sceso	sorgere	sorto
tendere	teso	porgere	porto
mordere	morso	scorgere	scorto
ardere	arso	piangere	pianto
chiudere	chiuso	dipingere	dipinto
persuadere	persuaso	tingere	tinto
incidere	inciso	spingere	spinto
decidere	deciso	fingere	finto
ridere	riso	giungere	giunto
esplodere	esploso	ungere	unto
uccidere	ucciso	pungere	punto
rendere	reso	cogliere	colto
immergere	immerso	spegnere (o spengere)	spento
correre	corso	scegliere	scelto
valere	valso	togliere	tolto
perdere	perso (o perduto)	sciogliere	sciolto
spendere	speso	nascondere	nascosto
prendere	preso	rispondere	risposto
discutere	discusso	porre	posto
concedere	concesso	chiedere	chiesto
muovere	mosso	rimanere	rimasto
scuotere	scosso	aprire	aperto
percuotere	percosso	coprire	coperto
esprimere	espresso	morire	morto
succedere	successo	seppellire	sepolto (o seppellito)
mettere	messo	piacere	piaciuto
promettere	promesso	vivere	vissuto
riflettere (*)	riflesso (o riflettuto)	nascere	nato
bere	bevuto	vedere	visto (o veduto)
conoscere	conosciuto	stringere	stretto
crescere	cresciuto	rompere	rotto
friggere	fritto	condurre	condotto

(*) *riflesso* significa *respinto* (es: luce riflessa); *riflettuto* significa *pensato* (es: ho riflettuto attentamente, prima di rispondere).

(*segue*)

reggere	retto	fare	fatto
proteggere	protetto		
leggere	letto		
scrivere	scritto		
cuocere	cotto		
dire	detto		
correggere	corretto		

VERBI TRANSITIVI E INTRANSITIVI

I verbi italiani sono:

TRANSITIVI

quando possono avere una risposta alla domanda CHI?/CHE COSA?
Carla *saluta* (CHI?) Maria.
Giuseppe *legge* (CHE COSA?) un libro.
Anna *apre* (CHE COSA?) la finestra.
Salutare, leggere, aprire sono verbi transitivi.

Attenzione:

Un verbo è **transitivo** quando esprime un'azione che passa direttamente dal soggetto al complemento oggetto senza aiuto di preposizioni.

Giuseppe	legge	un libro
soggetto		complemento oggetto

Le sole preposizioni usate con i verbi transitivi sono *del*, *dello*, *della*, *dei*, *degli*, *delle* con significato di articoli partitivi.
Io mangio (CHE COSA?) del pane.

INTRANSITIVI

quando non possono avere una risposta alla domanda CHI?/CHE COSA?, e possono invece avere risposte ad altre domande (QUANDO? DOVE? COME? ecc.)
Carla *va* (DOVE?) *a* Roma.
La mela *cade* (DA DOVE?) *dall'*albero.
Mario *parte* (QUANDO?) *tra* due ore.
Andare, cadere, partire sono verbi intransitivi.

Attenzione:

Un verbo è **intransitivo** quando esprime un'azione che non passa direttamente dal soggetto al complemento. L'eventuale complemento *indiretto* usato per chiarire l'azione del verbo intransitivo è in genere unito al verbo stesso da una preposizione:

la bambina	gioca	**con** la bambola
soggetto		complemento indiretto

GLI AUSILIARI NELLA FORMAZIONE DEI TEMPI COMPOSTI

a. *Con i verbi transitivi si usa l'ausiliare* **avere**.

b. *Con i verbi intransitivi generalmente si usa l'ausiliare* **essere**, *ma in certi casi è obbligatorio l'uso di* **avere**.
Si usa **avere** con i seguenti verbi intransitivi:

ABITARE	io ho abitato
CAMMINARE	io ho camminato
VIAGGIARE	io ho viaggiato
PASSEGGIARE	io ho passeggiato
NUOTARE	io ho nuotato
SCIARE	io ho sciato
RIPOSARE	io ho riposato
DORMIRE	io ho dormito
RUSSARE	io ho russato
PARLARE	io ho parlato
CHIACCHIERARE	io ho chiacchierato
PIANGERE	io ho pianto
RIDERE	io ho riso
SORRIDERE	io ho sorriso
SCHERZARE	io ho scherzato
CENARE	io ho cenato
PRANZARE	io ho pranzato
BUSSARE	io ho bussato
TELEFONARE	io ho telefonato
ecc.	

c. *Con i verbi riflessivi si usa l'ausiliare* **essere**.

d. *Nella forma passiva si usa l'ausiliare* **essere**.

e. *I verbi* **dovere**, **potere e volere**, usati da soli, vogliono l'ausiliare **avere**.
Spesso però dovere, potere e volere hanno funzione **servile**, cioè fanno da servitori a un altro verbo all'infinito.

Es:	io	devo	studiare
	soggetto	verbo servile	verbo all'infinito

Quando sono usati come servili, **dovere**, **potere**, e **volere** prendono, nei tempi composti, lo stesso ausiliare (essere o avere) voluto dal verbo all'infinito al quale si accompagnano.

Es: con *studiare* (transitivo) si usa l'ausiliare **avere**:
Ieri Paolo **ha** dovuto studiare a lungo.
Con *andare* (intransitivo) si usa l'ausiliare **essere**:
Ieri Anna **è** dovut**a** andare a Roma.
Con *dormire* si usa l'ausiliare **avere**:
Questa notte non **ho** potuto dormire.
Con *leggere* (transitivo) si usa l'ausiliare **avere**:
Augusto **ha** voluto leggere tutto il libro.
Con *uscire* (intransitivo) si usa l'ausiliare **essere**:
Ieri Monica non **è** volut**a** uscire a causa del freddo.

Attenzione:

con il verbo *essere* si usa l'ausiliare **essere**.
Es: io sono stato.
Però con dovere, potere, volere seguiti da **essere**, *si usa l'ausiliare* AVERE.
Es: io ho dovuto essere severo.
Io ho potuto essere generoso grazie al tuo prestito.
Io ho voluto essere presente a questa riunione.
Eccezione: se la particella **ci** precede il verbo, si usa l'ausiliare **essere**.
Es: **ci sono** voluto essere anch'io (ma *ho voluto esserci*).

f. *Alcuni verbi, usati in modo transitivo, prendono l'ausiliare* **avere**; *usati in modo intransitivo, prendono l'ausiliare* **essere**:

TRANSITIVO		INTRANSITIVO
	cambiare	
Lucia ha cambiato casa.		Paolo è molto cambiato.

passare

Ho passato le vacanze al mare.

Dal nostro ultimo incontro è passato molto tempo.

incominciare

cominciare

Ho cominciato un lavoro a maglia

È cominciato un nuovo anno.

finire

Ieri ho finito i compiti dopo cena.

Il film è finito a mezzanotte.

salire

Ho salito le scale con fatica.

Paolo e Luisa sono saliti sul treno.

scendere

Rita ha sceso le scale di corsa.

Il gatto è sceso dall'albero.

correre

Emma ha corso un brutto rischio.

Rosalba è corsa alla stazione.

saltare

Ieri ho saltato il pranzo.

Gianni è saltato dal trampolino.

sbarcare

Per tutto l'anno Paola ha sbarcato a stento il lunario.

Claudia è sbarcata a Napoli.

bruciare

Liliana ha bruciato l'arrosto.

La casa di Mario è bruciata durante un incendio.

guarire

Lo psicanalista ha guarito Piero dal suo esaurimento nervoso.

Giovanni è guarito dall'influenza.

ecc.

g. *Alcuni verbi intransitivi di movimento prendono l'ausiliare* **essere** *quando chiariscono la direzione del movimento; prendono l'ausiliare* **avere** *quando esprimono l'azione in senso generale.*

	correre	
I bambini hanno corso tutta la sera		Mario è corso da suo zio.

	volare	
Nella sua vita Sandro ha sempre viaggiato in aereo: ha volato davvero molto.		La rondine è volata via.

	saltare	
I bambini hanno saltato per un'ora.		Il gatto è saltato sul letto.

ecc.

h. *I verbi che indicano* **fenomeni atmosferici** *possono prendere come ausiliare sia* **avere** *(oggi questa è la forma più usata) che* **essere**.

	piovere	
Ieri ha piovuto a lungo.		Ieri è piovuto a lungo.

	nevicare	
Sui monti ha nevicato.		Sui monti è nevicato.

	grandinare	
Oggi ha grandinato.		Oggi è grandinato.

ecc.

i. Con il verbo *vivere* si può usare indifferentemente l'uno o l'altro ausiliare:

	vivere	
Maurizio ha vissuto in Francia per due anni.		Maurizio è vissuto in Francia per due anni.

Attenzione: il verbo *vivere* può avere anche valore transitivo (vivere una vita, vivere un'esperienza, vivere un'avventura, ecc.): in questo caso prende l'ausiliare **avere**.
Es: A Londra ho vissuto un periodo splendido.

ACCORDO DEL PARTICIPIO PASSATO CON IL SOGGETTO

Quando l'ausiliare è **avere**, il participio passato è invariabile, cioè mantiene la forma in **o**.

Es:

Paolo ha già Paolo e Carlo hanno già Anna ha già Anna e Laura hanno già	mangiat**o**.

Quando l'ausiliare è **essere**, il participio passato concorda con il soggetto e ha perciò quattro forme: in **o** (maschile singolare); in **i** (maschile plurale); in **a** (femminile singolare); in **e** (femminile plurale).

Es:

Paolo è partit**o**.
Paolo e Carlo sono partit**i**.
Anna è partit**a**
Anna e Laura sono partit**e**.

ACCORDO DEL PARTICIPIO PASSATO CON IL COMPLEMENTO OGGETTO

La concordanza è obbligatoria quando il complemento oggetto precede il verbo ed è un pronome (o particella pronominale) come **lo**, **la**, **li**, **le**, **ne**.

Es:

Mario ha comprato un libro e **lo** ha lett**o** subito.
Mary ha comprato una rivista e l(**a**)'ha lett**a** subito.
Mario ha comprato due libri e **li** ha lett**i** subito.
Mario ha comprato tre riviste e **le** ha lett**e** subito.
Carla chiede a Silvio: "Hai comprato della frutt**a**?" E lui risponde:
"Sì, ne ho comprat**a**".

USO DEL PASSATO PROSSIMO

Il passato prossimo si usa per indicare:

a. *un'azione trascorsa da poco tempo e ancora legata al presente*:
Ho mangiato troppo e ora sto male.

b. *un'azione avvenuta anche da molto tempo, ma sentita ancora vicina*:
Ho incontrato Lucia tre mesi fa e mi ha fatto molto piacere vederla.

c. *un'azione lontana nel tempo, ma con effetti nel presente*:
Leonardo da Vinci ha lasciato un insuperabile esempio di genio.

d. *un'azione avvenuta in un arco di tempo non ancora concluso*:
Nell'ultimo ventennio la tecnologia ha completamente rivoluzionato l'esistenza umana.

e. *una situazione riferita a un periodo di tempo non precisato*:
Maya è sempre stata una mia cara amica.

Attenzione:

PRESENTE	PASSATO PROSSIMO
Liana aspetta il treno da un'ora.	Liana ha aspettato il treno per un'ora.
Greta abita a Firenze dal 1986.	Peter ha abitato a Firenze dal 1984 al 1986
Pranzo sempre alle 13,	però ieri ho pranzato alle 14 e oggi ho pranzato ancora più tardi.
In genere Piero smette di studiare alle 17.	Ieri, invece, ha studiato fino alle 21.
Leggo una rivista che esce il 20 di ogni mese.	Questo mese la mia rivista non è uscita.

1. *Specifica se i verbi usati nelle seguenti frasi sono transitivi o intransitivi*:

1. Il gatto *salta* sulla poltrona. 2. Marcello *salta* i pasti da una settimana. 3. Ora *telefono* a Maria. 4. Vittorio e Clarissa *spendono* troppi soldi in libri. 5. Lucilla *raccoglie* dei fiori per sua madre. 6. Emma dorme. 7. Antonietta *scrive* una lettera a Gherardo. 8. Caterina *piange*. 9. Marco *vive* adesso il suo momento magico. 10. Sergio *vive* a Firenze. 11. Tutti i giorni *nascono* molti bambini. 12. Oggi *piove*. 13. Anna e Franca *studiano* matematica. 14. Claudio *russa*. 15. Gisella *suona* il pianoforte. 16. Federico *guarda* un film alla televisione. 17. Daniela *va* a scuola in autobus. 18. Augusto *ama* gli animali. 19. Giovanna *esce* di casa due volte al giorno. 20. Ilaria *sogna* cose impossibili. 21. Ada *abita* in campagna. 22. Paola *passa* le vacanze al mare. 23. Se ho tempo, oggi *passo* da Giacomo. 24. Il concerto *dura* fino a mezzanotte. 25. La lezione *finisce* a mezzogiorno. 26. Quando *finisci* il tuo maglione? 27. Quando si

ammala, Luisa *guarisce* in fretta. 28. Emilia *parla* correttamente l'inglese e il tedesco. 29. Armando è un bravo medico: i suoi malati *guariscono* tutti senza problemi. 30. Gl'incidenti stradali *uccidono* ogni giorno varie persone. 31. Anna è una bravissima pediatra: *guarisce* sempre i piccoli malati affidati alle sue cure. 32. Lo spettacolo *incomincia* alle 21. 33. Mirella *incomincia* oggi una nuova attività. 34. Con il suo lavoro di poliziotto, Ugo *corre* continuamente dei rischi. 35. Ora mi vesto e poi *corro* alla stazione. 36. Ai gatti *piace* il latte. 37. Liana *lava* l'insalata. 38. Carlo *scende* di corsa le scale di casa. 39. Enrico *dimentica* sempre i nomi delle persone. 40. Miranda *sbarca* lunedì a Genova. 41. Gina *brucia* sempre l'arrosto. 42. Il gatto *scende* dall'albero. 43. Ezio *telefona* sempre all'ora di pranzo. 44. È scoppiato un terribile incendio: la casa accanto alla farmacia *brucia* da questa mattina e i pompieri non riescono a spegnere le fiamme. 45. Silvana *piange* spesso senza una ragione.

2. *Forma il participio passato dei seguenti verbi*:

spendere	arrivare	parlare ....
scrivere	fare	amare ....
dare	ascoltare	legare ....
decidere	andare	friggere ....
dormire	mangiare	potere ....
cadere	morire	piangere ....
nascere	studiare	abitare ....
ridere	pungere	giungere ....
stare	*succedere	correre ....
togliere	ballare	*cuocere ....
tingere	bruciare	rompere ....
vedere	sorgere	fumare ....
uccidere	scuotere	chiudere ....
dire	bere	suonare ....
insegnare	chiedere	bussare ....
nascondere	rimanere	sciogliere ....
*riflettere	immergere	comprare ....
partire	rendere	regalare ....
perdere	sognare	condurre ....
*seppellire	finire	proteggere ....
cantare	*mordere	salire ....

3. *Sostituisci ai puntini l'ausiliare appropriato e completa i participi passati secondo le esigenze della concordanza*:

1. Luciana .... chius .... la porta. 2. Gabriele .... nat .... a Pari-

gi, ma .... vissut .... sempre in Italia. 3. La guerra ...è... durat ..a...... cinque anni. 4. Mara .... bussat .... alla porta. 5. Carlo .... mangiat .... una bistecca con l'insalata. 6. Maurizio .... partit .... ieri per Napoli. 7. Leonardo .... comprat .... una macchina nuova. 8. Questa mattina .... piovut .... per due ore. 9. Carlotta .... arrivat .... ieri a Firenze. 10. Matilde .... guarit .... dall'influenza. 11. Il nonno di Luigi .... mort .... a novantasei anni. 12. Il mio gatto .... dormit .... tutto il giorno. 13. Ieri sera Giuliano .... parlat .... troppo. 14. Simone .... arrivato a scuola in ritardo. 15. Veronica .... bevut .... troppo e dopo .... stat .... male. 16. Rossella .... piant .... per un'ora. 17. Ieri Michele .... dovut .... saltare la cena. 18. La casa di Alice .... bruciat .... durante un incendio spaventoso. 19. Erminia .... bruciat .... la torta di mele. 20. Elisabetta .... cors .... il rischio di essere bocciata. 21. Galeazzo .... cors .... da sua madre appena ha saputo che è malata. 22. Dal mio ultimo incontro con Amedeo .... passat .... molto tempo. 23. L'estate scorsa Barbara .... passat .... le vacanze in India. 24. In questi ultimi anni Gualtiero .... diventat .... un uomo famoso, ma non .... cambiat .... carattere. 25. In questi ultimi anni Gualtiero .... diventat .... un uomo famoso, ma non .... cambiat ....: è sempre disponibile e cordiale con tutti. 26. Roberta .... cambiat .... scuola: adesso studia al liceo classico di via Martelli. 27. Antonietta .... incominciat .... un nuovo lavoro a maglia: una sciarpa di lana per suo padre. 28. Al Centro di Cultura per Stranieri .... incominciat .... oggi il corso medio della sezione estiva. 29. Il concerto .... finit .... a mezzanotte. 30. La commedia .... finit .... alle 23. 30. Luigi .... finit .... i compiti e subito dopo .... uscit .... 31. Mio nonno ..HA.. salit ..o...... con fatica le scale del mio appartamento. 32. Ieri Erminia .... andat .... a Pisa ed .... salit .... in cima alla Torre Pendente. 33. Lo scoiattolo .... saltat .... sulla cima dell'albero. 34. Appena ..HA.. vist ..o...... Laura, Riccardo ..È... saltat ..o...... giù da cavallo. 35. Il cavallo ..HA.. saltat ..O...... l'ostacolo. 36. Quando ..è... sces ..A...... la notte, i soldati SONNO saltat ..I..... addosso ai nemici. 37. Quando si è accorto dell'ora tarda, Mario ..è... cors ..O...... verso casa. 38. L'assassino .... bruciat .... le cervella alla sua vittima. 39. Nell'incendio del bosco .... bruciat........ molti cipressi. 40. Nel corso del litigio fra Ruggero e Gilberto, SONO volat ..e...... molte minacce.

4. *Volgi al passato prossimo l'infinito fra parentesi*:

1. Giovanna e Lucia (fare) ..hanno fatto........ acquisti in centro. 2. Tiziano (scrivere) ..ha scritto........ una lettera a Gilda. 3. Clara e Marta (nascere) ..sono nate........ a Firenze. 4. Piero (lasciare) ..ha lasciato........ l'au-

tomobile in divieto di sosta. 5. Ieri (io - ricevere) .... una lettera da Gaspare. 6. Lo zio di Ugo (morire) .... in guerra. 7. Amanda (spegnere) .... la luce prima di uscire. 8. Erika (russare) .... tutta la notte. 9. Il cane di Olga (mordere) .... Emanuele. 10. Hans (partire) .... una settimana fa. 11. A pranzo (io - bere) .... troppo vino. 12. Ieri Marisa (conoscere) .... il marito di Fiorella. 13. Stefano (perdere) .... il suo ombrello nuovo. 14. Rosa (rompere) .... due piatti. 15. Barbara e Lucia (rimanere) .... a casa tutto il pomeriggio. 16. Franco (chiedere) .... un prestito alla banca. 17. Accanto a Massimo, Patrizia (vivere) .... momenti difficili. 18. I miei genitori (vivere) .... a Roma. 19. Emma (essere) .... malata. 20. Sara (guarire) .... dall'influenza. 21. Il Dottor Fabiani (guarire) .... Mirella dalla bronchite. 22. Lucia non (potere) .... partire a causa dello sciopero dei treni. 23. Giulio (volere) .... essere sincero con i suoi amici. 24. Stella (dovere) .... restare a letto e non (potere) .... partecipare alla festa. 25. Alessandro (dovere) .... studiare tutto il giorno. 26. Gina (volere) .... partire da sola. 27. Nell'incendio (bruciare) .... tutto il bosco. 28. Renato non (potere) .... essere presente alla prima del suo film. 29. Questa notte Antonio non (potere) .... dormire. 30. Rodolfo (salire) .... con l'ascensore. 31. (Io - salire) .... le scale in fretta e (arrivare) .... a casa con l'affanno. 32. Il cavallo (saltare) .... due ostacoli e poi (cadere) .... 33. Maria non (potere) .... studiare perché (stare) .... male. 34. Silvia (volere) .... andare a teatro. 35. (Piovere) .... tutta la notte. 36. Ieri (nevicare) ....

VI. L'AGGETTIVO

Esistono 3 tipi di aggettivi:

a.	singolare	plurale
maschile fémminile	in O (bel**lo**) in A (bel**la**)	in I (bel**li**) in E (bel**le**)
b. maschile e femminile	in E (intelligent**e**)	in I (intelligent**i**)

c.
INVARIABILI

A questo tipo di aggettivi che hanno un'unica forma per maschile e femminile, singolare e plurale, appartengono:
1. alcuni aggettivi in I (pari, dispari, impari, ecc.)
2. gli aggettivi di origine straniera (marron)
3. gli aggettivi che finiscono in consonante (snob)
4. gli aggettivi di colore derivanti da nomi (rosa, ciliegia, viola, marrone, arancio, ocra, seppia, cenere, corallo, ciclamino, ecc.)
5. gli aggettivi composti da locuzioni avverbiali (dabbene, perbene, dappoco, ecc.)

BELLO

al *singolare maschile*	BELLO	davanti a S impura (bello stivale), GN (bello gnomo), PS (bello psicologo), Pn (bello pneumatico), Z (bello zio), X (bello xilofono), Y (bello yòghurt), I + vocale (bello iettatore).
	BEL	davanti a consonante (bel cane).
	BELL'	davanti a vocale (bell'amico)
al *singolare femminile*	BELLA	davanti a consonante (bella donna). **Attenzione**: davanti a vocale BELLA si può apostrofare (bell'isola), ma è più frequente la forma senza apostrofo (bella isola).

Se l'aggettivo *bello* segue il nome, anziché precederlo, rimane **inalterato** (uno stivale bello, un cane bello, un amico bello, una donna bella, ecc.).

al *plurale maschile*	BELLI	se l'aggettivo non precede, ma segue il nome (stivali belli, cani belli, amici belli)
	BEGLI	davanti a S impura (begli stivali), GN (begli gnomi), PS, PN, Z, X, Y, I + vocale davanti a vocale (begli amici).
	BEI	davanti a consonante (bei cani)
al *femminile plurale*	BELLE	in ogni caso (belle donne, belle isole)

Attenzione: l'aggettivo QUELLO segue le regola di BELLO.

BUONO

al *singolare maschile*	BUONO	davanti a S impura (buono stivale), GN (buono gnomo), PS, PN, Z, X, Y, I + vocale **Attenzione**: in questi casi oggi è molto usata anche la forma BUON
	BUON	davanti a consonante e a vocale (buon cane, buon amico)
al *singolare femminile*	BUONA	davanti a consonante (buona ragazza) **Attenzione**: davanti a vocale BUONA si può apostrofare (buon' amica). L'uso dell'apostrofo in questo caso è facoltativo, ma più frequente davanti a parole che iniziano per **a**. Si preferisce dire *buon'amica*, ma *buona estate*.

se l'aggettivo *buono* segue il nome rimane inalterato.

al *plurale maschile*	BUONI	in ogni caso (buoni stivali, buoni cani, buoni amici)
al *plurale famminile*	BUONE	in ogni caso (buone ragazze, buone amiche)

GRANDE

al *singolare maschile* e *femminile*	GRANDE	davanti a S impura (grande specchio; grande stanza), GN (grande gnu), PS (grande psicologo, grande psicologa), PN, Z, X, Y, I + vocale davanti a vocale (grande uomo, grande isola) **Attenzione**: davanti a vocale GRANDE si può apostrofare (grand'uomo, grand'isola).
	GRAN	davanti a consonante (gran signore, gran signora) **Attenzione**: troncare GRANDE in GRAN non è obbligatorio. Si può anche dire *grande signore*, *grande signora*, *grande generale*, *grande donna*, ecc.

al *plurale maschile* e *femminile*	GRANDI	davanti a S impura (grandi specchi, grandi stanze), GN, PS, PN, Z, X, Y, I + vocale davanti a vocale (grandi uomini, grandi isole) **Attenzione**: davanti a vocale GRANDI si può apostrofare (grand'uomini, grand'isole).
	GRAN	davanti a consonante (gran signori, gran signore), ma si può anche dire *grandi signori*, *grandi signore*.

se l'aggettivo *grande* segue il nome rimane inalterato.

SANTO

al *singolare maschile*	SANTO	davanti a S impura (santo Stefano)
	SAN	davanti a consonante (san Carlo, san Zenone, san Giuseppe)
	SANT'	davanti a vocale (sant'Agostino, sant' Elia)
al *singolare femminile*	SANTA	davanti a consonante (santa Rita)
	SANT'	davanti a vocale (sant'Anna)

Al plurale l'aggettivo *santo* non si apostrofa e non si tronca mai (i santi Antonio e Cosma, i santi Pietro e Paolo).

LA CONCORDANZA DELL'AGGETTIVO CON IL NOME

L'aggettivo concorda sempre, nel genere e nel numero, con il nome cui si riferisce. Nel caso che un aggettivo si riferisca a più nomi:

a. se questi sono **maschili**, l'aggettivo concorda al **maschile plurale**.
   Es: il cappello e il vestito bianchi
b. Se questi sono **femminili**, l'aggettivo concorda al **femminile plurale**.
   Es.: la gonna e la camicia bianche
c. Se questi sono di **genere diverso**, l'aggettivo concorda al **maschile plurale**.
   Es: Anna, Michela, Silvia e Mario sono italiani.

1. *Scegli l'aggettivo che corrisponde a ogni nome*:
1. Gli occhi azzurri/biondi/lunghi .... 2. Il libro veloce/grasso/noioso .... 3. La donna comode/intelligente/contente .... 4. La mano piccolo/ferma/affusolato .... 5. La bocca secca/carnosa/corta .... 6. Il poeta bella/infelice/lunga .... 7. Il piede lungo/felice/divertente .... 8. L'arrosto simpatico/freddo/giovane .... 9. L'attore brava/versatile/nuovi .... 10. Le poltrone simpatiche/comode/bionde .... 11. Il presentatore attente/facile/magro .... 12. Il leone vecchio/uguale/buone .... 13. La rivista scura/attuale/bianca .... 14. Il sole tiepido/veloce/stretto .... 15. L'uomo soffice/noiose/forte .... 16. L'esercizio rosso/largo/interessante .... 17. L'amico fidato/caldo/liscio .... 18. L'albero bugiardo/chiuso/frondoso .... 19. La neve candida/dolce/facile .... 20. Il problema facile/sbagliata/complicata .... 21. Il dramma complicata/tragico/amara .... 22. L'abito duro/nuovo/testardo .... 23. Lo studente testardo/grande/allegre .... 24. Le ragazze divertenti/importante/ridicoli .... 25. Il prezzo conveniente/lento/lungo .... 26. La giornata fredda/vecchia/sottile .... 27. La volpe astuta/astute/concisa .... 28. La lettera concisa/alta/bassa .... 29. Il vino profumato/contento/sereno .... 30. Il letto soffice/dure/noioso .... 31. Il medico abile/angusto/chiare .... 32. Il frutto lento/acerbo-/debole .... 34. Il ragazzo gracile/acerbo/accogliente .... 35. L'abitazione gentile/accogliente/esile .... 36. La gambina esile/corta/scura .... 37.

Il colore scuro/noioso/buono .... 38. La torta buona/giovane/noiosa .... 39. Il film noioso/grasso/caldo .... 40. Il caffè caldo/acerbo/sporco .... 41. Le mani sporche/amare/aspre .... 42. Il caffè amaro-/grande/piccolo .... 43. Il gatto piccolo/amaro/pallido .... 44. Il carnato pallido/debole/magro .... 45. La zia simpatica/antica/rosa .... 46. La poltrona antica/veloce/serena .... 47. Le rose rosa/precise/magre .... 48. Le gonne viole/viola/rose .... 49. Gli alberi verde/verdi/marrone .... 50. Le labbra rossa/rosa-/viole ....

2. *Sotto l'aggettivo proposto scrivi il suo contrario*:

1. Ho mangiato una minestra salata. ....
2. Maria è intelligente. ....
3. Oggi l'aria secca. ....
4. Alberto ha i capelli lisci. ....
5. Donatella ha una casa accogliente. ....
6. Questo albergo è un luogo ospitale. ....
7. Ho bevuto un vino abboccato. ....
8. Antonio è un ragazzo gracile. ....
9. La finestra è chiusa. ....
10. Questo è un problema complicato. ....
11. Oggi il clima è rigido. ....
12. Carlo è sincero. ....
13. Ho passato una serata allegra. ....
14. Ho visto un film noioso. ....
15. Questa gonna è troppo lunga. ....
16. Il frigorifero è un oggetto utile. ....
17. La tua decisione è giusta. ....
18. Questo maglione è pulito. ....
19. Questo pacco è pesante. ....
20. Oggi sono inappetente. ....

3. *Trova un sinonimo per ognuno dei seguenti aggettivi*:

1. lieto ....
2. triste ....
3. pingue ....
4. razionale ....
5. menzognero ....
6. magro ....
7. piccante ....
8. disgustoso ....
9. soffice ....
10. levigato ....
11. glaciale ....
12. sagace ....
13. variopinto ....
14. splendente ....
15. robusto ....
16. comune ....
17. oscuro ....
18. avvenente ....
19. irreale
20. audace ....
21. caotico ....
22. melodioso ....
23. pacifico ....
24. depresso ....
25. importante ....
26. sbadato ....
27. placido ....
28. ambiguo
29. impudente ....
30. imprudente ....

4. *Qual è il contrario di*:

1. corrucciato ....
2. palese ....
3. costoso
4. civile ....
5. odioso ....
6. sventato ....
7. obeso ....
8. antico ....
9. dannoso ....
10. mite ....
11. attivo ....
12. usato ....
13. veloce ....
14. rispettoso ....
15. sicuro ....
16. astratto ....
17. pauroso ....
18. fugace ....
19. malvagio ....
20. stanco ....
21. acerbo ....
22. anonimo ....
23. disprezzato ....
24. umile ....
25. elegante ....
26. carente ....
27. insolito ....
28. raffinato ....
29. ardente ....
30. reprensibile ....

VII. LE PREPOSIZIONI

Le **preposizioni semplici** sono:
DI, A, DA, IN, CON, SU, PER, TRA (FRA)

Le *preposizioni articolate* sono la combinazione delle preposizioni semplici con gli articoli determinativi: quasi tutte le preposizioni (*), infatti, quando precedono un articolo determinativo, si uniscono con quest'ultimo, e formano con esso una sola parola.

PREPOSIZIONI SEMPLICI	ARTICOLI DETERMINATIVI					
	il	lo-l'	la-l'	i	gli	le
di	del	dello-dell'	della-dell'	dei	degli	delle
a	al	allo-all'	alla-all'	ai	agli	alle
da	dal	dallo-dall'	dalla-dall'	dai	dagli	dalle
in	nel	nello-nell'	nella-nell'	nei	negli	nelle
su	sul	sullo-sull'	sulla-sull'	sui	sugli	sulle

(*) Le preposizioni **per**, **tra**, e **fra** non si uniscono mai all'articolo.
La forma articolata di **con** è poco usata.

USO DELLE PREPOSIZIONI

DI semplice o articolata, introduce i seguenti complementi:

specificazione → La moglie *di* Carlo si chiama Silvia.
mezzo → Molti poveri vivono *di* elemosina.
modo → Ugo agisce sempre *di* prepotenza.
causa → Gioia è freddolosa: muore sempre *di* freddo.
allontanamento → Finalmente mi sono liberato *di* tutti i miei debiti.
origine → Sibilla è *di* famiglia nobile e ricca.
tempo determinato → *D'*inverno a Firenze non fa molto freddo.

tempo continuato → Ho voglia di un bel pranzo: la mia fame aumenta *di* momento in momento.
qualità → Nicoletta è una donna *di* grande bellezza.
moto da luogo → Augusto esce *di* casa tutte le mattine alle 7.
materia → Questo maglione è *di* lana.
abbondanza → L'aula è piena *di* studenti.
privazione → Questa stanza è priva *di* luce.
argomento → Gli uomini parlano spesso *di* sport.
età → Angela è una bella ragazza *di* sedici anni.
limitazione → Anna è piccola *di* statura.
paragone → Fabrizio è più giovane *di* suo fratello.
misura → Dario è ingrassato *di* due chili.
estensione → La villa di Piero ha un parco *di* dieci ettari.
stima → Luigi ha un orologio *di* grande valore.
colpa → Marcello è accusato *di* truffa.
pena → Il vigile mi ha fatto una multa *di* 15.000 lire.
denominazione → Anna vive nella città *di* Viterbo.
partitivo → Almeno due *di* voi devono venire con me.

ecc.

A semplice o articolata, introduce i seguenti complementi:

termine → Ho regalato una cravatta *a* Mario.
mezzo → Vittorio ha raggiunto l'isola *a* nuoto.
modo → Renata mi ha ascoltato *a* occhi bassi.
causa → *A* quelle parole, impallidirono.
fine → Questo cibo è pronto *all*'uso.
interesse → Fernando ha agito *a* suo esclusivo vantaggio.
stato in luogo → Leopoldo vive *a* Parigi da molti anni.
moto a luogo → Oggi vado *a* Milano.
tempo determinato → Rientrerò *a* mezzogiorno.
qualità → Oscar indossa una camicia *a* righe.
limitazione → Quanto *a* ingegno, Claudio ne ha da vendere.
distanza → Elena lavora *a* dieci chilometri da Roma.
età → *A* vent'anni le vita pare sempre bella.
prezzo → Ho comprato questo quadro *a* 3 milioni.
pena → L'assassino è stato condannato *a* trent'anni di carcere.
distribuzione → Oggi le mele costano 4.000 lire *al* chilo.

ecc.

DA semplice o articolata, introduce i seguenti complementi:

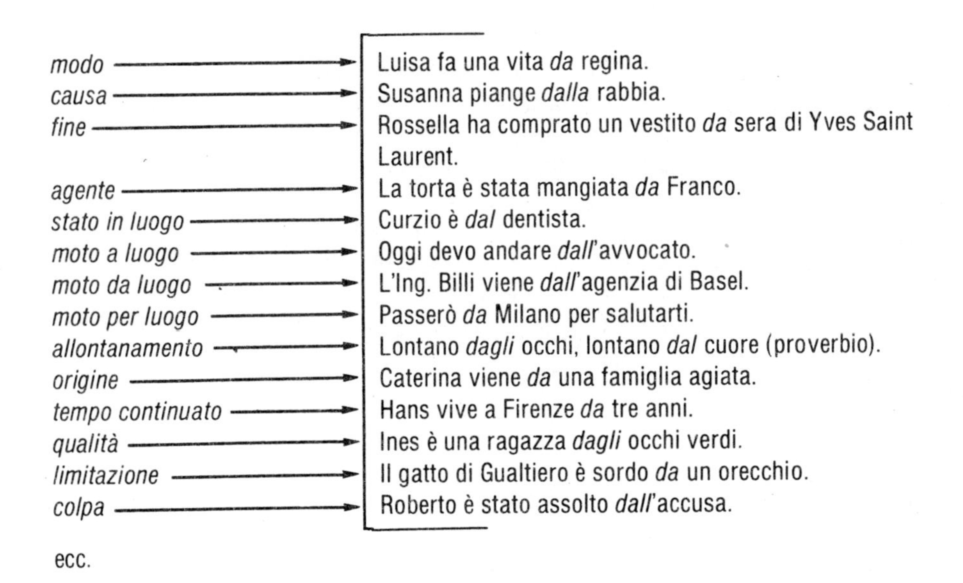

IN semplice o articolata, introduce i seguenti complementi:

mezzo →	Alberto è arrivato *in* treno.
modo →	Poiché tutti dormivano, camminavo *in* punta di piedi per non fare rumore.
fine →	Questa festa è *in* onore di Antonietta.
stato in luogo →	*In* America vivono molti italiani.
moto a luogo →	Lavinia va spesso *in* biblioteca.
tempo determinato →	*In* estate partono tutti per le vacanze.
tempo continuato →	È possibile imparare una lingua *in* tre mesi?
materia →	Ho comprato una bella statua *in* legno.
argomento →	Augusto è un esperto *in* zoologia.
limitazione →	Alla guida, Carlo supera tutti *in* velocità.
stima →	Il codice di Leonardo è stato valutato *in* dollari.
pena →	il vigile mi ha fatto una multa *in* danaro.

ecc.

CON semplice o articolata, introduce i seguenti complementi.

- *mezzo* → Fabio va a scuola *con* l'autobus.
- *modo* → Carlotta mangia *con* piacere una fetta di torta.
- *causa* → *Con* tutto quello che ha mangiato, è stato male.
- *compagnia* → Raffaella studia *con* Vanna.
- *unione* → Giacomo arriva sempre *con* un mazzo di fiori.
- *tempo* → *Con* il prossimo anno Fabio va in pensione.
- *qualità* → Giovanna è una ragazza *con* i capelli rossi.
- *pena* → Raimondo è stato punito *con* una multa di 200.000 lire.
- *concessione* → *Con* tutta la sua intelligenza, nella vita non è riuscito a nulla.

ecc.

SU semplice o articolata, introduce i seguenti complementi:

- *tempo determinato* → Luciano è partito *sul* far dell'alba.
- *stato in luogo* → Il cappello è *sulla* poltrona.
- *argomento* → il professore fa una lezione *su* Napoleone.
- *età* → Anita è una ragazza *sui* vent'anni.
- *partitivo* → La famiglia di Adriana è composta da otto persone: sei *su* otto sono donne.
- *distributivo* → *Su* trenta giorni, Dino fa dieci assenze a scuola.

ecc.

PER introduce i seguenti complementi:

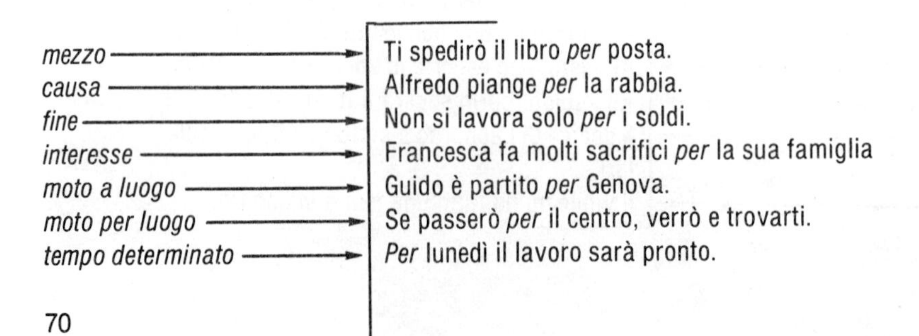

tempo continuato →	Enzo ha parlato *per* due ore.
limitazione →	*Per* intelligenza, Giorgio supera tutti.
argomento →	*Per* la storia dell'Inghilterra, Corrado è un vero esperto.
estensione →	Ci sono ghiaccio e neve *per* oltre trenta chilometri.
prezzo →	Ho comprato questo dipinto antico *per* 700.000 lire.
colpa →	Il fratello di un mio amico è stato condannato *per* omicidio colposo.
distribuzione →	Roberta guadagna il cinquanta *per* cento di quello che incassa.

ecc.

TRA
FRA introducono i seguenti complementi:

modo →	Filippo parlava *tra* (*fra*) sé e sé in modo incomprensibile.
stato in luogo →	L'orso bianco vive *tra* (*fra*) i ghiacci.
moto per luogo →	Per accorciare la strada sono passato *tra* (*fra*) i campi.
tempo determinato →	*Tra* (*fra*) un anno andrò in Inghilterra.
partitivo →	Lorenzo è il più simpatico *tra* (*fra*) gli amici di Olimpia.
rapporto →	*Tra* (*fra*) Giovanni e Michele non corre buon sangue.

ecc.

L'USO DELLE PREPOSIZIONI CON I VERBI

a. Si uniscono direttamente (**senza preposizione**) a un verbo all'infinito:

1. **potere, dovere, volere, sapere, osare, desiderare, preferire, lasciare, fare**

Es: Posso rimanere fino a mezzogiorno.
Devo studiare tutta la sera.
Voglio partire domani.
Ennio non sa guidare la macchina.
Osi insistere con le tue bugie?
Rita desidera vivere in campagna.
Cristina preferisce abitare in città.
Ugo è stanco: lo lascerò dormire.
Mi fai parlare con Gianni?

2. i verbi di percezione (**vedere**, **guardare**, **sentire**, **udire**, ecc.)

> Es: Ti ho visto arrivare.
> Ti guardo recitare e ammiro la tua bravura.
> Ho sentito suonare il telefono.
> Ho udito bussare alla porta.

3. le espressioni impersonali

> Es: È difficile distinguere qualcosa in questo buio.
> È inutile disperarsi quando è troppo tardi.
> È bello essere ricchi.
> Basta avere coraggio.
> Per vivere bisogna lavorare.

b. Vogliono la preposizione **a** davanti a un verbo all'infinito:

1. i verbi che indicano l'**inizio** e il **proseguimento** di un'azione

> Es: Inizia **a** piovere.
> Mario seguita **a** studiare.
> Tullio ha ripreso **a** lavorare.
> Continua **a** grandinare.

2. **andare**, **stare**, **riuscire**, **imparare**, **obbligare**, **costringere**, **esortare**, **persuadere**, **incitare**, **insegnare**, **provare**, **affrettarsi**, **abituarsi**, **decidersi** (*).

> Es: Vado **a** comprare i biglietti per il concerto.
> Andrea sta **a** guardare un film alla televisione.
> Enzo non riesce **a** risolvere i suoi problemi.
> Ho imparato **a** suonare la chitarra.
> Lo obbligarono **a** partire.
> Ti costringerò **a** parlare!
> Mi esortò **a** dire la verità.
> Anna mi persuase **a** studiare il piano.
> Lo incitai **a** combattere.
> Paolo mi ha insegnato **a** capire la vita.
> Ho provato **a** telefonare a Mara, ma non mi ha risposto nessuno.
> Piero si è affrettato **a** scrivere a Ornella.
> Ormai Enrico si è abituato **a** lavorare di notte.
> Mi sono deciso **a** comprare una macchina nuova.

(*) **Attenzione**: decidersi **a**, ma decidere **di**.

c. Vogliono la preposizione **di** davanti a un verbo all'infinito:

1. i verbi che indicano la **fine** di un'azione

Es: Liana ha smesso **di** fumare.
Finirò **di** studiare nel pomeriggio.
Ha cessato **di** piovere.

2. **ricordare**, **decidere**, **cercare**, **pensare**, **pregare**, **permettere**, **accorgersi**, **preoccuparsi**, **volerne sapere**

Es: Ricordo **di** avere incontrato Paolo due giorni fa.
Quando deciderò **di** partire, ti avvertirò.
Quando il professore fa lezione, gli studenti cercano **di** ascoltare con attenzione.
Penso **di** venire da te domani.
Ti prego **di** fare attenzione quando parlo.
Mi permetti **di** accompagnarti?
Lorella si è accorta **di** avere una calza smagliata.
Appena giunta a Roma, Tessa si è preoccupata **di** avvertire gli amici del suo arrivo.
Corinna non ne vuole sapere **di** studiare la storia.

Attenzione:

Roberto	abita	in Italia a Firenze in via Guerrazzi

Roberto	va	a Londra da Mary
	arriva	a Londra in Inghilterra
	torna	a Londra in Inghilterra
	viene	da Firenze dall'Italia

Roberto	parte	da Firenze dall'Italia
		per Londra per l'Inghilterra
		in (con l') aereo in (con il) treno in (con la) macchina

1. *Al posto dei puntini metti le preposizioni semplici appropriate*:
1. Luca vive ...... via Masaccio. 2. Cesare vive ...... Firenze. 3. Marta vive ...... Inghilterra. 4. Questa sera vado ...... teatro con Fiorella. 5. Domani andrò ...... banca. 6. Lucia va sempre ...... scuola ...... piedi. 7. Alice indossa una camicetta ...... seta. 8. Vanna parla sempre ...... politica. 9. Quest'anno è ...... moda il rosso. 10. Che noia! Non ho niente ...... fare. 11. Antonietta deve lavare la sua tuta ...... ginnastica. 12. Devo correre, perché sono ...... ritardo all'appuntamento. 13. Preferisco pagare ...... contanti, piuttosto che ...... rate. 14. ...... Caterina e Piero c'è molta simpatia. 15. *Il nome della rosa* è un libro ...... leggere. 16. Arnolfo spende molto ...... vivere. 17. Margherita cammina ...... punta ...... piedi. 18. Questo libro è il mio regalo ...... la mamma. 19. L'uso delle preposizioni è difficile ...... capire. 20. Claudia strilla ...... la rabbia. 21. Duilio è ...... campagna ...... lo zio. 22. Voglio cambiare i dollari ...... franchi svizzeri. 23. Stella va ...... Francia la prossima settimana. 24. Domani Milena va ...... Parigi. 25. *Amleto* è una tragedia ...... Shakespeare. 26. La mia borsa è ...... pelle. 27. Tutti accusano Lorenzo ...... egoismo. 28. Simona legge ...... voce alta. 29. ...... parole, pensa ...... tutto lui. 30. Stefano vive ...... gran signore. 31. Ho una lettera ...... spedire. 32. Ho cucito ...... me questo vestito. 33. Tiziana ha comprato una gonna ...... righe. 34. Caterina cammina ...... fretta. 35. "...... alto le mani!" intimò il malfattore. 36. ...... il dire e il fare c'è di mezzo il mare (proverbio). 37. Torno ...... poco. 38. Oggi piove ...... tutta l'Italia. 39. L'assassino sconterà il suo delitto ...... l'ergastolo. 40. Ippolita è una bella ragazza ...... gli occhi verdi. 41. Gilberto ha un brutto carattere: discute sempre ...... tutto. 42. Questa menzogna non è ...... te! 43. Ieri ho perso i miei occhiali ...... sole. 44. Questo maglione è ...... lavare. 45. Da oltre un mese cerco un appartamento ...... prendere ...... affitto. 46. Quell'uomo è matto ...... legare! 47. Matteo non ha mai voglia ...... scrivere ......

sua madre. 48. Oggi l'arrosto sa ..... bruciato. 49. Amina è una donna ..... rara intelligenza. 50. Ho acquistato un abito davvero ..... buon mercato. 51. In frigorifero non c'è niente ..... bere. 52. Il gatto di Roberta è cieco ..... un occhio. 53. La scorsa estate ho fatto molte fotografie ..... colori. 54. Preferisco fare fotografie ..... bianco e nero, piuttosto che ..... colori. 55. Questo libro non fa ..... me: è troppo noioso. 56. Silvia dice ..... scherzo. 57. ..... i due litiganti, il terzo gode (proverbio). 58. Silvana è più simpatica ..... Emanuela. 59. Chi fa ..... sé, fa ..... tre (proverbio). 60. il cane di Mariella mangia una scatola di carne ..... ogni pasto.

2. *Al posto dei puntini metti le preposizioni appropriate (semplici o articolate)*:
1. Questa sera non so se andare ..... cinema o ..... teatro. 2. Gloria abita ..... via Cavour ..... numero 7. 3. Antonio vive ..... Urbino. 4. Serena ha sempre la testa ..... le nuvole. 5. Viola vive ..... Stati Uniti. 6. Renzo va ..... psicanalista ogni dieci giorni. 7. I gatti salgono spesso ..... alberi e poi non sanno scendere. 8. Alberto legge ..... attenzione tutti gli articoli ..... cronaca nera. 9. Oggi devo andare ..... dentista. 10. L'occhio ..... padrone ingrassa il cavallo (proverbio). 11. Barbara abita lontano ..... città. 12. Duccio non ha disposizione ..... il disegno. 13. Roberta ha capito fischi ..... fiaschi. 14. Iolanda suda ..... il caldo. 15. Francesca batte i denti ..... il freddo. 16. Il marito ..... Fabiana è specializzato ..... chirurgia estetica. 17. Marisa è sparita: l'abbiamo cercata ..... mare e ..... terra. 18. Vado ..... banca. 19. Vado ..... Banca del lavoro. 20. Augusto va ..... biblioteca. 21. Augusto va ..... Biblioteca Nazionale. 22. Vado ..... mare. 23. Abito ..... terzo piano. 24. ..... terrazza ..... mia casa vedo il panorama ..... città. 25. Nonostante il freddo, Gaia è uscita ..... testa scoperta. 26. ..... piazza del Risorgimento c'è un monumento ..... Garibaldi. 27. Matilde abita vicino ..... stazione, ... una casa molto grande. 28. Riccardo lavora ..... quattro soldi. 29. Voglio cambiare la mia vecchia auto ..... una moto. 30. Piero lavora ..... mattina ..... sera senza un attimo ..... riposo. 31. Non ho le chiavi ..... casa. 32. Non ho le chiavi ..... macchina. 33. Il signor Chiari è un povero vecchio che vive ..... ricordi. 34. Oggi l'arrosto non sa ..... nulla: è proprio insipido. 35. Ormai è il 20 dicembre e, ... via ..... feste, i negozi sono pieni ..... gente. 36. Parlo ..... serio, non ..... scherzo. 37. Olivia è molto ricca e vive ..... gli agi. 38. Gino si sente male: deve andare ..... medico ..... una visita accurata. 39. ..... classe siamo ..... venti. 40. ..... Daniele e Sergio ci sono otto anni ..... differenza. 41. Il portacipria è ..... mia borsa. 42. Scrivo raramente ..... mano: preferisco

scrivere .... macchina. 43. .... questo freddo non ho voglia .... uscire. 44. Gaspare si è laureato .... architettura .... pieni voti. 45. La penna è .... cassetto .... scrivania. 46. La penna è .... scrivania. 47. Devi parlare .... calma. 48. Firenze è attraversata .... fiume Arno. 49. Ho finito la carta .... lettere. 50. Umberto sta sempre .... maniche .... camicia. 51. .... tanto .... tanto vado ....trovare mia sorella. 52. .... quella donna mi sento .... disagio. 53. Finalmente conosco la verità: Giorgio me l'ha raccontata .... filo e .... segno. 54. Ha piovuto .... due ore. 55. Ho dimenticato .... chiudere la porta .... chiave. 56. Piove .... due ore. 57. Amanda è una ragazza .... vent'anni. 58. La finestra .... mio studio dà .... giardino. 59. Ho regalato un libro .... Vittorio. 60. Quella signora .... rosso è la moglie del dottor Zanelli. 61. Quella ragazza vestita .... rosso è la figlia .... Antonio Zanelli. 62. Fiesole si trova .... sei chilometri .... Firenze. 63. Anita e Silvio sono persone molto formali; si danno ancora .... lei. 64. Posso darti .... tu? 65. Hai 50.000 lire .... cambiare? 66. Gualtiero ha molto .... fare; non ha davvero tempo .... perdere. 67. Saverio afferrò Guido .... un braccio. 68. Marta è nata .... mese .... aprile. 69. Rebecca è nata .... aprile. 70. Simone è nato .... 1971. 71. Marta è nata .... aprile .... 1971. 71. Non vedo Anna .... molti giorni. 72. Marino ha incominciato .... scrivere romanzi .... vent'anni. 73. Oscar ha smesso .... dipingere. 74. Ha piovuto .... una settimana. 75. Edvige ha smesso .... fumare. 76. Carlo ha iniziato .... fumare .... sedici anni. 77. Amelia mi ha persuaso .... studiare recitazione. 78. Vado .... comprare il pane. 79. Anna non ne vuole sapere .... andare .... montagna .... suo padre. 80. Penso .... partire .... otto giorni. 81. Silvia parte .... treno .... Parigi. 82. Franca si è accorta .... avere perso il libretto .... assegni. 83. Tu cerchi .... imbrogliarmi! 84. Bianca ha deciso .... comprare una casa .... mare. 85. Aldo ha deciso .... comprare una casa .... periferia .... città. 86. Bruno ha progettato .... comprare una casa .... città. 87. Mia sorella ha acquistato una casa .... montagna. 88. Chiara piangeva .... calde lacrime. 89. Francesca piangeva .... rabbia. 90. Paola piangeva .... dolore.

3. *Aggiungi preposizioni e articoli appropriati per formare frasi di senso compiuto*:

Es: Carla - indossa - vestito - righe. *Carla indossa un vestito a righe.*

1. Margherita - è - bella - bambina - capelli - lunghi. ....

2. Verrò - te - mezzogiorno. ....

3. Domani - parto - Londra - aereo. ....

4. Lucia - studia - molte - ore - giorno - esame - matematica. ....

5. Michelangelo - è - autore - affreschi - Cappella - Sistina. ....
6. Televisione - guardo - spesso - programmi - attualità. ....
7. Parto - domani - amici - vacanze. ....
8. Treno - arriva - Monaco - mezzanotte. ....
9. Professore - storia - medioevo - viene - istituto - automobile. ....
10. Treno - Roma - parte - ora. ....
11. Treno - Milano - viaggia - ora - ritardo. ....
12. Renato - mangia - panino - prosciutto. ....
13. Tutti - giorni - pranzo - bevo - bicchiere - vino. ....
14. Vincent - telefona - spesso - sua - famiglia - Stati - Uniti. ....
15. Ho - voglia - comprare - cappotto - colletto - pelliccia. ....
16. Voglio - comprare - giacca - vento. ....
17. Non - ho - voglia - uscire - perché - piove - dirotto. ....
18. Questo - ombrello - non - protegge - pioggia. ....
19. Parto - domani - Spagna - mia - sorella - Giulia. ....
20. Sergio - studia - fisica - impegno. ....
21. Antonio - vuole andare - pensione - motivi - salute. ....
22. Cugino - Viviana - legge - molti - libri - fantascienza. ....
23. Alba - e - tramonto - colori - cielo - sono - particolarmente - belli. ....
24. Tempo - vendemmia - contadini - raccolgono - uva. ....
25. Giovanna - ha - borsa - banconota - 100.000. - lire. ....
26. Faccio - tempo - telefonare - Guido? ....
27. Orietta - disegna - matita. ....
28. Erminia - ha - paura - temporali. ....
29. Villa - signori - Cini - è - stile - neoclassico. ....
30. Devo - finire - questo - lavoro - mese. ....
31. Vivere - insieme - c'è - bisogno - comprensione. ....
32. Roberto - guadagna - due - milioni - mese. ....

VIII. IL FUTURO (FUTURO SEMPLICE E FUTURO ANTERIORE)

La madre

E il cuore quando d'un ultimo battito
avrà fatto cadere il muro d'ombra,
per condurmi, Madre, sino al Signore,
come una volta mi *darai* la mano.

In ginocchio, decisa,
sarai una statua davanti all'Eterno,
come già ti vedeva
quando eri ancora in vita.

Alzerai tremante le vecchie braccia,
come quando spirasti
dicendo: - Mio Dio, eccomi.

E solo quando m'*avrà perdonato*,
ti *verrà* desiderio di guardarmi.

Ricorderai d'avermi atteso tanto,
e *avrai* negli occhi un rapido sospiro.
(Giuseppe Ungaretti)

Attenzione: i verbi in corsivo sono al **futuro semplice** o al **futuro anteriore**.

FUTURO SEMPLICE			
	I *AMARE*	II *CREDERE*	III *DORMIRE*
io	am**erò**	cred**erò**	dorm**irò**
tu	am**erai**	cred**erai**	dorm**irai**
lui, lei, Lei	am**erà**	cred**erà**	dorm**irà**
noi	am**eremo**	cred**eremo**	dorm**iremo**
voi	am**erete**	cred**erete**	dorm**irete**
loro, Loro	am**eranno**	cred**eranno**	dorm**iranno**
	ESSERE	*AVERE*	
io	sarò	avrò	
tu	sarai	avrai	
lui, lei, Lei	sarà	avrà	
noi	saremo	avremo	
voi	sarete	avrete	
loro, Loro	saranno	avranno	

FORME IRREGOLARI

a. I verbi che terminano in **care** e **gare** prendono una **h** davanti alla **e** *della desinenza.*

Es:	CERCARE	DIMENTICARE	PREGARE	PIEGARE
	cerc**h**erò	dimentic**h**erò	preg**h**erò	pieg**h**erò
	cerc**h**erai	dimentic**h**erai	preg**h**erai	pieg**h**erai
	cerc**h**erà	dimentic**h**erà	preg**h**erà	pieg**h**erà
	cerc**h**eremo	dimentic**h**eremo	preg**h**eremo	pieg**h**eremo
	cerc**h**erete	dimentic**h**erete	preg**h**erete	pieg**h**erete
	cerc**h**eranno	dimentic**h**eranno	preg**h**eranno	pieg**h**eranno

b. Molti verbi hanno il futuro irregolare. I più usati sono:

ANDARE	andrò, andrai, andrà, andremo, andrete, andranno
BERE	berrò, berrai, berrà, berremo, berrete, berranno
CADERE	cadrò, cadrai, cadrà, cadremo, cadrete, cadranno
DARE	darò, darai, darà, daremo, darete, daranno
DOVERE	dovrò, dovrai, dovrà, dovremo, dovrete, dovranno
FARE	farò, farai, farà, faremo, farete, faranno
GODERE	godrò, godrai, godrà, godremo, godrete, godranno
LASCIARE	lascerò, lascerai, lascerà, lasceremo, lascerete, lasceranno
MANGIARE	mangerò, mangerai, mangerà, mangeremo, mangerete, mangeranno
MORIRE	morirò (morrò), morirai (morrai), morirà (morrà), moriremo (morremo), morirete (morrete), moriranno (morranno)
PORRE	porrò, porrai, porrà, porremo, porrete, porranno
RIMANERE	rimarrò, rimarrai, rimarrà, rimarremo, rimarrete, rimarranno
SAPERE	saprò, saprai, saprà, sapremo, saprete, sapranno
SEDERE	sederò (siederò), sederai (siederai), sederà (siederà), sederemo (siederemo), sederete (siederete), sederanno (siederanno)
STARE	starò, starai, starà, staremo, starete, staranno
SVENIRE	sverrò, sverrai, sverrà, sverremo, sverrete, sverranno
TENERE	terrò, terrai, terrà, terremo, terrete, terranno
TRARRE	trarrò, trarrai, trarrà, trarremo, trarrete, trarranno
UDIRE	udirò (udrò), udirai (udrai), udirà (udrà), udiremo (udremo), udirete (udrete), udiranno (udranno)
VALERE	varrò, varrai, varrà, varremo, varrete, varranno
VEDERE	vedrò, vedrai, vedrà, vedremo, vedrete, vedranno
VENIRE	verrò, verrai, verrà, verremo, verrete, verranno
VIVERE	vivrò, vivrai, vivrà, vivremo, vivrete, vivranno
VOLERE	vorrò, vorrai, vorrà, vorremo, vorrete, vorranno

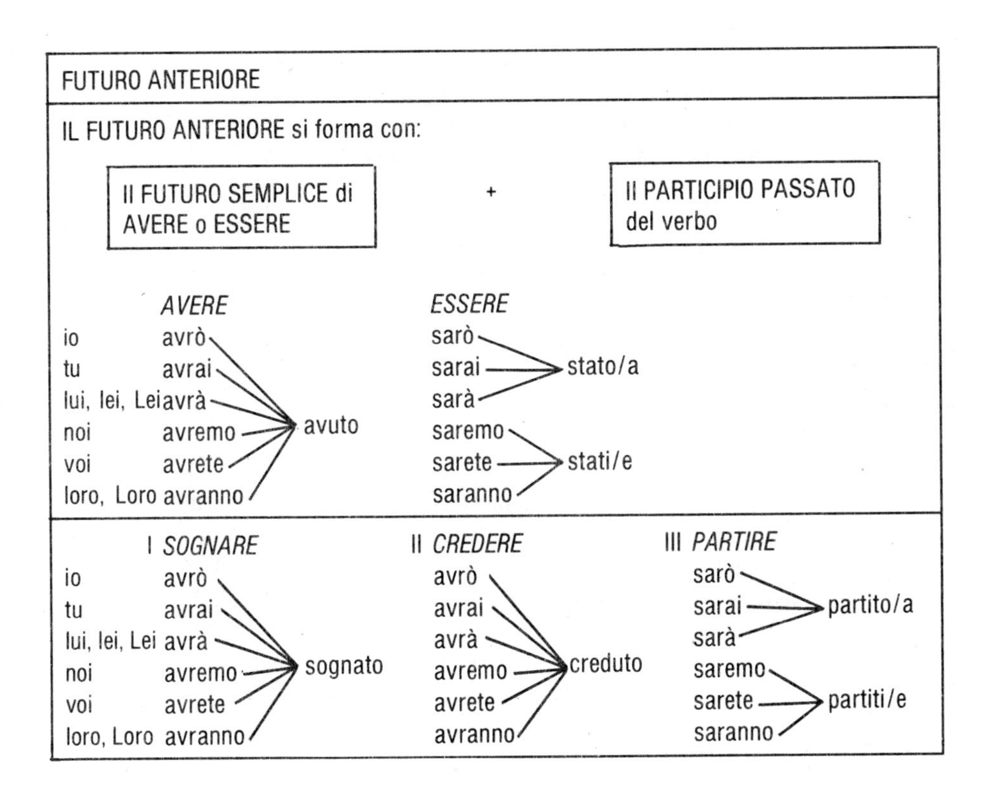

FUTURO ANTERIORE

IL FUTURO ANTERIORE si forma con:

Il FUTURO SEMPLICE di AVERE o ESSERE	+	Il PARTICIPIO PASSATO del verbo

	AVERE		*ESSERE*	
io	avrò	avuto	sarò	stato/a
tu	avrai	avuto	sarai	stato/a
lui, lei, Lei	avrà	avuto	sarà	stato/a
noi	avremo	avuto	saremo	stati/e
voi	avrete	avuto	sarete	stati/e
loro, Loro	avranno	avuto	saranno	stati/e

	I *SOGNARE*		II *CREDERE*		III *PARTIRE*	
io	avrò	sognato	avrò	creduto	sarò	partito/a
tu	avrai	sognato	avrai	creduto	sarai	partito/a
lui, lei, Lei	avrà	sognato	avrà	creduto	sarà	partito/a
noi	avremo	sognato	avremo	creduto	saremo	partiti/e
voi	avrete	sognato	avrete	creduto	sarete	partiti/e
loro, Loro	avranno	sognato	avranno	creduto	saranno	partiti/e

FUTURO REALE E FUTURO IRREALE

(ora) so che ANDRÒ a Parigi

(allora) { ho saputo / sapevo / seppi / avevo saputo } che SAREI ANDATO/A a Parigi

L'azione (andare a Parigi) non è ancora avvenuta: ANDRÒ è un **futuro reale** che indica un'azione futura rispetto a un tempo presente (so).

L'azione (andare a Parigi) è già avvenuta: SAREI ANDATO/A è un **futuro irreale** che indica un'azione futura solo rispetto a un tempo passato (ho saputo, sapevo, seppi, avevo saputo).

Per il *FUTURO REALE* si usano il FUTURO SEMPLICE e il FUTURO ANTERIORE.

Per il *FUTURO IRREALE* si usa il CONDIZIONALE COMPOSTO.

Attenzione: per esprimere un'azione **non ancora avvenuta** e che dipende da un verbo principale al passato (ma passato legato al presente: passato prossimo o - raro - imperfetto) si usa il **futuro**; l'azione infatti rientra nel caso del FUTURO REALE.

Es: Poco fa Giorgio ha detto che domani **andrà** a sciare.

IL FUTURO REALE

IL FUTURO SEMPLICE

Per esprimere un'azione che avverrà dopo il momento presente possiamo usare:

a. il FUTURO SEMPLICE
Es: Domani **scriverò** a Giulio.

b. il CONGIUNTIVO PRESENTE
Es: È probabile che, fra qualche giorno, **arrivi** (arriverà) il freddo.

c. l'INDICATIVO PRESENTE
Es: domani **vado** (andrò) a teatro.

Usiamo il futuro semplice anche per:

a. esprimere un **dubbio** su una realtà **presente**
Es: Quanti anni ha Luisa?
Avrà (forse ha) vent'anni.

b. dare un **ordine** (al posto dell'imperativo)
Es: Per domani **pulirete** (pulite) tutta la casa.

IL FUTURO ANTERIORE

Il futuro anteriore esprime un'azione precedente a un'altra futura da cui dipende.

PRIMA	DOPO
ore 13	ore 13.30
Il gatto mangerà	Il gatto dormirà

Dopo che **avrà mangiato**, (futuro anteriore) PRIMA — il gatto **dormirà**. (futuro semplice) DOPO

Attenzione: **1.** Nella lingua parlata spesso si sostituisce il futuro anteriore con il futuro semplice.
Es: Appena **finirò** (avrò finito) di studiare, uscirò.

2. Spesso si usa il futuro anteriore per esprimere un dubbio su una realtà passata.
Es: Mi **avrai** anche **scritto**, ma io non ho ricevuto la tua lettera.

3. Il futuro anteriore si usa quasi sempre nelle dipendenti temporali; il suo uso indipendente è piuttosto raro.
Es: Ah, ma quando **avrai finito** con le tue lamentele!

1. *Sostituisci il futuro semplice o il futuro anteriore all'infinito fra parentesi*:
1. (Essere) .... anche una bella donna, ma a me non piace. 2. Dopo che (io - mangiare) ...., (andare) .... a dormire. 3. Un'ora fa Arianna mi ha detto che domenica (partire) .... per Nizza. 4. Quanti anni ha Piero? Non lo so con precisione: (averne) .... trenta. 5. A che ora sei arrivato ieri? Non lo ricordo con esattezza: (io - arrivare) .... alle dieci. 6. Dopo che (io - vedere) .... il film, ti (dire) .... la mia opinione. 7. Ieri Luigi e Agostina mi hanno confidato che, fra un mese, (cambiare) .... casa. 8. Quando (io - comprare) .... una macchina nuova, (venire) .... a trovarti a Cannes. 9. L'estate prossima Vincenzo (andare) .... in Corsica. 10. Quando (tu - finire) .... di annoiarmi con le tue lamentele, (io - andarmene) .... al cinema. 11. Per domani (voi - studiare) .... il futuro e tutte le sue regole. 12. (Io - andare) .... prima in banca, (ritirare) .... dei soldi, e poi (comprare) .... i biglietti dell'aereo. 13. Dopo che (io - andare) .... in banca a ritirare dei soldi, (comprare) .... i biglietti dell'aereo. 14. Quando (noi - conoscere) .... i risultati degli esami, (partire) .... per le vacanze. 15. Dove è andato Mario? (Essere) .... tre ore che lo cerco. 16. Questo film (essere) .... anche bello, ma io l'ho trovato molto noioso. 17. Se (io - vedere) .... Ludovico, (chiedergli) .... notizie di sua madre. 18. Se Paolo (volere) .... sapere la verità, (io - non sapere) .... che cosa dirgli. 19. Quando (io - finire) .... di leggere, (scrivere) .... a Lucrezia. 20. Spendo troppo! Da domani (fare) .... economia. 21. Se (lui - continuare) .... a fumare due pacchetti di sigarette al giorno, (ammalarsi) .... 22. Una

settimana fa Gaspare mi ha detto che la prossima estate (andare) .... in Giappone.

2. *Sostituisci il futuro (semplice o anteriore) o il condizionale composto all'infinito fra parentesi*:
1. Un mese fa, quando ho visto Lucio, mi ha detto che il giorno dopo (partire) .... per gli Stati Uniti. 2. Un mese fa Lucio mi ha detto che il prossimo inverno (partire) .... per gli Stati Uniti. 3. Ieri Lucio mi ha detto che sabato (partire) .... per gli Stati Uniti. 4. L'anno scorso Mara mi promise che (finire) .... gli studi entro pochi mesi. 5. Sapevo già che con quel lavoro non (io - guadagnare) .... nulla. 6. Mario mi disse che (partire) .... entro due ore. 7. Ennio era convinto che (vincere) .... il primo premio alla lotteria. 8. Se (tu - mangiare) .... troppo, dopo (tu - stare) .... male. 9. Gli avevo detto di non esagerare con il cibo, perché poi (lui - stare) .... male. 10. (Io - uscirò) .... quando (smettere) .... di nevicare. 11. Patrizia mi ha assicurato che questa sera (venire) .... sicuramente alla tua cena. 12. È inutile che telefoni a Marco: è chiaro che non è in casa. Ora ricordo che mi aveva detto che (lui - andare) .... a teatro.

3. *Sostituisci all'infinito fra parentesi la forma verbale corretta per esprimere il futuro nelle varie frasi*:
1. Mario è partito da oltre un anno: speriamo che (ritornare) .... presto. 2. È probabile che questa sera (abbassarsi) .... la temperatura. 3. Elena ha detto che arriva a mezzogiorno e (ripartire) .... subito. 4. Gino ha l'influenza: speriamo che (guarire) .... presto. 5. Gilda è partita da due mesi: quando (ritornare) ....? 6. Quando (io - saldare) .... tutti i miei debiti, (tirare) .... un sospiro di sollievo. 7. (Essere) .... come dici tu, ma non posso crederci. 8. Quando vai dal medico? (Io - andarci) .... domani. 9. È possibile che questa sera (piovere) .... 10. È sicuro che questa sera (piovere) .... 11. Temevo che quella faccenda (andare) .... a finire male! 12. Non (io - dimenticare) .... mai il favore che mi hai fatto. 13. Dopo che (io - mangiare) ...., (sentirsi) .... un po' meglio. 14. Quando (tu -capire) .... l'errore che hai fatto, (essere) .... tardi per rimediare. 15. Dopo che (io - dare) .... l'esame di biologia, (partire) .... per il mare. 16. Come mai Elvira è triste? Non so: (lei -avere) .... dei problemi. 17. Perché ieri mattina tuo fratello non è venuto all'appuntamento? Non lo so. (Capitargli) .... un imprevisto. 18. È necessario che domani Silvio (occuparsi) .... della faccenda. 19. È possibile che Mauro (incominciare) .... a lavorare in ottobre. 20. So che Mauro (incominciare) .... a lavorare in ottobre.

IX. I GRADI DI COMPARAZIONE

Il *COMPARATIVO* serve a paragonare:

a. due persone, animali, o cose
b. due qualità o quantità
c. due azioni

Può essere:

1.	di MAGGIORANZA o MINORANZA	PIÙ DI MENO DI	Es: Ugo è **più** (**meno**) intelligente **di** Carlo. Questo caffè è **più** (**meno**) buono **di** quello che credi. È **più** (**meno**) tardi **di** quello che pensavo.
		PIÙ CHE MENO CHE	Giovanna è **più** (**meno**) bella **che** intelligente. Mauro ha **più** (**meno**) camicie **che** maglioni. È **più** (**meno**) divertente andare a teatro **che** guardare la televisione.
2.	di UGUAGLIANZA	(TANTO) QUANTO (COSÌ) COME	Es: Olga è (**tanto**) bella **quanto** elegante. Ivo è (**così**) simpatico **come** Paolo.

Il *SUPERLATIVO* può essere:

1. RELATIVO quando paragona una persona (o animale), una cosa, una qualità, un'azione, ecc. con altre persone (o animali), cose, qualità, azioni, ecc.

di MAGGIORANZA - IL (LA) PIÙ DI (o TRA/FRA)	Es: Marco è **il più** colto **dei** (**tra i**) miei amici.
di MINORANZA - IL (LA) MENO DI (o TRA/FRA)	Es: Questa è **la meno** pesante **delle** (**fra le**) mie valigie.

Attenzione:

a. il superlativo relativo in genere è caratterizzato da PIÙ (o MENO) preceduto dall'articolo determinativo, però a volte **l'articolo può precedere il nome**:
Es: Questo è **il** film più bello tra quelli che ho visto.
In questi casi non si ripete l'articolo prima di *più*; **non si può dire infatti**: questo è il film il più bello tra quelli che ho visto.

b. a volte il secondo termine di paragone è assente:
Es: Andrò a Londra a vedere i più interessanti musei (o i musei più interessanti).

2. ASSOLUTO quando indica una qualità al massimo grado, senza alcun paragone.

Si forma aggiungendo all'aggettivo i suffissi: ISSIMO (bello, bellISSIMO), ISSIMI (belli, bellISSIMI), ISSIMA (bella, bellISSIMA), ISSIME (belle, bellISSIME).

CASI PARTICOLARI DI COMPARAZIONE

1. Alcuni superlativi assoluti di origine latina prendono il suffisso ERRIMO:

aspro	ASPERRIMO
celebre	CELEBERRIMO
acre	ACERRIMO
salubre	SALUBERRIMO
integro	INTEGERRIMO

2. Il superlativo assoluto si può anche formare:

a. con i prefissi:

ARCI	arcifelice, arciricco, arcistufo, ecc.
STRA	straricco, stravecchio, stracotto, ecc.
ULTRA	ultrarapido, ultramoderno, ultrasensibile, ecc.
SUPER	superaffollato, supernutrito, ecc.
IPER	ipersensibile, ipercritico, ecc.

b. ripetendo l'aggettivo:

BUONO BUONO Diego dorme buono buono.
ZITTO ZITTO Paolo è rimasto zitto zitto.

c. rafforzando l'aggettivo con un altro termine.

BUIO PESTO
STANCO MORTO
RICCO SFONDATO
BAGNATO FRADICIO
INNAMORATO COTTO
PIENO ZEPPO
UBRIACO FRADICIO

d. rafforzando l'aggettivo con un avverbio:

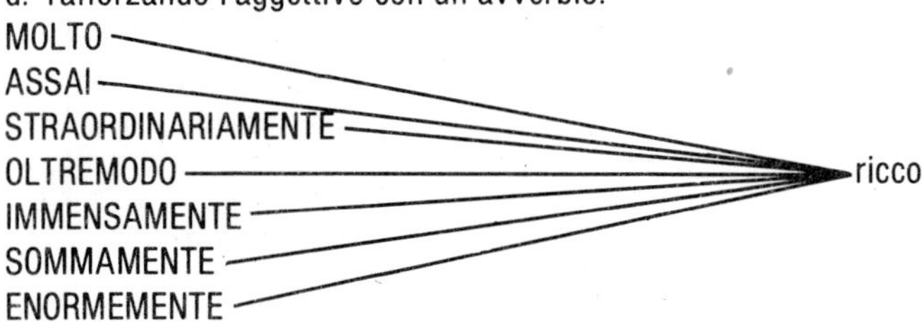

3. Esistono aggettivi che, oltre alle forme consuete di comparativo e superlativo, presentano forme di origine latina:

aggettivo	grado comparativo		grado superlativo	
buono	più buono	migliore	buonissimo	ottimo
cattivo	più cattivo	peggiore	cattivissimo	pessimo
grande	più grande	maggiore	grandissimo	massimo
piccolo	più piccolo	minore	piccolissimo	minimo
alto	più alto	superiore	altissimo	supremo - sommo
basso	più basso	inferiore	bassissimo	infimo
interno	più interno	interiore	---	intimo
esterno	più esterno	esteriore	---	estremo
vicino	più vicino	viciniore (raro)	vicinissimo	prossimo

4. Anche gli avverbi hanno il comparativo e il superlativo. Alcuni avverbi di modo, come gli aggettivi da cui derivano, hanno forme particolari di comparativo e superlativo:

aggettivo	avverbio	comparativo	superlativo
buono	bene	meglio	benissimo ottimamente
cattivo	male	peggio	malissimo pessimamente
grande	grandemente	maggiormente	massimamente sommamente
piccolo	poco	meno	pochissimo minimamente
molto	molto	più	moltissimo assai

1. *Completa le frasi con* **di** *o* **che**:

1. Mirella beve più acqua .... vino. 2. Ho più amici .... amiche. 3. Ho più amici .... te. 4. Fabio è più alto .... sua sorella. 5. Le mie sorelle sono più simpatiche .... belle. 6. Le mie sorelle sono più simpatiche .... tue. 7. Questo lavoro è più faticoso .... difficile. 8. Giulio è più simpatico .... Alfredo. 9. Lui è più intelligente .... lei. 10. Ho fatto più presto .... quello che pensavo. 11. Questa poltrona è più bella .... comoda. 12. Il mio cane è più vecchio .... tuo. 13. Questo vino è più forte .... quello che pensavo. 14. Meglio tardi .... mai (proverbio). 15. Se una cosa si deve fare, è meglio farla prima .... dopo. 16. Rodolfo è più bravo in disegno .... in musica. 17. In questa scuola ci sono più donne .... uomini. 18. Oggi l'aria è più umida .... ieri. 19. Mario è migliore .... te. 20. Adesso piove più forte .... prima. 21. La mia bicicletta è più vecchia .... tua. 22. Roma è più calda .... Milano. 23. Milano è meno fredda .... Torino. 24. Nicoletta è meno intelligente .... sua madre. 25. Quella ragazza è meno interessante .... quello che immagini. 26. Le mie scarpe sono meno costose .... tue. 27. È più riposante viaggiare in treno .... in macchina. 28. Lui ha meno soldi .... te. 29. L'Italia è meno fredda .... Germania. 30. È più facile criticare .... agire bene. 31. A Firenze la vita è più cara .... a Siena. 32. Piero è più generoso .... te. 33. In Italia ci sono più turisti in primavera e in estate .... nelle altre stagioni. 34. Franco ha meno iniziativa .... suo fratello. 35. Oggi ho più bevuto .... mangiato.

X. FORMA RIFLESSIVA DEL VERBO

Esistono vari tipi di verbi riflessivi:

1. RIFLESSIVI VERI E PROPRI

Sono verbi transitivi i quali esprimono un'azione che, dal soggetto, ricade sul soggetto medesimo: **lo stesso individuo compie e subisce l'azione; soggetto e oggetto sono la stessa persona**.
Es: Manoela si lava (lava se stessa).

Attenzione: I pronomi **mi, ti, si, ci, vi, si** nei modi finiti (indicativo, congiuntivo, condizionale) precedono il verbo: lo seguono solo nel caso che questo sia all'infinito (lavarsi, essersi lavato/a), al gerundio (*lavandosi, essendosi lavato/a*), al participio (*lavatosi/lavatasi*), all'imperativo diretto (*lavati! Laviamoci! Lavatevi! Non lavarti!* ma anche *Non ti lavare!*).

Nei tempi composti i verbi riflessivi si coniugano con **essere**.

2. RIFLESSIVI INDIRETTI

Io mi pettino i capelli significa: *io pettino i capelli a me stesso.*
In questo caso il pronome **mi** non è complemento oggetto e il verbo quindi é un riflessivo indiretto. Quando **mi, ti, si, ci, vi, si** non sono complemento oggetto (ma significano **a me, a te**, oppure **per me, per te**, ecc.), i verbi a cui si accompagnano sono **riflessivi indiretti**.

3. RIFLESSIVI RECIPROCI

Sono verbi che esprimono un'azione che intercorre fra due individui.
Es: I due uomini si guardarono (si guardarono tra loro) in cagnesco.

4. RIFLESSIVI APPARENTI

Sono verbi intransitivi, riflessivi nella forma, ma non nella sostanza.

Es: Mi vergogno di quello che ho detto.	Vergognarsi
Silvio si è adirato per il tuo ritardo.	Adirarsi
Ada si è incamminata verso il centro.	Incamminarsi, ecc.

Attenzione:

Con **dovere, potere** e **volere** (coniugati nei tempi semplici) + l'infinito di un verbo, ci sono due possibilità:
a. doversi, potersi, volersi + verbo all'infinito
doversi lavare: io mi devo lavare
b. dovere, potere, volere + verbo riflessivo all'infinito
dovere lavarsi: io devo lavarmi
Nei tempi composti dovere, potere e volere:
a. prendono l'ausiliare **essere** se sono preceduti dal pronome riflessivo: Paolo si è dovuto lavare
b. prendono l'ausiliare **avere** se precedono l'infinito riflessivo: Paolo ha dovuto lavarsi
In genere **sapere** segue il comportamento di dovere, potere e volere.

1. *Sostituisci all'infinito fra parentesi il verbo al presente indicativo*:
1. Quando Margherita e Franca (incontrarsi) .... (abbracciarsi) .... affettuosamente. 2. Andrea (dovere riposarsi) .... un po' prima di partire. 3. Andrea (doversi riposare) .... un po' prima di partire. 4. Carla e io (conoscersi) .... da molto tempo. 5. Gisella (sposarsi) .... domani. 6. Io (vergognarsi) .... delle parole che ho detto. 7. Mario (farsi) .... la barba ogni mattina. 8. Spesso Anna e Franco (incontrarsi) .... alla fermata dell'autobus. 9. Elena (vestirsi) .... con molta eleganza. 10. Stella (lavarsi) .... i capelli due volte alla settimana. 11. Come (chiamarsi) .... quella ragazza bionda che sta parlando con Michele? 12. Quando vado al mare (divertirsi) .... molto; in montagna, invece, (annoiarsi) .... sempre. 13. Il mio gatto (arrampicarsi) .... sempre sugli alberi e dopo non sa scendere. 14. Giulia (adirarsi) .... con troppa facilità: non ha comprensione per gli altri. 15. Se non voglio perdere il treno, (dovere sbrigarsi) .... a uscire.

2. *Sostituisci all'infinito fra parentesi il verbo al passato prossimo*:
1. Cristina (comprarsi) .... una casa in campagna. 2. Ieri ho mangiato troppo e (sentirsi) .... male. 3. Orietta e Ludovico (lasciarsi) .... dopo quattro anni di fidanzamento. 4. Roberta e Paolo (sposarsi) .... lunedì

scorso. 5. Alberto (comprarsi) .... una macchina nuova. 6. Appena abbiamo chiuso la finestra, l'aula (riscaldarsi) .... 7. Ieri, a causa della pioggia, Giacomo e Rita (bagnarsi) .... da capo a piedi. 8. Ennio e Laura (volersi) .... bene per molti anni. 9. Tu (sacrificarsi) .... per tutti: adesso devi pensare a te stesso. 10. Appena Ezio è rientrato a casa, (accorgersi) .... che il telefono era guasto. 11. Sto meglio perché (potersi riposare) .... per qualche giorno. 12. Sto meglio perché (potere riposarsi) .... per qualche giorno. 13. Noi (preoccuparsi) .... molto del vostro ritardo. 14. (Io - fermarsi) .... a Roma per una settimana. 15. Enrico non (volere presentarsi) .... all'esame di fisica. 16. Liliana (pettinarsi) .... con cura, (profumarsi) ...., ha indossato un abito nuovo ed è uscita. 17. Ieri notte, all'improvviso, (scatenarsi) .... una bufera con vento e grandine. 18. Flavio (meravigliarsi) .... del successo di Ornella. 19. Marina non (scordarsi) .... delle sue promesse. 20. Nello stabile accanto al nostro (verificarsi) .... un atroce delitto. 21. Tu (terrorizzarsi) .... per niente: hai davvero paura delle ombre! 22. Sofia (mettersi) .... in testa di avere una grave malattia, e invece è sana come un pesce. 23. Erika (laurearsi) .... a pieni voti. 24. Non intendevo dire che sei uno sciocco: (io - esprimersi) .... male. 25. Ieri sera Vanna e Manlio sono andati a teatro e (divertirsi) .... molto. 26. Gabriella e io (decidersi) .... a comprare una casa al mare. 27. Elisabetta (volersi comprare) .... un profumo molto costoso. 28. Anna (volere comprarsi) .... una borsa di coccodrillo. 29. Romilda non (potere permettersi) .... quella vacanza a cui teneva tanto, perché il costo del viaggio era troppo alto per lei. 30. L'estate scorsa Sergio non (potersi permettere) .... di raggiungere la famiglia al mare perché aveva un importante lavoro da portare a termine. 31. Prima di lasciarsi, Carlo e Donatella (volersi incontrare) .... ancora una volta. 32. Avanti di partire, Mary (volere incontrarsi) .... con tutti i suoi amici. 33. Ieri il mio gatto e il cane di Tessa (darsi) .... la caccia per tutto il giorno. 34. Enrica e Marcella (volere riposarsi) .... un po' perché erano stanche morte. 35. Prima di uscire Luca e Lamberto (volersi riposare) .... perché erano stanchissimi. 36. Ieri Mario (volere sorbirsi) .... una conferenza noiosissima. 37. Ieri sera Luigi era stanchissimo e (addormentarsi) .... al concerto. 38. Non (io -dimenticarsi) .... di telefonarti: in realtà non ne ho avuto il tempo. 39. Cinzia e Valeria (sbrigarsi) .... a fare i compiti e subito dopo sono uscite.

XI. L'IMPERFETTO INDICATIVO

Era una bella mattina di fine novembre. Nella notte aveva nevicato un poco, ma il terreno *era* coperto di un velo fresco non più alto di tre dita. Al buio, subito dopo laudi, avevamo ascoltato la messa in un villaggio a valle. Poi ci eravamo messi in viaggio verso le montagne, allo spuntar del sole.

Come *ci inerpicavamo* per il sentiero scosceso che *si snodava* intorno al monte, vidi l'abbazia. Non mi stupirono di essa le mura che la *cingevano* da ogni lato, simili ad altre che vidi in tutto il mondo cristiano, ma la mole di quello che poi appresi essere l'Edificio. *Era* questa una costruzione ottagonale che a distanza *appariva* come un tetragono (figura perfettissima che esprime la saldezza e l'imprendibilità della Città di Dio), i cui lati meridionali *si ergevano* sul pianoro dell'abbazia, mentre quelli settentrionali *sembravano* crescere dalle falde stesse del monte, su cui *s'innervavano* a strapiombo. Dico che in certi punti, dal basso, *sembrava* che la roccia si prolungasse verso il cielo, senza soluzione di tinte e di materia, e diventasse a un certo punto mastio e torrione (opera di giganti che avessero gran familiarità e con la terra e col cielo). Tre ordini di finestre *dicevano* il ritmo trino della sua sopraelevazione, così che ciò che *era* fisicamente quadrato sulla terra, *era* spiritualmente triangolare nel cielo. Nell'appressarvici maggiormente, si *capiva* che la forma quadrangolare *generava*, a ciascuno dei suoi angoli, un torrione eptagonale, di cui cinque lati *si protendevano* all'esterno -quattro dunque degli otto lati dell'ottagono maggiore generando quattro eptagoni minori, che all'esterno *si manifestavano* come pentagoni. E non è chi non veda l'ammirevole concordia di tanti numeri santi, ciascuno rivelante un sottilissimo senso spirituale. Otto il numero della perfezione d'ogni tetragono, quattro il numero dei vangeli, cinque il numero delle zone del mondo, sette il numero dei doni dello Spirito Santo. Per la mole, e per la forma, l'Edificio mi apparve come più tardi avrei visto nel sud della penisola italiana Castel Ursino o Castel dal Monte, ma per la posizione inaccessibile *era* di quelli più tremendo, e capace di generare timore nel viaggiatore che vi si avvicinasse a poco a poco. E fortuna che, essendo una limpidissima mattinata invernale, la costruzione non mi apparve quale la si vede nei giorni di tempesta.

Non dirò comunque che essa suggerisse sentimenti di giocondità. Io ne trassi spavento, e una inquietudine sottile. Dio sa che non *erano* fantasmi dell'animo mio immaturo, e che rettamente *interpretavo* indubitabili presagi iscritti nella pietra, sin dal giorno che i giganti vi posero mano, e prima che la illusa volontà dei monaci ardisse consacrarla alla custodia della parola divina.

Mentre i nostri muletti *arrancavano* per l'ultimo tornante della montagna, là dove il cammino principale *si diramava* a trivio, generando due sentieri laterali, il mio maestro si arrestò per qualche tempo, guardandosi intorno ai lati della strada, e sulla strada, e sopra la strada, dove una serie di pini sempreverdi *formava* per un breve tratto un tetto naturale, canuto di neve.

"Abbazia ricca," disse. "All'Abate piace apparire bene nelle pubbliche occasioni."

Abituato come *ero* a sentirlo fare le più singolari affermazioni, non lo interrogai. Anche perché, dopo un altro tratto di strada, udimmo dei rumori, e a una svolta apparve un agitato manipolo di monaci e di famigli.

Uno di essi, come ci vide, ci venne incontro con molta urbanità: "Benvenuto signore," disse, "e non vi stupite se immagino chi siete, perché siamo stati avvertiti della vostra visita. Io sono Remigio da Varagine, il cellario del monastero. E se voi siete, come credo, frate Guglielmo da Bascavilla, l'Abate dovrà esserne avvisato. Tu", ordinò rivolto a uno del seguito, "risali ad avvertire che il nostro visitatore sta per entrare nella cinta!"

"Vi ringrazio, signor cellario," rispose cordialmente il mio maestro, "e tanto più apprezzo la vostra cortesia in quanto per salutarmi avete interrotto l'inseguimento. Ma non temete, il cavallo è passato di qua e si è diretto per il sentiero di destra. Non potrà andar molto lontano perché, arrivato al deposito dello strame, dovrà fermarsi. È troppo intelligente per buttarsi lungo il terreno scosceso..."

"Quando lo avete visto?" domandò il cellario.

"Non lo abbiamo visto affatto, non è vero Adso?" disse Guglielmo volgendosi verso di me con aria divertita. "Ma se cercate Brunello, l'animale non può che essere là dove io ho detto".

Il cellario esitò. Guardò Guglielmo, poi il sentiero, e infine domandò: "Brunello? Come sapete?"

"Suvvia," disse Guglielmo, "è evidente che state cercando Brunello, il cavallo preferito dall'Abate, il miglior galoppatore della vostra scuderia, nero di pelo, alto cinque piedi, dalla coda sontuosa, dallo zoccolo piccolo e rotondo ma dal galoppo assai regolare; capo minuto, orecchie sottili ma occhi grandi. È andato a destra, vi dico, e affrettatevi, in ogni caso".

Il cellario ebbe un momento di esitazione, poi fece un segno ai suoi e si gettò giù per il sentiero di destra, mentre i nostri muli *riprendevano* a salire. Mentre stavo per interrogare Guglielmo, perché *ero morso* dalla curiosità, egli mi fece cenno di attendere: e infatti pochi minuti dopo udimmo grida di giubilo, e alla svolta del sentiero riapparvero monaci e famigli riportando il cavallo per il morso. Ci passarono di fianco continuando a guardarci alquanto sbalorditi e ci precedettero verso l'abbazia. Credo anche che Guglielmo rallentasse il passo alla sua cavalcatura per permettere loro di raccontare quanto era accaduto. Infatti avevo avuto modo di accorgermi che il mio maestro, in tutto e per tutto uomo di altissima virtù, *indulgeva* al vizio della vanità quando si *trattava* di dar prova del suo acume e, avendone già apprezzato le doti di sottile diplomatico, capii che *voleva* arrivare alla meta preceduto da una solida fama di uomo sapiente.

"E ora ditemi," alla fine non seppi trattenermi, "come avete fatto a sapere?"

"Mio buon Adso", disse il maestro. "È tutto il viaggio che ti insegno a riconoscere le tracce con cui il mondo ci parla come un grande libro. Alano delle Isole *diceva* che

omnis mundi creatura
quasi liber et pictura
nobis est in speculum (*)

e *pensava* alla inesausta riserva di simboli con cui Dio, attraverso le sue creature, ci parla della vita eterna. Ma l'universo è ancor più loquace di come *pensava* Alano e non solo parla delle cose ultime (nel qual caso lo fa sempre in modo oscuro) ma anche di quelle prossime, e in questo è chiarissimo. Quasi mi vergogno a ripeterti quel che dovresti sapere. Al trivio, sulla neve ancora fresca, *si disegnavano* con molta chiarezza le impronte degli zoccoli di un cavallo, che *puntavano* verso il sentiero alla nostra sinistra. A bella e uguale distanza l'uno dall'altro, quei segni *dicevano* che lo zoccolo *era* piccolo e rotondo, e il galoppo di grande regolarità -così che ne dedussi la natura del cavallo, e il fatto che esso non *correva* disordinatamente come fa un animale imbizzarrito. Là dove i pini *formavano* come una tettoia naturale, alcuni rami erano stati spezzati di fresco giusto all'altezza di cinque piedi. Uno dei cespugli di more, là dove l'animale deve aver girato per infilare il sentiero alla sua destra, mentre fieramente *scuoteva* la sua bella coda, *tratteneva* ancora tra gli spini dei lunghi crini nerissimi... Non mi dirai infine che non sai che quel sentiero conduce al deposito dello strame, perché salendo per il tornante inferiore abbiamo visto la bava dei detriti scendere a strapiombo ai piedi del torrione orientale, bruttando la neve; e così come il trivio *era* disposto, il sentiero non *poteva* che condurre in quella direzione."

"Sì," dissi, "ma il capo piccolo, le orecchie aguzze, gli occhi grandi.."

(*) Ogni creatura del mondo è per noi quasi un libro o una pittura riflessi in uno specchio.

"Non so se li abbia, ma certo i monaci lo credono fermamente. Diceva Isidoro di Siviglia che la bellezza di un cavallo esige 'ut sit exiguum caput et siccum prope pelle ossibus adhaerente, aures breves et argutae, oculi magni, nares patulae, erecta cervix, coma densa et cauda, ungularum soliditate fixa rotunditas' (**). Se il cavallo di cui ho inferito il passaggio non fosse stato davvero il migliore della scuderia, non spiegheresti perché a inseguirlo non sono stati solo gli stallieri, ma si è incomodato addirittura il cellario, E un monaco che considera un cavallo eccellente, al di là delle forme naturali, non può non vederlo così come le auctoritates glielo hanno descritto, specie se," e qui sorrise con malizia al mio indirizzo, "è un dotto benedettino..."

"Va bene," dissi, "ma perché Brunello?"

"Che lo Spirito Santo ti dia più sale in zucca di quel che hai, figlio mio!" esclamò il maestro. "Quale altro nome gli avresti dato se persino il grande Buridano, che sta per diventare rettore a Parigi, dovendo parlare di un bel cavallo, non trovò nome più naturale?"

Così *era* il mio maestro. Non soltanto *sapeva* leggere nel gran libro della natura, ma anche nel modo in cui i monaci *leggevano* i libri della scrittura, e *pensavano* attraverso di quelli. Dote che, come vedremo, gli doveva tornar assai utile nei giorni che sarebbero seguiti. La sua spiegazione inoltre mi parve a quel punto tanto ovvia che l'umiliazione per non averla trovata da solo fu sopraffatta dall'orgoglio di esserne ormai compartecipe e quasi mi congratulai con me stesso per la mia acutezza. Tale è la forza del vero che, come il bene, e diffusivo di sé. E sia lodato il nome santo del nostro signore Gesù Cristo per questa bella rivelazione che ebbi.

(Umberto Eco, da *Il nome della rosa*)

Attenzione: i verbi in corsivo sono all'**imperfetto indicativo.**

(**) Che abbia testa piccola e asciutta con la pelle aderente alle ossa, orecchie corte e aguzze, grandi occhi, narici ampie, capo eretto, criniera e coda folte, e la rotondità delle unghie solidamente definita.

IMPERFETTO INDICATIVO			
	I *CANTARE*	II *SAPERE*	III *DORMIRE*
io	cant**avo**	sap**evo**	dorm**ivo**
tu	cant**avi**	sap**evi**	dorm**ivi**
lui, lei, Lei	cant**ava**	sap**eva**	dorm**iva**
noi	cant**avamo**	sap**evamo**	dorm**ivamo**
voi	cant**avate**	sap**evate**	dorm**ivate**
loro, Loro	cant**avano**	sap**evano**	dorm**ivano**
	ESSERE	*AVERE*	
io	ero	avevo	
tu	eri	avevi	
lui, lei, Lei	era	aveva	
noi	eravamo	avevamo	
voi	eravate	avevate	
loro, Loro	erano	avevano	

FORME IRREGOLARI

Pochi verbi hanno l'imperfetto irregolare. I più usati sono:

FARE	facevo, facevi, faceva, facevamo, facevate, facevano
DIRE	dicevo, dicevi, diceva, dicevamo, dicevate, dicevano
BERE	bevevo, bevevi, beveva, bevevamo, bevevate, bevevano
PORRE	ponevo, ponevi, poneva, ponevamo, ponevate, ponevano
TRADURRE	traducevo, traducevi, traduceva, traducevamo, traducevate, traducevano

L'USO DELL'IMPERFETTO INDICATIVO

L'imperfetto si usa:

a. PER ESPRIMERE UN'AZIONE COLTA IN UN MOMENTO DEL SUO SVOLGERSI

	invece:
Ieri mattina alle 8 **dormivo** ancora (alle 8 la mia azione non era ancora finita).	Ieri mattina **ho dormito** fino alle 8 (la mia azione è finita alle 8)
IMPERFETTO	PASSATO PROSSIMO

b. PER ESPRIMERE AZIONI RIPETUTE PER ABITUDINE

	invece:
L'anno scorso, ogni sabato, **andavo** al mare.	L'anno scorso qualche fine-settimana **sono andato** al mare; altre volte **sono stato** in montagna.
IMPERFETTO	PASSATO PROSSIMO

c. NEL CASO DI DUE AZIONI CONTEMPORANEE, SOPRATTUTTO SE SI VUOLE SOTTOLINEARE CHE COSA AVVENIVA IN UN DATO MOMENTO

	invece:
Ieri sera, mentre **cenavo**, **guardavo** un film alla televisione (in quel momento guardavo un film).	Ieri sera, mentre **cenavo**, **ho guardato** un film alla televisione (ho guardato tutto un film: l'azione è espressa per intero).
IMPERFETTO + IMPERFETTO	IMPERFETTO + PASSATO PROSSIMO

d. PER ESPRIMERE UN'AZIONE GIÀ IN ATTO NEL MOMENTO IN CUI AVVIENE L'AZIONE PRINCIPALE, DI SOLITO AL PERFETTO

	invece:
Ieri, mentre **andavo** al cinema, **ho incontrato** Alessio. Le due azioni non sono separate: la principale (ho incontrato Alessio) incomincia mentre l'altra, iniziata precedentemente, non è ancora finita.	Ieri, prima **sono andato** al cinema e poi **ho incontrato** Alessio. Le due azioni sono separate: alla fine della prima, incomincia e finisce la seconda.
IMPERFETTO + PASSATO PROSSIMO	PASSATO PROSS. + PASSATO PROSS.

e. PER ESPRIMERE RICHIESTE CORTESI (AL POSTO DEL CONDIZIONALE SEMPLICE)

Signora, **volevo** (vorrei) quel libro che è in vetrina.
IMPERFETTO

f. PER DESCRIVERE UNA SITUAZIONE, UNO STATO DI COSE RELATIVI AL PASSATO

Era una bella giornata, il sole **splendeva** nel cielo e **faceva** caldo. In quell'isola **eravamo** felici...	e perciò **decidemmo** di rimanervi il più a lungo possibile.
IMPERFETTO	PASSATO REMOTO

Attenzione: Esaminiamo queste due frasi:

Ieri dovevo scrivere a Maria...	Ieri ho dovuto scrivere a Maria.
In questo caso non è chiaro se ho scritto o no. Quindi sarà opportuno dire: *Ieri dovevo scrivere a Maria e infatti le ho scritto.*	In questo caso la scelta del passato prossimo è sufficiente a chiarire che l'azione è avvenuta.

IL PERFETTO INDICA CHE L'AZIONE È REALMENTE ACCADUTA. INVECE L'IMPERFETTO A VOLTE NECESSITA DI PRECISAZIONI PER INDICARE SE UN'AZIONE È AVVENUTA O NO.

MENTRE - DURANTE

Mentre spiegava, il professore ha tossito molte volte.	Durante la spiegazione il professore ha tossito molte volte.
Mentre ballavamo, abbiamo parlato a lungo dei nostri problemi.	Durante il ballo abbiamo parlato a lungo dei nostri problemi.
Mentre ero in vacanza, ho studiato il tedesco	Durante le vacanze ho studiato il tedesco
MENTRE + VERBO	DURANTE + SOSTANTIVO

Attenzione: Nella lingua parlata si usa spesso l'imperfetto:

1. al posto del condizionale composto (soprattutto con *dovere, volere, potere*):
   Es: Lucia doveva (sarebbe dovuta) partire giovedì, ma poi si è ammalata.
2. al posto del condizionale composto (nel futuro irreale):
   Es: Lo sapevo che andava (sarebbe andata) a finire così!

1. *Sostituisci l'imperfetto o il passato prossimo all'infinito fra parentesi*:
1. Quando l'ho conosciuto, Alfonso (avere) .... vent'anni. 2. Quando l'ho rimproverato, Giulio mi (rispondere) .... male. 3. Silvia è arrivata mentre (io - studiare) .... 4. Mentre uscivo, (arrivare) .... Carlo. 5. Quando Marta (partire) .... per Londra, non parlava una parola d'inglese. 6. Mentre aspettavo l'autobus, (io - fumare) .... quattro sigarette. 7. Di solito, mentre aspettavo l'autobus, (io - fumare) .... una sigaretta dopo l'altra. 8. Questa mattina, mentre facevo colazione, (sentire) .... un'importante notizia alla radio. 9. Questa mattina, mentre facevo colazione, (ascoltare) .... la radio. 10. Ieri a mezzogiorno dovevo partire, ma, all'ultimo momento, (perdere) .... il treno. 11. Mara (dovere) .... partire all'improvviso. 12. Quando sono andato a vivere a Roma, non (conoscere) .... ancora nessuno in quella città. 13. Quando sono andato a vivere a Roma, (conoscere) .... molta gente importante. 14. Questa mattina (io - lavorare) .... fino a mezzogiorno. 15. Ieri a mezzogiorno (io - lavorare) .... ancora. 16. Quando aveva ottanta anni, mio nonno (vivere) .... ancora a Milano. 17. Mio nonno (vivere) .... a Milano tutta la vita. 18. Sabrina era molto stanca e quindi (decidere) .... di partire per le vacanze. 19. Ieri Lorenzo non (venire) .... a teatro con noi perché aveva una forte emicrania. 20. Ieri Lorenzo (avere) .... mal di testa per tutto il pomeriggio. 21. (Io - conoscere) .... Iolanda nel 1986. 22. Nel 1985 non (io - conoscere) .... ancora Iolanda. 23. Ieri, appena ha smesso di piovere, (io - andare) .... a fare una passeggiata. 24. L'anno passato, ogni sabato, (io - fare) .... lunghe passeggiate. 25. L'anno scorso, in genere, passavo il mio tempo libero al mare, ma due o tre volte (andare) .... in montagna. 26. Mentre stavo per uscire, (iniziare) .... a piovere. 27. Ieri sera, mentre studiavo matematica, (telefonare) .... Piero. 28. Ieri sera, prima ho studiato matematica e poi (scrivere) .... una lettera. 29. Ieri volevo comprare un regalo a Marco, ma poi (io -accorgermi) .... che non avevo abbastanza danaro. 30. Ieri (io -volere) .... comprare un regalo a Marco.

2. CACCIA ALL'ERRORE.

Correggi eventuali errori contenuti nelle seguenti frasi:

1. Ieri a mezzogiorno Franco ha dormito ancora. 2. Questa mattina Laura dormiva fino alle 8. 4. Ieri Ludovico studiava tutto il pomeriggio e poi andava a teatro. 5. Quando la conoscevo, Mirella ha avuto ventidue anni. 6. Mentre aspettavo l'autobus, incontravo Lisetta. 7. Mi hai aspettato a lungo ieri sera? Sì, ti aspettavo più di mezz'ora. 8. Elisabetta insegnava per un anno al Centro di Cultura per Stranieri. 9. Marcella ha lavorato da cinque anni nella redazione di un importante quotidiano. 10. Di solito, mentre cenavo, ho guardato la televisione. 11. Quando arrivava in Italia, Gudrun non ha saputo una parola d'italiano. 12. Carlo si laureava ieri in architettura.

XII. AGGETTIVI E PRONOMI DIMOSTRATIVI

Lavorare stanca

Traversare una strada per scappare di casa
lo fa solo un ragazzo, ma *quest'*uomo che gira
tutto il giorno le strade, non è più un ragazzo
e non scappa di casa.
Ci sono d'estate
pomeriggi che fino le piazze son vuote, distese
sotto il sole che sta per calare, e *quest'*uomo, che giunge
per un viale d'inutili piante, si ferma.
Val la pena esser solo, per essere sempre più solo?
Solamente girarle, le piazze e le strade
sono vuote. Bisogna fermare una donna
e parlarle e deciderla a vivere insieme.
Altrimenti, uno parla da solo. È per *questo* che a volte
c'è lo sbronzo notturno che attacca discorsi
e racconta i progetti di tutta la vita.
Non è certo attendendo nella piazza deserta
che s'incontra qualcuno, ma chi gira le strade
si sofferma ogni tanto. Se fossero in due,
anche andando per strada, la casa sarebbe
dove c'è *quella* donna e varrebbe la pena.
Nella notte la piazza ritorna deserta
e *quest'*uomo, che passa, non vede le case
tra le inutili luci, non leva più gli occhi:
sente solo il selciato, che han fatto altri uomini
dalle mani indurite, come sono le sue.
Non è giusto restare sulla piazza deserta.
Ci sarà certamente *quella* donna per strada
che, pregata, vorrebbe dar mano alla casa.

(Cesare Pavese)

Attenzione: quelli in corsivo sono aggettivi o *pronomi dimostrativi*.

AGGETTIVI DIMOSTRATIVI											
	maschile	femminile	maschile	femminile	maschile	femminile	maschile	femminile	maschile	femminile	maschile femminile
Singolare	QUESTO QUEST'	QUESTA QUEST'	CODESTO CODEST'	CODESTA CODEST'	QUEL QUELL' QUELLO	QUELLA QUELL'	STESSO	STESSA	MEDESIMO	MEDESIMA	TALE TAL (*)
Plurale	QUESTI	QUESTE	CODESTI	CODESTE	QUEI QUEGLI QUEGL'	QUELLE	STESSI	STESSE	MEDESIMI	MEDESIME	TALI

(*) **Tale** non vuole mai l'apostrofo.

PRONOMI DIMOSTRATIVI					
	Persone, animali e cose		Soltanto persone		Soltanto cose
	maschile	femminile	maschile	femminile	(senso neutro)
Singolare	QUESTO CODESTO QUELLO STESSO MEDESIMO	QUESTA CODESTA QUELLA STESSA MEDESIMA	QUESTI QUEGLI COSTUI COLUI TALE	---- ---- COSTEI COLEI TALE	CIÒ
Plurale	QUESTI CODESTI QUELLI STESSI MEDESIMI	QUESTE CODESTE QUELLE STESSE MEDESIME	COSTORO COLORO TALI		

Attenzione: **tale** preceduto da articolo determinativo (il tale, la tale) in genere è pronome o aggettivo dimostrativo; preceduto da articolo indeterminato (un tale, una tale) in genere è pronome o aggettivo indefinito.

Attenzione:

a. **Questo** si usa per indicare individui o cose vicini a chi parla.
Es: "Questo (oggi) di sette è il più gradito giorno" (Leopardi).

b. **Codesto** si usa per indicare individui o cose vicini a chi ascolta; serve anche a esprimere distacco o riprovazione verso cose o persone. Oggi è per lo più limitato all'area toscana; altrove, invece di **codesto**, si usa **quello**.
Es: Dammi codesta (quella) penna.
Basta con codeste bugie!

c. **Quello** si usa per indicare individui o cose lontani da chi parla; serve anche a esprimere un marcato senso di distacco dalle persone o cose di cui si parla. I verbi coniugati al passato richiedono l'uso di **quello**.
Es: Quella fu davvero una brutta esperienza.
Non voglio più ascoltare quello sciocco.

d. **Stesso, medesimo** indicano identità, somiglianza perfetta; si usano anche (con il significato di **perfino**) per dare rilievo a un concetto.
Es: Carla e Paola si sono laureate nello stesso anno.
La madre stessa non voleva più vederlo.

1. *Sostituisci ai puntini la forma appropriata del dimostrativo*:
1. Non dimenticherò mai .... che hai fatto per me. 2. In .... momento compresi la verità. 3. In .... momento non so che cosa dirti. 4. .... lassù in cima all'albero è il mio gatto. 5. .... qui è il mio cane. 6. Ieri ho incontrato .... ragazzo che conobbi l'anno scorso al mare. 7. Con .... macchina farai poca strada! 8. Non voglio più sentir parlare di .... donna! 9. Ti piace di più il vestito che indosso oggi o .... che indossavo ieri? 10. Chi è ....? Io non lo conosco. 11. Piero .... ha riconosciuto i suoi errori. 12. .... che un mese fa sono penetrati nella mia casa per rubare sono gli ....che oggi siedono sul banco degli imputati. 13. .... chiede di vedere il direttore. 14. Chi è quell'uomo che ti ha salutato? È .... professore di cui ti ho parlato ieri. 15. Fra una settimana Anna partirà: .... significa che dovrai continuare il lavoro senza di lei. 16. A proposito di vini, preferisco .... toscani. 17. l'assassino .... ammise il suo delitto. 18. Davvero non ti piace questo dolce? Eppure è lo .... che hai mangiato ieri. 19. Sabrina e Giacomo sono partiti con lo .... aereo. 20. Gianna e Michele hanno preso il .... aereo. 21. Di .... passo Sebastiano non combinerà mai niente di buono nella vita. 22. Mi sembra di conoscere il .... che abbiamo ap-

pena incontrato. 23. .... scherzi sono di pessimo gusto! 24. Se .... crede di averci ingannato, si sbaglia. 25. .... che ride degli altri e non di sé stesso non possiede il senso dell'umorismo. 26. .... affermano che noi li abbiamo offesi. 27. A .... velocità avevamo buone probabilità di arrivare in tempo. 28. A .... velocità non arriveremo mai, 29. Con .... caldo non si può studiare. 29. Con .... caldo non si poteva studiare. 30. Elena e Giovanna sono due mie amiche: questa studia architettura; .... si è appena laureata in legge. 31. Stefano Albiati, il .... che ho conosciuto sul treno, abita a Mantova. 32. La sua .... madre sembrava adirata con lui. 33. Coraggio! A .... punto è troppo tardi per tornare indietro. 34. .... non mi pareva il modo di comportarsi. 35. .... non mi pare il modo di comportarsi. 36. .... che dici è vero. 37. Non usare con me .... tono. 38. .... parole mi lasciarono perplesso. 39. .... ragazzi laggiù hanno tirato una palla di neve a Fabio. 40. .... sentimenti non ti fanno onore. 41. .... giornata non finisce mai! 42. .... giornata non finiva mai. 43. Quando conobbi .... donna avevo trent'anni. 44. Non credo a una parola di .... che hai detto. 45. .... ultime giornate d'estate passarono in fretta e presto dovemmo partire. 46. .... ultime giornate sono state faticosissime. E pensare che .... mese di lavoro non è ancora finito! 47. In .... ultimi vent'anni la scienza medica ha fatto grandi progressi. 48. .... si chiama Gianna Verani e dice di essere la nuova segretaria. 49. Dammi .... foglio che hai in mano. 50. Mi dispiace: non posso fare .... che mi chiedi.

2. *Tenendo presente il senso delle frasi, ai puntini sostituisci i dimostrativi idonei fra quelli proposti*:

codesto	1. .... libro che sto leggendo è molto interessante.
quelle	2. Ti è piaciuto .... libro che ti prestai?
quel	3. Giacomo e Piero fanno lo .... lavoro.
stesso	4. .... tuo modo di fare è molto antipatico.
quei	5. Dammi .... forbici che sono là nel cestino.
questo	6. .... mattina fa caldo.
questa	7. .... sogni ormai erano svaniti per sempre.

XIII. AGGETTIVI E PRONOMI POSSESSIVI

Cielo antico

Cielo d'anni perduti, cielo antico,
più non ti vedo con quegli occhi gonfi
di stupore d'un tempo e più non cerco
strade di palloncini colorati
nel *tuo* gelido specchio d'infinito.

Gli avvoltoi della morte hanno battuto
troppo a lungo le loro ali di pece.
Il *mio* sguardo s'è fatto più cattivo.
Ossessivo sepolcro di pensieri
e di memorie è divenuta l'aria.

Giorno per giorno, nell'insidia varia
del tempo che dilania le illusioni,
il *mio* cielo ha perduto gli aquiloni.
Mille stelle si spensero da quando,
fanciullo, le contavo fino a dieci.

Ora guardo alla terra, alle *sue* strade:
qui, se l'asfalto si consuma e screpola,
basta un po' di catrame, un liscio sasso.
Ma a risvegliare nel *mio* cielo antico
il grido delle rondini non basta

delle magiche favole il ricordo.

(Carlo Galasso)

Da quanti anni, da sempre

Da quanti anni, da sempre
Sul finire del giorno
Lungo il muro il *tuo* passo ritorna
La *tua* mano mi tocca
Delusa: Leonardo, mi dici a bocca
Chiusa. Il vento leggera ti scioglie.
Io ti sento partire dal *mio* fianco
Nella brezza delle foglie.
La *tua* voce è una carezza
Che brucia più l'ora si attarda:
Io non so dove mi conduce.

(Leonardo Sinisgalli)

Attenzione: quelli in corsivo sono **aggettivi possessivi**.

AGGETTIVI E PRONOMI POSSESSIVI			
maschile singolare	femminile singolare	maschile plurale	femminile plurale
(il) mio (il) tuo (il) suo (il) nostro (il) vostro (il) loro	(la) mia (la) tua (la) sua (la) nostra (la) vostra (la) loro	(i) miei (i) tuoi (i) suoi (i) nostri (i) vostri (i) loro	(le) mie (le) tue (le) sue (le) nostre (le) vostre (le) loro
(il) proprio	(la) propria	(i) propri	(le) proprie

Attenzione:

L'aggettivo possessivo e i nomi di parentela

L'aggettivo possessivo non prende l'articolo se accompagna un nome di parentela al singolare. Fa eccezione **loro** che vuole sempre l'articolo.

Es: mia madre, mio zio, sua sorella, nostro fratello, mia suocera, la loro madre, il loro zio, il loro nipote, ecc.

Viceversa l'aggettivo possessivo **prende l'articolo**:

a. se il nome di parentela è **alterato**:
   Es: la mia mamma, il mio fratellino, il nostro cuginetto, il suo papà, ecc.

b. se il nome di parentela è **accompagnato da un altro aggettivo**:
   Es: la mia cara madre, il mio simpatico fratello, la tua bella sorella, la vostra ricchissima zia, ecc.

Al plurale, i nomi di parentela vogliono sempre l'articolo:

Es: i nostri fratelli, i miei zii, le vostre cugine, i tuoi suoceri, ecc.

PROPRIO è:

FACOLTATIVO	*OBBLIGATORIO*
1. unito a **mio**, **tuo**, **nostro**, **vostro**, come rafforzativo. Es: L'ho fatto con le mie proprie mani.	1. nelle frasi impersonali. Es: Si dorme bene solo nel proprio letto.
2. in alcuni casi per sostituire **suo**, **loro**; unito a **suo**, **loro**, come rafforzativo. Es: Anna ha ricamato questa tovaglia con le proprie mani. Anna ha ricamato questa tovaglia con le sue proprie mani.	2. quando l'uso di **suo** può generare confusione. In questo caso si usa il possessivo **proprio** se il possesso si riferisce al **soggetto** della frase; si usa **suo** se il possesso si riferisce a **persona diversa dal soggetto**. Es: Lia disse a Mara che era preoccupata per il suo futuro (quale futuro? Quello di Lia o di Mara?). Se si vuole parlare del futuro di Lia (il soggetto) si dirà: Lia disse a Mara che era preoccupata per il proprio futuro. Se invece si vuole parlare del futuro di Mara (persona diversa dal soggetto) si dirà: Lia disse a Mara che era preoccupata per il suo futuro.

1. *Sostituisci ai puntini il possessivo appropriato*:
1. I genitori amano teneramente i .... figli. 2. Il direttore ha convocato i .... dipendenti e ha voluto conoscere la .... opinione. 3. Ognuno di voi ha avuto la .... fetta di dolce? 4. Hanno avuto tutti la .... fetta di dolce? 5. La montagna ha il .... fascino, ma io preferisco il mare. 6. Lucrezia e Ippolita hanno invitato a pranzo i .... più cari amici. 7. Professore, ho sentito la .... conferenza e l'ho trovata molto interessante. 8. Lucia è andata a trovare Enrica nella .... nuova casa. 9. Si cerca sempre di fare il .... interesse. 10. Sono d'accordo con te e condivido la .... antipatia per quel presuntuoso di Michele. 11. Sono morti per difendere la .... patria. 12. Con la .... mania di ligare con tutti, Sabrina non ha più amici. 13. Ci siamo dati appuntamento a Roma, ma ognuno andrà con la .... macchina. 14. Viviana non riconosce mai i .... errori. 15. Quando si è giovani si preferisce vivere da soli, anziché con i .... genitori.

2. *Sostituisci ai puntini il possessivo appropriato e, eventualmente, l'articolo*:

1. Ieri sera, alla cena in casa tua, ho parlato a lungo con .... madre e .... sorelle. 2. Buonasera signora, ... marito è in casa? 3. Se voi suonate .... vostre trombe, noi suoneremo .... campane. (P. Capponi) 4. L'assassino ha scontato .... colpa con venticinque anni di carcere. 5. Non bisogna desiderare la roba altrui: è più saggio accontentarsi della .... 6. Signora, è .... questo ombrello? 7. Anna e Giulio mi hanno invitato a passare una settimana a casa .... 8. Il tuo ombrello è rotto? Prendi .... 9. Chi non rispetta gli animali non ha nemmeno rispetto per .... condizione di uomo. 10. Marcella si preoccupa troppo per .... figlia. 11. Veronica ha molta ammirazione per i propri genitori, ma soprattutto per .... padre. 12. Barbara adora ambedue i genitori, ma dimostra una particolare predilezione per .... bella madre. 13. Cinzia ama ambedue i genitori, ma si confida più volentieri con .... mamma. 14. Ho perso .... guanti. Mi presti ....? 15. Da quando è morto .... fratello, Ilaria è rimasta sola. 16. Sei troppo bugiardo: .... bugie ormai non convincono più nessuno. 17. Fra pochi giorni Mario compie vent'anni: .... compleanno è il 19 luglio. 18. Nella vita viene sempre un momento in cui ci si pente dei .... errori. 19. Alle donne dispiace confessare .... età. 20. Eva ha scritto a Silvia di essere preoccupata per .... salute (di Eva). 21. Eva ha scritto a Silvia di essere preoccupata per .... salute (di Silvia). 22. Mauro ha ricevuto gli amici nel .... studio. 23. .... vestiti vi saranno resi appena asciutti. 24. Domani ti restituirò .... libro. 25. Per avere successo nella vita non bisogna lasciarsi sopraffare dai .... sentimenti.

3. CACCIA ALL'ERRORE.

Correggi eventuali errori contenuti nelle seguenti frasi:

1. Anna e Alberto hanno offerto una vacanza a Londra ai suoi figli. 2. Io vado a Roma con la mia macchina; tu vieni con la propria? 3. Tutti vivono meglio a casa sua che altrove. 4. La mia madre ha quarantadue anni. 5. Tua madre è una donna simpatica e intelligente. 6. Loro sorelle abitano a Venezia. 7. Nostra mamma fa un lavoro molto interessante: è stilista d'alta moda. 8. Si viaggia meglio con la sua macchina. 9. Si vive meglio nella sua città. 10. Ho fatto questo dolce con le proprie mani.

4. *Spiega il significato del possessivo nelle seguenti frasi*:
1. Dove passerai le vacanze, Rossella? Andrò dai *miei* (   ) perché è molto tempo che non li vedo. 2. Il gatto ne ha combinata una delle *sue* (   ): è balzato sul tavolo e ha fatto cadere una bottiglia piena d'acqua. 3. Signore, è inutile che lei si agiti e alzi la voce: si ricordi che la legge è dalla *mia* (   ). 4. Quel ragazzo non è dei *nostri* (   ): è la prima volta che lo vedo. 5. Ho ricevuto la *tua* (   ) del 16 marzo e attendo con ansia ulteriori notizie. 6. In quell'assurda impresa Mario ci rimise del *suo* (   ). 7. Vi ascolto con attenzione: dite pure la *vostra* (   ).

XIV. IL PASSATO REMOTO

Per abitudine Luigi Mannozzi si recava a far visita alla fidanzata ogni sera; non suonava il campanello ma scrollava il portone, poiché aveva imparato che spingendo un battente in un certo modo segreto e tirando la maniglia, il portone si sarebbe dischiuso; entrava nel corridoio e sempre nell'oscurità saliva le scale.

Quella sera, fin dai primi gradini, *udì* la voce della fidanzata: gli *parve* secca ed aggressiva come se Mirella stesse litigando coi genitori. Questo pensiero lo *irritò* e per un momento gli venne una gran voglia di tornare indietro e raggiungere gli amici che giocavano a calcetto al bar; ma quando la fidanzata gli *fu* vicina, silenziosa e con gli occhi socchiusi, Luigi *cambiò* idea: l'*attirò* a sé, le *diede* prima un bacio sulla guancia com'era solito, poi la *strinse* più forte per annusarla. L'odore di lei quand'era in casa, senza cipria e profumi che potessero annebbiare o confondere il sentore della biancheria, dei golfini e della sottoveste, era "la sua passione". Certe volte provava perfino tenerezza per quell'odore e si chiedeva fino a qual punto gli importava che venisse esattamente da lei, da Mirella, o non piuttosto da un'altra donna già posseduta da molti e proprio per questo misteriosa ed eccitante: premeva allora le narici sotto l'orecchio e poi scendeva verso l'incavo dei seni che si lasciavano spiare attraverso lo scollo aperto dell'abito; un tepore odoroso, come di letto ancora caldo saliva da quall'incavo e la tenerezza che provava Luigi verso quell'odore era in un certo modo simile a quella che lo spingeva oscuramente verso sua madre, da bambino, nel misero letto di ferro dove dormivano in tre: lui, sua madre e sua nonna. E come allora, bambino, immergersi in quelle coltri spiegazzate, usate e odorose gli dava la gradevole sensazione di trovarsi in un luogo pieno di agguati, ora, da uomo, penetrare nel petto di Mirella, pur richiamandogli la sensazione infantile dell'agguato lo metteva in uno stato di debolezza e di languore.

Mirella sapeva tutto ciò e con gli occhi aperti simili a quelli di un topo spiava attenta qua e là e sorvegliava che non si aprissero porte e uscissero inquilini. In questo modo era lei che quasi ogni sera, silenziosamente e col respiro appena più forte si lasciava possedere dal fidanzato che stava un gradino più in giù. Certe volte troncava tutto sul più bello lasciando Luigi imbarazzato e finto indifferente, un sorriso stupido sulle labbra, con la scusa che una porta si era aperta, o così le era parso. In realtà non era per questo ma perché alcune di quelle volte pensava al matrimonio e, sia per stizza verso Luigi che non si decideva mai, sia per una improvvisa quanto assurda ed inopportuna riserva di pudore, le pareva che troncare quell'abbraccio frettoloso sulle scale fosse come un tacito ma significativo atto di protesta per un fidanzamento già troppo lungo.

[...] Mirella *passò* in quel momento l'arco d'entrata. Snella, sottile, le gambe lievissimamente arcuate e mobili come agitate da un fremito interno, come da un capriccio dei muscoli e dei tendini, così vestita, la vita sottile stretta dal laccio dell'impermeabile corto e quasi trasparente, aveva qualcosa, o così almeno *parve* a Luigi, di scattante, di selvatico. *Si fermò* un momento muovendo rapida lo sguardo qua e là, poi *riprese* a camminare, ma lentamente e battendo i piedi per il freddo.

Come altre volte dopo quelle assenze di una settimana, Luigi, a vederla di lontano, *provò* una specie di stordimento. E vederla appunto così, simile a una donna di tutti, in quella posa nervosa, provocante e quasi sfrontata, il collo bianco e lungo e gli occhi mobili, pronti a ricevere lo sguardo di un uomo, un uomo qualsiasi, era per Luigi ragione di grande eccitamento. Anche altre volte preferiva aspettarla e lasciarla aspettare, egli nascosto da qualche parte, per vederla così nervosa, così villana, non volgare, ma di un nervosismo che rasentava appunto i confini della volgarità se un uomo le si avvicinava o le parlava di striscio. Allora girava la testa di scatto, la nera frangetta scomposta sugli occhi, aggressiva, pronta alla lotta. E ben volentieri, se fosse stato possibile, Luigi avrebbe assistito a quella lotta, sempre stando nascosto, a guardare quei pugni, quei graffi, quei morsi, quei contorcimenti che Mirella non aveva mai, purtroppo, usato con lui.

Senza farsi scorgere *uscì* da dietro l'albero e a lunghi passi *compì* l'intero giro dell'aiuola in direzione del cancello, come per farle credere che era salito dall'altra entrata. Mirella non *si mosse*. Fu lui ad avvicinarsi con le mani in tasca e sorridente. Eppure tremava, in quel momento Mirella avrebbe anche potuto schiaffeggiarlo dopo quanto aveva saputo dalla madre: ella scalpitava con un tacco sollevando la gamba nervosa e snella in un movimento quasi animale. Ma era poi certo che Mussia le aveva rivelato ogni cosa? Presto lo avrebbe saputo, aveva il suo piano per scoprirlo. E lo avrebbe saputo entro pochi istanti, entro quei pochi passi che la separavano da lui.

Con gesto deciso, per celare il tremito della mano, *cercò* di prenderla sottobraccio. Lei *si divincolò*.

- Bé, cosa vuoi, cosa c'è di così importante?

La voce di Mirella gli *parve* stridula, diversa dal solito. La *guardò* negli occhi, sulle labbra, un momento abbandonando il sorriso ironico.

- Bambina, volevo vederti, - *sussurrò* appena. *Tentò* ancora di prenderla sottobraccio, ora circondandola alla vita, ora carezzandola sul capo.

Mirella *si svincolò* proseguendo a passi rapidi.

- Tutto qui? - *disse*, girandosi improvvisamente e seguitando a scalpitare col tacco.

Lui la *prese* ancora una volta sottobraccio e stavolta afferrandola, rude, con tutta intera la mano, la *portò* con sé. Mirella *si puntò* a terra inarcando le gambe all'indietro, poi *si lasciò* trasportare.

Luigi non parlava, aveva già il suo piano, solo bisognava far presto, così, di sfuggita; *si diresse* fino al padiglione delle scimmie, una vecchia costruzione ottocentesca in tronchi d'albero, qualcosa di simile a uno chalet da parco termale. Il padiglione si trovava ad un angolo del giardino, un angolo abbandonato e senza luci, umido e pieno di cespugli d'erbe selvatiche che scendevano fino al corso d'acqua. Andavano a ficcarsi laggiù strane coppie d'innamorati, nascoste nei cespugli, silenziose e passive come pellirosse: soldati meridionali piccoli e sepolti nelle gabbane grigioverdi sfilacciate, ragazzi curiosi e provocanti; donne di servizio con la borsetta di plastica, i capelli lucidi di brillantina, taciturne e desiderose di compagnia. In quell'angolo anche Luigi e Mirella venivano a baciarsi i primi tempi del loro fidanzamento, dopo l'uscita del cinema. Ma ora, con quel freddo che saliva dall'acqua non c'era anima viva. Luigi prima di nascondersi dietro l'albero aveva ispezionato il luogo e si era assicurato che non ci fosse nessuno, nemmeno tra i cespugli.

Ecco dunque, era lì, solo con lei. In silenzio *si avvicinò* a Mirella; e nel farlo col freddo proposito di possederla, così, senza tante storie, come una prova d'amore di lei dopo quanto era successo, dopo quanto doveva aver saputo dalla madre, *fu* sorpreso da un furioso desiderio di quel corpo che poco prima aveva immaginato: un desiderio senza controllo, eccitato dalla paura di perderla del tutto, del timore dei guai che ne sarebbero sopravvenuti e dal terrore di affrontare la solitudine di un futuro stinto, fallito e senza scene. Per la prima volta si abbandonava, sinceramente, a un vero atto d'amore, ch'era quello di voler essere posseduto. Supplichevole, *avvicinò* le labbra semiaperte a quelle di Mirella, rosse, elastiche e come inturgidite dall'aria fredda e pungente, chiuse gli occhi e l'*attirò* a sé per l'impermeabile. Appena *sentì* l'alito di lei sul viso *prese* a sbottonare confusamente l'impermeabile e la camicetta; nello stesso tempo, piegando le ginocchia e abbassandosi, *sollevò* il lembo della gonna che lei tratteneva e *infilò* un braccio, su, fino alle cosce calde e formicolanti di un agitarsi aggressivo di tendini e muscoli.

Mirella *subì* per un istante quella supplichevole furia: poi, divincolandosi, piangendo dalla rabbia, dalla delusione, dal disgusto di quella scena ch'ella non aveva fatto in tempo a capire e ad affrontare con civetteria, strappando il reggicalze che Luigi aveva afferrato per obbligarla a cedere, si *liberò* da lui.

- Cosa fai, sei matto? Mamma mia, è matto! - *disse* impaurita. Con una spinta *allontanò* Luigi e *attraversò* di corsa i viali ormai deserti del giardino pubblico.
(Goffredo Parise, da *Il fidanzamento*)

Attenzione: i verbi in corsivo sono al **passato remoto**.

PASSATO REMOTO			
	I *AMARE*	II *CREDERE*	III *FINIRE*
io	am**ai**	cred**ei** (cred**etti**)	fin**ii**
tu	am**asti**	cred**esti**	fin**isti**
lui, lei, Lei	am**ò**	cred**é** (cred**ette**)	fin**ì**
noi	am**ammo**	cred**emmo**	fin**immo**
voi	am**aste**	cred**este**	fin**iste**
loro, Loro	am**arono**	cred**erono** (cred**ettero**)	fin**irono**
	ESSERE	*AVERE*	
io	fui	ebbi	
tu	fosti	avesti	
lui, lei, Lei	fu	ebbe	
noi	fummo	avemmo	
voi	foste	aveste	
loro, Loro	furono	ebbero	

Attenzione: Molti verbi hanno il **passato remoto irregolare**.
Spesso, quando è irregolare il participio passato, lo è anche il passato remoto e fra le due forme esiste affinità.

Verbi con il **passato remoto irregolare**		
a. IRREGOLARI SOLO IN TRE PERSONE: 1S (io), 3S (lui, lei, Lei), 3P (loro, Loro). LE ALTRE TRE PERSONE SONO REGOLARI.		
infinito	participio passato	passato remoto
accendere	acceso	accesi, accese, accesero
difendere	difeso	difesi, difese, difesero
scendere	sceso	scesi, scese, scesero
tendere	teso	tesi, tese, tesero
mordere	morso	morsi, morse, morsero
ardere	arso	arsi, arse, arsero
chiudere	chiuso	chiusi, chiuse, chiusero
persuadere	persuaso	persuasi, persuase, persuasero
incidere	inciso	incisi, incise, incisero
decidere	deciso	decisi, decise, decisero
ridere	riso	risi, rise, risero
esplodere	esploso	esplosi, esplose, esplosero
uccidere	ucciso	uccisi, uccise, uccisero
rendere	reso	resi, rese, resero
spendere	speso	spesi, spese, spesero
prendere	preso	presi, prese, presero
invadere	invaso	invasi, invase, invasero
radere	raso	rasi, rase, rasero
dividere	diviso	divisi, divise, divisero
perdere	perso	persi, perse, persero
alludere	alluso	allusi, alluse, allusero
nascondere	nascosto	nascosi, nascose, nascosero
rispondere	risposto	risposi, rispose, risposero
chiedere	chiesto	chiesi, chiese, chiesero
porre	posto	posi, pose, posero
rimanere	rimasto	rimasi, rimase, rimasero
correre	corso	corsi, corse, corsero
valere	valso	valsi, valse, valsero
spargere	sparso	sparsi, sparse, sparsero
immergere	immerso	immersi, immerse, immersero
assolvere	assolto	assolsi, assolse, assolsero
vincere	vinto	vinsi, vinse, vinsero
sorgere	sorto	sorsi, sorse, sorsero
porgere	porto	porsi, porse, porsero
scorgere	scorto	scorsi, scorse, scorsero
piangere	pianto	piansi, pianse, piansero
dipingere	dipinto	dipinsi, dipinse, dipinsero
tingere	tinto	tinsi, tinse, tinsero

(segue)

infinito	participio passato	passato remoto
spingere	spinto	spinsi, spinse, spinsero
fingere	finto	finsi, finse, finsero
giungere	giunto	giunsi, giunse, giunsero
ungere	unto	unsi, unse, unsero
pungere	punto	punsi, punse, punsero
cogliere	colto	colsi, colse, colsero
spegnere (o spengere)	spento	spensi, spense, spensero
scegliere	scelto	scelsi, scelse, scelsero
togliere	tolto	tolsi, tolse, tolsero
sciogliere	sciolto	sciolsi, sciolse, sciolsero
distinguere	distinto	distinsi, distinse, distinsero
infrangere	infranto	infransi, infranse, infransero
mettere	messo	misi, mise, misero
discutere	discusso	discussi, discusse, discussero
concedere	concesso	concessi, concesse, concessero
muovere	mosso	mossi, mosse, mossero
scuotere	scosso	scossi, scosse, scossero
percuotere	percosso	percossi, percosse, percossero
esprimere	espresso	espressi, espresse, espressero
succedere	successo	successi, successe, successero
riflettere	riflesso (*)	riflessi, riflesse, riflessero
affiggere	affisso	affissi, affisse, affissero
friggere	fritto	frissi, frisse, frissero
reggere	retto	ressi, resse, ressero
proteggere	protetto	protessi, protesse, protessero
leggere	letto	lessi, lesse, lessero
scrivere	scritto	scrissi, scrisse, scrissero
cuocere	cotto	cossi, cosse, cossero
correggere	corretto	corressi, corresse, corressero
struggere	strutto	strussi, strusse, strussero
vivere	vissuto	vissi, visse, vissero
bere	bevuto	bevvi, bevve, bevvero
cadere	caduto (regolare)	caddi, cadde, caddero
conoscere	conosciuto	conobbi, conobbe, conobbero
sapere	saputo (regolare)	seppi, seppe, seppero
tenere	tenuto (regolare)	tenni, tenne, tennero
venire	venuto	venni, venne, vennero
volere	voluto (regolare)	volli, volle, vollero
vedere	veduto (regolare)	vidi, vide, videro

(segue)

infinito	participio passato	passato remoto
nascere nuocere giacere tacere piacere ecc.	nato nociuto giaciuto taciuto piaciuto	nacqui, nacque, nacquero nocqui, nocque, nocquero giacqui, giacque, giacquero tacqui, tacque, tacquero piacqui, piacque, piacquero
b. VERBI IRREGOLARI IN TUTTE LE PERSONE: fare feci, facesti, fece, facemmo, faceste, fecero dare detti (diedi), desti, dette (diede), demmo, deste, dettero (diedero) stare stetti, stesti, stette, stemmo, steste, stettero dire dissi, dicesti, disse, dicemmo, diceste, dissero ecc.		

(*) Riflettere ha due significati:

a. *respingere*, *rispecchiare*, riprodurre un'immagine (participio passato = riflesso; passato remoto = riflessi)

b. *ponderare*, *meditare*, *considerare*, *pensare* (participio passato = riflettuto; passato remoto = riflettei)

USO DEL PERFETTO

Il PERFETTO può essere:

a. PASSATO PROSSIMO (prevale nella lingua parlata) b. PASSATO REMOTO

PASSATO PROSSIMO	PASSATO REMOTO
a. AZIONE CONCLUSA E VICINA NEL TEMPO O PSICOLOGICAMENTE INTESA COME TALE. Es: Ieri sera **ho bevuto** troppo e oggi ho una forte emicrania.	AZIONE CONCLUSA E LONTANA NEL TEMPO O PSICOLOGICAMENTE INTESA COME TALE. LINGUA LETTERARIA (ROMANZI, SAGGI, ecc.); NARRAZIONE DI FATTI STORICI. Es: Il cardinale di Richelieu **morì** nel 1642.
b. AZIONI ANCHE LONTANE NEL TEMPO, PURCHÉ EMOTIVAMENTE VICINE. Es: Un mese fa, quando Angela **è stata** male, Paolo **ha fatto** del suo meglio per curarla e ora non merita i nostri rimproveri.	AZIONI ANCHE ABBASTANZA RECENTI, MA EMOTIVAMENTE LONTANE. Es: Quindici giorni fa Angela **stette** male e Paolo **fece** del suo meglio per curarla.
c. ARCO DI TEMPO ANCORA IN SVOLGIMENTO. Es: Nell'ultimo decennio le scoperte nel campo della genetica **hanno ampliato** le prospettive della procreazione.	PERIODO CONCLUSOSI. Es: Nel ventennio fascista molti dissidenti **subirono** le persecuzioni del regime.
d. AZIONE CONCLUSA E LONTANA NEL TEMPO, MA CON RIPERCUSSIONI NEL PRESENTE. Es: Leonardo da Vinci ci **ha lasciato** un insuperabile esempio di geniale versatilità, tuttora in grado di stupirci.	AZIONE CONCLUSA, LEGATA A UN CERTO MOMENTO STORICO, PRIVA DI QUALSIASI RIFERIMENTO CON IL PRESENTE. Es: Leonardo da Vinci **fu** artista e scienziato insuperabile.
e. AL POSTO DEL FUTURO ANTERIORE (solo in certi casi e solo nella lingua parlata). Es: Quando **hai fatto** (avrai fatto) la tua passeggiata, vieni a trovarmi.	AL POSTO DEL TRAPASSATO REMOTO (soprattutto nella lingua parlata, ma anche nella lingua scritta). Es: Appena **finii** (ebbi finito) di studiare, uscii di casa.
f. AZIONI O SITUAZIONI RELATIVE A UN TEMPO NON BEN SPECIFICATO (spesso con gli avverbi *sempre* e *mai*). Es: Mia sorella **è** sempre **stata** una pessima cuoca.	

1. *Volgi al passato remoto l'infinito fra parentesi*:

1. Dante (nascere) .... a Firenze nel 1265 e (morire) .... a Ravenna nel 1321. 2. Elena (discutere) .... a lungo con suo padre e poi (uscire) .... 3. Nel 1984, quando (conoscere) .... Marco, avevo diciannove anni. 4. A quel colpo, il vetro (infrangersi) .... 5. Lorenzo il Magnifico (proteggere) .... le arti e gli artisti. 6. Nel 1610 Francesco Ravaillac, un prete fanatico, (uccidere) .... Enrico IV, re di Francia. 7. La bambina (piangere) .... a lungo a poi (addormentarsi) .... 8. Mio nonno (vivere) .... in Inghilterra dal 1950 al 1963. 9. Maria (fingere) .... di non avere udito quelle parole offensive. 10. Giacomo (cogliere) .... una rosa e la (porgere) .... a Gabriella. 11. Nel 1976, per ricostruire la loro villa distrutta dalle fiamme, Delia e Fabio (spendere) .... tutti i soldi che avevano e (rimanere) .... senza una lira. 12. Carlo (spingere) .... la porta ed (entrare) .... 13. Ugo (riflettere) .... a lungo a quel problema e infine (prendere) .... la sua decisione. 14. Lo specchio (riflettere) .... l'immagine della donna. 15. La luna (riflettersi) .... sulle acque del lago. 16. I nemici (radere) .... al suolo l'intero villaggio. 17. Fazio (difendere) .... le sue idee con molta convinzione. 18. Due anni fa, quando ebbe quell'incidente di macchina, Andrea (correre) .... un brutto rischio. 19. L'anno scorso il mio cane (mordere) .... una signora che voleva accarezzarlo. 20. Tanto (tuonare) .... che piovve (proverbio). 21. Il giudice (assolvere) .... l'imputato, suscitando lo stupore generale. 22. (Io - incontrare) .... Marcello molti anni fa a Venezia. 23. Anche quell'anno, con la bella stagione, (giungere) .... le rondini. 24. Nel 1648 la pace di Westfalia (mettere) .... fine alla guerra dei Trent'Anni. 25. Nel secolo XVI la riforma protestante (diffondersi) .... rapidamente nei vari stati europei. 26. Cristoforo Colombo (scoprire) .... l'America nel 1492. 27. Silvia non (volere) .... dirmi la verità. 28. L'anno scorso Paolo (vincere) .... una grossa somma a poker. 29. Leonardo (dipingere) .... *L'ultima cena* a Milano. 30. Simona (immergersi) .... nell'acqua con un senso di sollievo. 31. Due anni fa Mauro (divorziare) .... da sua moglie e, in seguito, (sposarsi) .... nuovamente. 32. Nel governo della Spagna, all'imperatore Carlo V (succedere) .... il figlio Filippo II. 33. Olimpia (giacere) .... per due mesi tra la vita e la morte, ma infine la sua fibra robusta (sconfiggere) .... la malattia. 34. Quando (io - sapere) .... che il gattino era morto (io -scoppiare) .... a piangere. 35. (Io - fare) .... di tutto per conquistare la sua fiducia. 36. Lucrezia (venire) .... a trovarmi

due anni fa. 37. Quando (io - incontrare) .... Manlio, non lo (riconoscere) .... 38. Dopo quel lungo racconto infine (lui - tacere) .... 39. Alla morte dei genitori, le due sorelle (dividersi) .... l'eredità in perfetta armonia. 40. Dopo aver letto qualche pagina, Luigi (spengere) .... la luce e (addormentarsi) ....

2. *Sostituisci ai puntini la forma appropriata del passato prossimo o del passato remoto*:

1. Olga (nascere) .... in Italia, ma da molti anni vive negli Stati Uniti. 2. Mio padre (nascere) .... a Roma, ma visse a lungo a Firenze. 3. Mia zia non (essere) .... sempre così brontolona; anzi, da giovane, era molto simpatica e allegra. 4. Sai che (io - incontrare) .... Mirella proprio due giorni fa? 5. L'anno scorso, a un congresso di medicina, (io - incontrare) .... Mario: mi parve molto invecchiato. 6. Ho saputo che (tu - laurearsi) ....: congratulazioni. 7. Lorenzo e Anna (essere) .... sempre buoni amici. 8. Alessandro e Serena (sposarsi) .... da un mese. 9. I genitori di Antonietta (sposarsi) .... alla fine della guerra. 10. Quando Vittorio (partire) .... per gli Stati Uniti aveva solo tredici anni. 11. Ieri sera (io - aspettare) .... l'autobus per oltre mezz'ora e poi (decidere) .... di tornare a casa a piedi. 12. La notte di Natale del 1979 Ludovico e Caterina erano molto innamorati e, poiché la loro macchina aveva la batteria scarica, (aspettare) .... l'autobus per oltre mezz'ora senza accorgersi del freddo pungente e della neve che cadeva. 13. Nella battaglia di Pavia, nel 1525, gli spagnoli (prendere) .... prigioniero Francesco I, re di Francia, lo (condurre) .... in Spagna e lo (costringere) .... a firmare il trattato di Madrid. 14. Gabriele D'Annunzio (scrivere) .... *Il fuoco* nel 1900. 15. L'anno scorso Tiziano e Luciana (andare) .... in Francia e vi rimasero per due mesi. 16. Ieri (io - dormire) .... fino a mezzogiorno. 17. Viene un giorno che per chi ci (perseguitare) .... proviamo soltanto indifferenza, stanchezza della sua stupidità. Allora perdoniamo (C. Pavese). 18. (Io - lasciare) .... l'ombrello a casa e adesso piove: che rabbia!. 19. In vita mia non (dire) .... mai bugie. 20. (Io - venire) .... per sapere se avete voglia di uscire con me. 21. Quest'anno (io - passare) .... il Natale a Firenze insieme alla mia famiglia; l'anno scorso lo (passare) .... in Inghilterra. 22. È molto che aspetti? No, (io - arrivare) .... da un quarto d'ora. 23. (Io - aspettare) .... Elena per un'ora, ma lei non venne. 24. Paola non (cambiare) ....: è sempre la bella ragazza di una volta. Per lei gli anni non (trascorrere)

.... 25. Cinque anni fa Emanuele (pubblicare) .... un libro di poesie. 26. Per un breve periodo Firenze (essere) .... capitale d'Italia. 27. In quel momento le nostre strade (separarsi) .... 28. In quella lontana mattina di giugno (io - arrivare) .... a Roma con l'intenzione di lavorare nel mondo del cinema. 29. Vari anni fa (io - sapere) .... che Roberta aveva sposato un inglese. 30. Trent'anni fa un gravissimo scandalo (sconvolgere) .... la vita di questo tranquillo paesino. 31. Negli ultimi anni il numero dei disoccupati (aumentare) .... in quasi tutta l'Europa. 32. Con quella bufera (noi - decidere) .... di rimandare la partenza. 33. Con questa bufera (noi - decidere) .... di rimandare la partenza. 34. Monica (avere) .... sempre paura di viaggiare in aereo. 35. Nel maggio del 1804 Napoleone Bonaparte (divenire) .... imperatore dei francesi.

3. *Sostituisci ai puntini la forma appropriata dell'imperfetto o del perfetto (passato prossimo o passato remoto)*:
1. "Il paese era immerso nel silenzio e nel buio. A quell'ora le donne e i ragazzi (essere) .... già tutti a dormire. Guglielmo (prendere) .... per la stradetta mal lastricata che (inerpicarsi) .... fino in cima al paese, dov' (essere) .... la sua casa." (C. Cassola) 2. Ieri a mezzanotte (io - studiare) .... ancora, 3. Ieri (io - studiare) .... fino a mezzanotte. 4. Quell'anno (io - studiare) .... con molto impegno. 5. Quell'anno, di solito, (io - studiare) .... almeno otto ore al giorno. 6. Quando (tu - arrivare) ...., (io - essere) .... sotto la doccia. 7. "Camilla era una donnetta di una cinquantina d'anni e (abitare) .... in quella casa da molto tempo. (Lei - vivere) .... frequentando famiglie dove (servire) .... per certi lavori di rammendo e dei pochi soldi che le (assegnare) .... la Parrocchia per la rivendita dei giornalini delle Missioni, per la riscossione di piccoli vaglia e delle pigioni delle case appartenenti alla diocesi." (G. Parise) 8. Mentre Eleonora (suonare) .... il piano, tutti l'(ascoltare) .... con attenzione. 9. Ora Lorenzo ha quasi trent'anni, ma, quando (partire) .... per l'Australia, (essere) .... poco più che un ragazzo. 10. Quando (lui -essere) .... piccolo, (essere) .... silenzioso e malinconico. 11. Quando (lui - essere) .... ragazzo, (essere) .... malato per un intero inverno. 12. "C'è in *Guerra e Pace* ogni cosa insopportabile che l'800 (produrre) .... Ne manca una delle buone, il demonismo". (C. Pavese) 13. "Non è bello esser bambini: è bello da anziani pensare a quando (essere) .... bambini." (C. Pavese) 14. Quando (essere) .... giovane, mio nonno (avere)

.... l'abitudine di pasteggiare a Champagne. 16. Elisabetta (avere) .... spesso dei problemi a causa del suo carattere litigioso. 17. Quell'anno (venire) .... un inverno freddissimo, con molta neve, e così (noi - decidere) .... di andare a sciare. 18. Anche quell'estate, come le precedenti, (noi - andare) .... in villeggiatura a Riccione, sulla vicina costa adriatica. Ogni anno (succedere) .... la stessa cosa. Mio padre, dopo aver tentato vanamente di trascinarci in montagna, sulle Dolomiti, nei luoghi dove aveva fatto la guerra, alla fine (rassegnarsi) .... a tornare a Riccione, a riprendere in affitto la medesima villetta accanto al Grand-Hotel." (G. Bassani) 19. Era una bella giornata e Michele e io (essere) .... particolarmente felici, quando, all'improvviso, (venire) .... a sapere della disgrazia capitata al nostro amico Giuliano. 20. A Urbino (io -vivere) .... gli anni più felici della mia vita.

4. *A tua scelta, svolgi uno dei seguenti temi*:
1. Gli studi compiuti dalla genetica consentitanno, tra breve, di modificare anche la sfera psichica e intellettiva dei figli in provetta. Pensi che ciò condurrà a un'evoluzione dell'individuo umano, o sei critico e pessimista nei confronti di tali manipolazioni?
2. O. Wilde diceva che la moda è una cosa tanto brutta che ogni anno bisogna mutarla. Sei d'accordo con l'opinione del grande scrittore inglese?
3. "Viene un'epoca in cui ci si rende conto che tutto ciò che facciamo diventerà a suo tempo ricordo. È la maturità. Per arrivarci bisogna appunto già avere dei ricordi." (C. Pavese)
4. Sposeresti un italiano (o un'italiana)?

XV. PRONOMI PERSONALI

Il tempo ha incominciato a diradar*li*, eppure non *si* può ancora dire che siano pochi, a Ferrara, quelli che ricordano il dottor Fadigati: Athos Fadigati, l'otorinolaringoiatra che aveva studio e casa in via Gorgadello, a due passi da piazza delle Erbe, ed è finito così male, poveruomo, così tragicamente, proprio *lui* che da giovane, quando venne a stabilirsi nella nostra città dalla nativa Venezia, era parso destinato alla più normale, tranquilla, e per ciò stesso più invidiabile delle carriere.

Fu nel '19, subito dopo l'altra guerra. Per ragioni di età, *io* che scrivo non ho da offrire che una immagine piuttosto vaga e confusa dell'epoca. I caffè del centro rigurgitavano di ufficiali in divisa; ogni momento, lungo corso Giovecca e corso Roma (oggi ribattezzato corso Martiri della Libertà), passavano camion sventolanti di bandiere rosse; sulle impalcature che ricoprivano la facciata in costruzione del palazzo delle Assicurazioni Generali, di fronte al lato nord del Castello, era steso un enorme, scarlatto telone pubblicitario, che invitava amici e avversari del socialismo a bere concordi l'APERITIVO LENIN; le zuffe fra contadini e operai massimalisti da una parte, ed ex combattenti dall'altra, scoppiavano quasi ogni giorno... Questo clima di febbre, di agitazione, di distrazione generale, entro cui *si* svolse la prima infanzia di tutti coloro che sarebbero diventati uomini nel ventennio successivo, dovette in qualche modo favorire il veneziano Fadigati. In una città come la nostra, dove i giovani di buona famiglia riluttarono più che in qualunque altro luogo a ritornare dopo la guerra alle professioni liberali, *si* capisce come avesse potuto mettere radici facilmente, senza quasi far*si* notare. Nel '25, comunque, quando la scalmana, anche da *noi*, cominciò a placar*si*, e il fascismo, organizzando*si* in grande partito nazionale, fu in grado di offrire vantaggiose sistemazioni a tutti i ritardatari, Athos Fadigati era già solidamente impiantato a Ferrara, titolare di un magnifico ambulatorio privato e per di più direttore del reparto orecchio-naso-gola del nuovo Arcispedale Sant'Anna.

Aveva incontrato, come *si* dice. Non più giovanissimo, e con l'aria, già allora, di non esserlo mai stato, piacque che fosse venuto via da Venezia (*lo* raccontò una volta *lui* stesso) non tanto per cercare fortuna in una città non sua, quanto per sottrarsi all'atmosfera di una vasta casa sul Canal Grande, nella quale aveva visto spegner*si* in pochi anni ambedue i genitori e una sorella molto amata. Erano piaciuti i suoi modi cortesi, discreti, il suo evidente disinteresse, il suo ragionevole spirito di carità nei confronti dei malati più poveri. Ma ancora prima che per queste ragioni, dovette raccomandar*si* per come era: per quegli occhiali d'oro che scintillavano simpaticamente sul colorito terreo delle guance glabre, per la pinguedine niente affatto sgradevole di quel suo grosso corpo di cardiaco congenito, scampato per miracolo alla crisi della pubertà, e sempre avvolto, anche l'estate, di soffici lane inglesi (durante la guerra, a causa della salute, non aveva potuto prestare servizio che nella censura postale). Ci fu certamente in *lui*, insomma, a prima vista, qualcosa che subito attrasse e rassicurò.

Lo studio di via Gorgadello, dove riceveva dalle 16 alle 19 di ogni pomeriggio, completò più tardi il suo successo.

Si trattava di un ambulatorio veramente moderno, come fino allora, a Ferrara, nessun dottore ne aveva mai avuto di uguali. Fornito di un impeccabile gabinetto medico che, quanto a pulizia, efficienza, e perfino ampiezza, poteva essere paragonato soltanto a quelli del Sant'Anna, *si* fregiava oltre a ciò di ben otto stanze dell'attiguo appartamento privato come di altrettante salette d'aspetto per il pubblico. I nostri concittadini, specie quelli socialmente più ragguardevoli, ne furono abbagliati. Abituati al disordine pittoresco, se *si* vuole, ma troppo famigliare e in fondo equivoco nel quale gli altri tre o quattro anziani specialisti locali continuavano a ricevere le rispettive clientele, *se* ne commossero come per un omaggio particolare. Dove erano, da Fadigati - non si stancavano mai di ripetere -, le interminabili attese ammucchiati l'uno sull'altro come bestie, ascoltando attraverso le fragili pareti divisorie voci più o meno remote di famiglie quasi sempre allegre e numerose, mentre, alla fioca luce di una lampadina da venti candele, l'occhio non aveva da posar*si*, scorrendo lungo i tristi muri, che su qualche NON SPUTARE! di maiolica, qualche caricatura di professore universitario e di collega, per non parlare di altre immagini, anche più melanconiche e iettatorie, di pazienti sottoposti a enormi clisteri davanti a un intero collegio accademico, o di laparatomie a cui, sogghignando, provvedeva la morte stessa travestita da chirurgo? E come, come, poteva essere accaduto che si fosse sopportato fino allora un simile trattamento da Medio Evo?

Andare da Fadigati costituì ben presto, più che una moda, una vera e propria risorsa. Nelle sere d'inverno, specialmente, quando il vento gelido *si* infilava fischiando da piazza Cattedrale giù per via Gorgadello, era con schietta soddisfazione che il ricco borghese, infagottato nel suo cappottone di pelliccia, prendeva a pretesto il più piccolo mal di gola per imbucare la porticina socchiusa all'angolo di via Bersaglieri del Po, salire le due rampe di scale, suonare il campanello dell'uscio a vetri. Lassù, oltre quel magico riquadro luminoso, alla cui apertura presiedeva un'infermiera in camice bianco sempre giovane e sempre sorridente, lassù *lui* trovava termosifoni che andavano a tutto vapore, come non dico a casa propria, ma nemmeno, quasi, al Circolo dei

Commercianti o ai Concordi. Trovava poltrone e divani in abbondanza, tavolinetti colmi di riviste sempre recenti, abat-jour da cui pioveva una luce bianca, generosa, davvero senza risparmio. Trovava tappeti che, quando uno *si* fosse stancato di rimanere lì, a sonnecchiare al calduccio o a sfogliare le riviste illustrate, *lo* invogliavano a passare da un salotto all'altro guardando i quadri e le stampe, antichi e moderni, attaccati fittamente alle pareti. Trovata infine un medico bonario e conversevole, che mentre *lo* introduceva personalmente "di là", per visitar*gli* la gola, pareva soprattutto ansioso, da quel vero signore e appassionato wagneriano che era, di sapere se il suo cliente avesse avuto modo di ascoltare alcune sere prima, al Comunale di Bologna, Aureliano Pertile nel Lohengrin; oppure, che so?, se avesse visto bene, appeso a quella data parete di quel dato salotto, quel tale De Chirico o quel tale "Casoratino", e se *gli* fosse piaciuto quel talaltro De Pisis; e faceva le più alte meraviglie, poi, se il cliente a quest'ultimo proposito confessava non soltanto di non conoscere De Pisis, ma di non avere mai saputo, prima di allora, che Filippo De Pisis era un giovane, promettente pittore ferrarese. Un ambiente comodo, piacevole, signorile, e perfino istruttivo, in conclusione. Dove il tempo, il dannato tempo che è sempre stato il gran problema della provincia, passava che era un piacere.

(Giorgio Bassani, da *Gli occhiali d'oro*)

Attenzione: quelli in corsivo sono **pronomi personali**.

I PRONOMI PERSONALI

SOGGETTO				COMPLEMENTO OGGETTO			COMPLEMENTO INDIRETTO	
				FORMA ATONA **	FORMA TONICA **		FORMA ATONA	FORMA TONICA
1S	io	guardo		mi guarda	(guarda me)		mi parla	(parla a me)
2S	tu	guardi		ti guarda	(guarda te)		ti parla	(parla a te)
3S			ANNA	si guarda	(guarda sé)	ANNA	si parla	(parla a sé)
	lui, egli, esso	guarda		lo guarda	(guarda lui)		gli parla	(parla a lui)
	lei, ella, essa	guarda		la guarda	(guarda lei)		le parla	(parla a lei)
	Lei	guarda		La guarda	(guarda Lei)		Le parla	(parla a Lei)
1P	noi	guardiamo		ci guardano	(guardano noi)		ci parlano	(parlano a noi)
2P	voi	guardate	ANNA	vi guardano	(guardano voi)	ANNA	vi parlano	(parlano a voi)
3P				si guardano***	(guardano sé)		si parlano	(parlano a sé)
	loro, essi	guardano	e	li guardano	(guardano loro)	e	gli parlano	(parlano a loro)
	loro, esse	guardano	UGO	le guardano	(guardano loro)	UGO	gli parlano	(parlano a loro)
	Loro*	guardano		Li (Le) guardano	(guardano Loro)		Gli parlano	(parlano a Loro)

(*) **Attenzione**: Come forma di cortesia, al singolare si usa **Lei** e al plurale **Loro**. Al posto di quest'ultimo, però, oggi si usa sempre più spesso **Voi**.

Es: Lei (UOMO) è molto simpaticO, dottore. Lei (DONNA) è molto simpaticA, signora.
Loro (UOMINI) sono pregatI di seguirmi. Loro (DONNE) sono pregatE di seguirmi.
ma anche: Signori, (voi) siete pregatI di seguirmi. Signore, (voi) siete pregatE di seguirmi.

(**) **Attenzione**: La forma atona può avere funzione di complemento oggetto o complemento di termine; la forma tonica può avere funzione di complemento oggetto o di complemento indiretto (se preceduta dalle preposizioni appropriate).

(***) **Attenzione**: *Si guardano* significa *guardano sé stessi*, ma anche *si guardano l'un l'altro*, *si guardano reciprocamente*; *si parlano* significa *parlano a sé stessi*, ma anche *si parlano l'un l'altro*, *si parlano reciprocamente*.

FORME ATONE (deboli) e FORME TONICHE (forti)

I pronomi personali complemento oggetto e complemento indiretto hanno due forme:

a. ATONE O DEBOLI

Sono le più usate. Non si accompagnano a preposizioni e, in genere, **precedono il verbo**; seguono il verbo (con cui si fondono) solo nel caso che questo sia un **infinito**, un **gerundio**, un **imperativo diretto**, un **participio passato**.

Attenzione: Si ha una doppia forma:
1. **con l'imperativo negativo** (non dir**lo**; non **lo** dire)
2. **quando l'infinito è preceduto da un altro verbo** (ad. es. un servile) **da cui dipende** (non potevo rassegnar**mi**; non **mi** potevo rassegnare)
3. **quando l'infinito dipende da un altro infinito** (andar**lo** a trovare; andare a trovar**lo**)

Es: **Mi** svegliarono all'alba.
Ti presto volentieri la mia auto.
Lo ascoltai con grande interesse.
Quell'estate **gli** insegnarono a guidare.
Non **lo** fare!
Ti vorrei parlare.

Parlar**ti** è un piacere.
Baciando**lo**, lo svegliai.
Telefona**mi** appena arrivi.
Veduto**lo**, lo salutai.
non far**lo**!
Vorrei parlar**ti**.

b. TONICHE O FORTI

Si usano, a scelta, quando il tono della frase è enfatico. Il loro uso è invece obbligatorio nel caso di complementi indiretti diversi dal complemento di termine (che ha anche la forma atona). Si possono accompagnare a preposizioni.

Es: Anna ha chiamato **me** e non **te** (tono enfatico). — SCELTA
Mi ascolti? Sto parlando a **te**! (tono enfatico) — SCELTA

Ho parlato di **te** ai miei amici. — OBBLIGO
In **lui** c'è qualcosa che non mi piace. — OBBLIGO
Vieni con **me**? — OBBLIGO
Da **voi** non mi aspettavo tanta insensibilità. — OBBLIGO

SÉ **Attenzione**: Augusto parla di **sé** (sé stesso).
Augusto e Carlo parlano di **sé** (sé stessi).
Augusto e Carlo parlano di **loro** (di altri, non di sé stessi).

Solo al **plurale**, accompagnato da **fra**, **tra**, **in mezzo a**, si usa **loro** invece di **sé**.

Es: Anna e Franco parlavano tra **loro**.
I ragazzi non volevano intrusi in mezzo a **loro**.

LORO **Attenzione**:

loro significa **essi** o **esse**, ma quando è collocato dopo il verbo prende il significato di **a essi**, **a esse**.
In questo secondo caso, però, oggi si preferisce usare il pronome **gli**.
Quando si vuole mettere in risalto il pronome si usa **a loro** che precede il verbo.

Es: Ho detto **loro** la verità.
Gli ho detto la verità.
A loro ho detto la verità.

PARTICELLE AVVERBIALI E PRONOMINALI NE E CI (VI)

NE Si usa in sostituzione di un complemento o di una proposizione introdotti da **di** o **da**

Es: Mozart è un grande musicista e lo apprezzo molto: **ne** (di lui) conosco quasi tutte le opere.
Anna e Marta ieri sera hanno conosciuto mio fratello e **ne** (da lui) sono rimaste affascinate.
Il cardiologo ha consigliato a Franco di non guidare e lui, che si preoccupa molto per la propria salute, se* **ne** (da ciò, cioè dal guidare) esime più che può.
Simona, mangi tutta quella torta? No. **Ne**** (di torta) mangio una fetta.
Sei stato al cinema? Sì. **Ne** (di lì) sono uscito adesso.
Ecc.

(*) **Attenzione**: I vari pronomi personali + NE danno luogo alle seguenti forme composte:

1S	ME NE
2S	TE NE
3S	SE NE
	GLIENE (= a lui, a lei)
1P	CE NE
2P	VE NE
3P	SE NE
	GLIENE (= a loro)

(**) **Attenzione**:

Sergio, bevi tutto quel caffè?	TUTTO	= Sì. **Lo** bevo tutto.
	UNA PARTE [**partitivo**] O NIENTE	= No. **Ne** bevo una tazzina. No. **Ne** bevo un po'. No. Non **ne** bevo per niente.

USO PLEONASTICO DI NE

L'uso pleonastico (**sovrabbondante**) si verifica quando **ne**, invece di essere impiegato in sostituzione del complemento, è usato insieme a esso.

Es: Di libri così **ne** (di questi, cioè di libri) ho letti troppi.

USI IDIOMATICI DI NE

VOLERNE A QUALCUNO (Sei stato ingiusto con me, ma non te ne voglio.)
AVERNE ABBASTANZA (Ne ho abbastanza delle tue bugie!)
AVERNE FATTE DI COTTE E DI CRUDE (Matilde ha una pessima reputazione: dicono che ne abbia fatte di cotte e di crude.)
ACCORGERSENE (Si vede che Elisa non sta bene: io me ne sono accorto subito).
SAPERNE DI PIÙ (Questa storia è molto complicata e certo tu ne sai più di me.)
SAPERNE UNA PIÙ DEL DIAVOLO (Silvio è molto astuto: ne sa una più del diavolo.)
FREGARSENE (Valerio se ne frega di tutto e di tutti.)
ESSERCENE BISOGNO (Posso aiutarti? Grazie, ma non ce n'è bisogno.)
DIRNE MALE, DIRNE BENE (Che tipo di ragazza è Laura? Io non la conosco, ma Luigi ne dice molto bene.)
CURARSENE (Se Anna non vuole più vedermi, faccia pure. Io non me ne curo.)
ESSERNE (Che ne è di tua madre? Sta bene, grazie.)
ANDARNE (Non bere troppo. Ne va della tua salute.)

DIO ME NE GUARDI!
DIO CE NE SCAMPI E LIBERI!
CHI NE DICE UNA E CHI UN'ALTRA.
CHI PIÙ NE HA PIÙ NE METTA.
QUESTO MESE NE HA TRENTA.
Ecc.

Attenzione:

a. Con **ne partitivo complemento oggetto** l'accordo del participio passato con il complemento è obbligatorio:
Es: Hai comprato della frutt**a**? Sì, ne ho comprat**a**.

b. Con **ne partitivo riferito al complemento oggetto** l'accordo in genere si fa come segue:

Es:	
Hai comprato dei libri?	Sì, ne ho comprato uno. Sì, ne ho comprati tre. No, non ne ho comprato nessuno.
Hai comprato della pasta?	Sì, ne ho comprato un chilo. Sì, ne ho comprati tre chili. Sì, ne ho comprata un po'. Sì, ne ho comprata molta.

CI (VI) Si usa in sostituzione di un complemento o di una proposizione introdotti da **a**, **in**, **su**.

Es: Pensi spesso a Mario? Sì, **ci** (a lui) penso spesso.
Ugo ha promeso di venire a trovarmi, ma non **ci** (a ciò) credo.
Vai spesso a Milano? **Ci** (a Milano) vado due volte al mese.
Hai fiducia in lei? Sì, **ce*** (in lei) l'ho.
Vuoi venire in montagna con me? Sì, **ci** (in montagna) verrò volentieri.
Credi in ciò che dice Franca? No, non **ci** (in ciò) credo.
Vuoi scommettere 10.000 lire su quel cavallo? Sì, **ce*** (su lui) le scommetto volentieri.
Ma tu conti davvero sulla promessa di Giorgio? Certo che **ci** (sulla promessa) conto!
ecc.

(*) **Attenzione: Ci** (**vi**) davanti ai pronomi **lo**, **la**, **li**, **le**, e davanti a **ne** diventa CE (VE).

USO PLEONASTICO DI CI

Con **ci** l'uso pleonastico è molto frequente.

Es:
A Londra ci vado spesso.
Alle tue menzogne ci hanno creduto tutti.
Ci pensi mai **ai tuoi amici**?
ecc.

USO IDIOMATICO DI CI

C'È, CI SONO (In questa stanza ci sono molti studenti.)
CI VUOLE, CI VOGLIONO (Ora ci vuole un po' di pazienza.)
METTERCI (A fare questa sciarpa ci ho messo più di un mese.)
CADERCI (Mi ha teso una trappola e ci sono caduto come un cretino.)
VEDERCI (Da questo posto non ci vedo.)
SENTIRCI (Quell'uomo non ci sente: è sordo dalla nascita.)
NON C'È MALE (Come stai? Non c'è male, e tu?)
SAPERCI FARE (Amelia è molto furba: è una ragazza che ci sa fare.)
ESSERCI DENTRO (Quel furto è una brutta faccenda e Ludovico ci è dentro fino ai capelli.)
AVERCI (Hai 10.000 lire? Sì, ce le ho.)
AVERCI COLPA (Non sgridarlo, non ci ha colpa lui.)
AVERCI TEMPO (Vieni al cinema con me? Non posso, non ci ho tempo.)
AVERCI GUSTO, PIACERE (Ti sei fatto male? Ci ho gusto, così starai un po' tranquillo.)
AVERCI VOGLIA (Oggi non ci ho voglia di nulla.)
CI MANCA, CI MANCANO (Quanto ci manca a mezzogiorno? Ci mancano quattro minuti.)
RACCAPEZZARCISI (Hai riguardato questi conti? Sì, ma non mi ci raccapezzo.)
STARCI (Ci stai a venire al mare con noi? Sì, ci sto.)
BADARCI (Fulvia è stata scortese con Sandro, ma lui non ci ha badato.)
CI CORRE COME DAL GIORNO ALLA NOTTE (Fra la seta pura e questo brutto tessuto sintetico ci corre come dal giorno alla notte.)
RITROVARCISI (Non ero mai stato prima in questa città e in questo labirinto di strade non mi ci ritrovo.)
Ecc.

1. *Sostituisci ai puntini le forme appropriate del pronome personale soggetto*:
1. Signora, soltanto .... può comprendermi. 2. Marcello, soltanto .... puoi comprendermi. 3. Professore, soltanto .... può comprendermi. 4. Quando Emanuele mi ha raccontato i fatti, ho compreso che aveva ragione .... 5. Sei d'accordo anche ....? 6. Marina è sempre soddisfatta. Beata ....! 7. Silvia, ... non sai che vita infelice ti aspetta. 8. .... vi avevamo parlato sinceramente e, in cambio, ... ci avete ripagato con una sfiducia offensiva. 9. La differenza fra noi è questa: .... non do importanza alle apparenze; ...., invece, ne sei schiavo. 10. Se .... vi fanno domande, fate finta di non sapere nulla. 11. Al mio ritorno vi spiegherò tutto ....

2. *Sostituisci ai puntini le forme appropriate del pronome personale diretto*:
1. A che ore prendi l'areo? .... prendo alle 8. 2. Professore, ... prego di venire a pranzo a casa mia. 3. Signora, ... prego di venire a pranzo a casa mia. 4. Avvocato, ... ringrazio per la sua sollecitudine. 5. Mirella, ... ringrazio per la tua comprensione. 6. Carlo, ... ringrazio per la tua sollecitudine. 7. Signori, ... prego di attendere un attimo. 8. Da quanto tempo conosci Corinna? .... conosco da due anni. 9. Da quanto tempo conosci Sergio e Silvana? .... conosco da venti giorni. 10. Da quanto tempo conosci Rodolfo? .... conosco da tre mesi. 11. Luisa ha un ascesso a un dente. Devo accompagnar........ dal dentista. 12. Ieri Orietta si è sentita male e perciò .... devo accompagnare dal medico. 13. Eleonora, mi vuoi ascoltare? Sì, ... ascolto con attenzione. 14. Chi ha invitato Roberta e Stella? .... ha invitat........ Franco. 15. Chi ha rimproverato Piero e Giacomo? .... ho rimproverat........ io: quei bambini sono dispettosi e disubbidienti. 16. Chi ha invitato Estella e Augusto? .... hanno invitat........ Liana e Carlo. 17. A che ora passi a prendermi? Passo a prender........ prima di cena. 18. A che ora passerai a prendermi? .... passerò a prendere subito dopo cena. 19. Ti aspettiamo da oltre un mese: quando verrai a trovar........? Verrò a trovar........ prestissimo. 20. Fra i venti partecipanti, abbiamo scelto .... perché apprezziamo le tue capacità. 21. .... abbiamo scelto perché apprezziamo la tua ottima preparazione. 22. Abbiamo scelto .... perché vi stimiamo molto. 23. .... abbiamo scelto perché apprezziamo la vostra onestà. 24. Signora, abbiamo scelto .... perché apprezziamo la sua onestà. 25. Signora, ... abbiamo scelt........ perché apprezziamo la sua ottima preparazione professionale. 26. Ingegnere, abbiamo scelto .... perché è risultato il più preparato tra gli aspiranti al posto di programmatore. 27. Ingegnere, ... ab-

biamo scelt........ perché apprezziamo la sua serietà professionale. 28. Signori, ... abbiamo scelt........ perché il vostro curriculum è ottimo. 29. Vinicio, puoi convincere Patrizia a studiare di più? Sì, forse posso convincer........ 30. Vinicio puoi convincere tuo fratello a studiare con maggiore impegno? Sì, forse .... posso convincere. 31. Tiziano, puoi convincere Cristina a partire con noi? No, non credo di poter........ convincere. 32. Fabio, puoi convincere Manlio a dedicarsi al lavoro con maggiore serietà? No, non credo di poter convincer........ 33. Chi ha ospitato Liliana e Arabella? .... ho ospitat........ io. 35. Chi ha invitato Clarissa e Gualtiero? .... ha invitat........ Gianni. 36. Chi può ospitare Carlotta e Ferruccio? Posso ospitar........ io. 37. Chi vuole ospitare Gisella e Tommaso? .... vuole ospitare Damiano. 38. Carlo piange disperato perché è caduto e si è ferito un ginocchio; chi può medicarlo? Posso medicar........ io. 39. Mi svegli alle 7.30, per favore? Stai tranquillo: .... sveglierò senz'altro. 40. Professore, prende un caffè? Grazie, ... prendo volentieri. 41. Avvocato, gradisce un caffè? Grazie, no. .... ho bevuto cinque minuti fa. 42. Adesso ti preparo un caffè: .... prendi con lo zucchero o senza? .... prendo senza, grazie. 43. Ieri ho incontrato Pierluigi e .... ho trovato molto invecchiato. 44. Ieri ho incontrato Gilda e .... ho trovat........ in ottima forma. 45. Come sta tua moglie? Saluta........ da parte mia.

3. *Sostituisci ai puntini le forme appropriate del pronome personale indiretto*:
1. Che cosa hai regalato a Roberto? .... ho regalato una cravatta di seta. 2. Che cosa hai regalato a tua madre? .... ho regalato una collana di perle. 3. Signora, ... presento l'avvocato Sergiunti. 4. Giovanna, ... presento il dottor Milani. 5. Il film che ho visto sabato .... è piaciuto molto. 6. Che cosa hai regalato ai tuoi genitori? .... ho regalato un videoregistratore. 7. Vi sono piaciuti i libri che ho portato a vostro padre? Sì, ... sono piaciuti moltissimo. 8. Signora, posso chieder........ una cortesia? 9. Signora, ... posso chiedere un favore? 10. Che cosa ti ha detto Anna? .... ha detto che partirà domani per gli Stati Uniti. 11. Marcella è la mia più cara amica. A chi posso confidare i miei problemi se non a ....? 12. Parlo sul serio. Perché non vuoi creder........? 13. Sto dicendo la verità: perché non .... vuoi credere? 14. Sabrina, tu sei bella, intelligente e anche ricca. Ah, se fossi in ....! 15. È inutile che tu continui a dir........ delle bugie: ormai non .... credo più. 16. Che cosa vi ha raccontato Miranda? .... ha raccontato quello che .... è successo in viaggio. 17. Preferisci i cani o i gatti? .... piacciono di più i gatti. 18. Mi presti 50.000 lire? Non .... posso prestare nulla perché sono rimasto senza soldi. 19. Mi presti

15.000 lire? Non posso prestar........ nulla perché non ho una lira. 20. Che cosa pensi di Marta? .... sembra una ragazza simpatica. 21. Che cosa pensate di Giuseppe? A .... pare un bravo ragazzo, ma non tutti sono di quest'idea. 22. Che cosa pensi del professore di storia? A .... pare molto preparato. 23. Hai telefonato a Lucio? Sì, ... ho telefonato, ma non ha risposto nessuno. 25. Hai scritto a Enrichetta? No, non .... ho scritto. 26. Signora, da .... non mi aspettavo tanta incomprensione. 27. La casa in cui abitiamo da tre anni .... piace moltissimo perché ha un grande giardino con molti alberi e fiori, ed è molto luminosa. 28. Sono andato da Milena, ... ho raccontato tutti i miei guai e .... ho chiesto un consiglio. Lei .... ha detto che non sa quale consiglio darmi perché la mia situazione è molto complessa e difficilmente risolvibile. 29. Quando vedi Claudio non dir........ che hai parlato con me. 30. Rossella è una donna di grande fascino: s'innamorano tutti di .... 31. Che cosa hai offerto ai tuoi amici? .... ho offerto del latte freddo e delle fragole. 32. Abbiamo visitato Venezia e .... è piaciuta molto. 33. Questa sera Giovanni e io andiamo a teatro; venite con ....? 34. Quanto vi occorre? .... occorrono 300.000 lire. 35. Sei deciso a dirmi che cosa è successo? Sì, a .... dirò la verità. 36. Le piace questa gonna, Signora? Sì, ... piace molto. 37. Elena, volevo chieder........ se hai ricevuto i miei fiori. 38. Perché Glenda non è partita? Perché .... faceva male la gola. 39. Luigi e Curzio non vogliono partire: .... dispiace troppo lasciare la loro città. 40. Questa mattina ho incontrato Angelica e .... ho domandato notizie di sua sorella. 41. Dimmi con chi vai e .... dirò chi sei (proverbio). 42. Perché Silvio e Maya non hanno comprato quella villa? Perché .... è sembrata troppo isolata. 43. Signora, ... sta bene la camicetta che ha provato? No, ...sta un po' grande. 44. Signore, ... stanno bene i pantaloni che ha provato? Sì, ... stanno a pennello. 45. Penso che a quest'ora Tiziano non sia in casa, ma comunque puoi telelefonar........

4. *Completa le frasi con* **ne** *o* **ci**:

1. Se .... andò senza dire una parola. 2. Conosci Verona? No, non .... sono mai stato, ma me .... ha parlato molto Paolo che .... ha vissuto per un anno. 3. Mio fratello è partito e .... sento la nostalgia. 4. Mia madre mi ha promesso che mi telefonerà ogni sera da Londra, ma non .... credo. 5. Andrai a Milano domani? Non so, non .... sono ancora sicuro. 6. Vai al cinema con Sandra? No, non .... vado. 7. Hai finito le sigarette? No, ... ho ancora. 8. Vanessa, per favore, accendi la luce: non .... vedo. 9. Quanti anni avevi quanto tu e la tua famiglia vi trasferiste a Vienna? .... avevo quindici. 10. Perché non siete andati a teatro? Perché non .... valeva la pena: il biglietto costa-

va troppo. 11. Per comprare una casa .... vogliono tanti soldi. 12. Anche questa sera pioverà: .... sono sicuro. 13. Avrei dovuto telefonare a Gaspare, ma me .... sono dimenticato. 14. Ecco il libro che mi hai chiesto: ti prego di non perderlo perché .... tengo molto. 15. Vuoi del caffè? No, grazie: .... ho già bevuto troppo. 16. Quanti figli ha, signora? .... ho uno. 17. Ha del danaro liquido, avvocato? Sì, ... ho. 18. Bisogna fare in fretta: non .... è tempo da perdere. 19. Devo mettere a posto la tua bicicletta? No, grazie: .... la metto io. 20. Da quanto tempo vivi in Italia? .... vivo da otto mesi. 21. Volevo comprare della frutta, ma poi me .... sono dimenticato. 22. Non me .... importa nulla. 23. Adesso Luca ha pochi capelli, ma quando era più giovane .... aveva tanti. 24. Ho perso 100.000 lire e mi è dispiaciuto, ma ora non .... penso più. 25. Vuoi del latte? Grazie, ... prendo un bicchiere. 26. Andammo al mare e .... rimanemmo a lungo. 27. Questa macchina da scrivere è molto vecchia: .... devo comprare una nuova. 28. Vuoi che metta a posto i tuoi libri? No, grazie: .... li metto io. 29. Quanti libri! Me .... presti uno? 30. Quanti romanzi ha scritto Alberto Moravia? .... ha scritti molti. 31. Questo vino è ottimo. Me .... dai un po'? 32. Qui .... vuole un po' d'allegria! 33. Quanti limoni devo comprare? .... devi comprare un chilo (devi comprar........ un chilo). 34. Pensi mai a Roberto da quando l'hai lasciato? .... penso spesso. 35. Per quanto .... so, gli esami saranno il 13 di giugno. 36. È inutile che tu vada in biblioteca: .... vengo adesso e ho visto che è chiusa per inventario. 37. Quanti giornali hai letto oggi? .... ho letti due. 38. Quanti giornali hai letto ieri? .... ho lett........ tre. 39. Quanti giornali hai letto oggi? .... ho lett........ uno. 40. quante riviste hai comprato questo mese? .... ho comprat........ sei. 41. Quante riviste hai comprato questa settimana? .... ho comprat........ una. 42. Hai ricevuto molta posta oggi? Sì, ... ho ricevut........ parecchia. 43. Hai ricevuto molta posta ieri? .... ho ricevut........ un po'. 44. Perché non dai l'esame di storia? Non .... ho voglia. 45. Vive volentieri in Italia, signora? Sì, ... vivo volentieri. 46. Secondo te, Mario si è accorto che Carla è innamorata di lui? Sì, io penso che se .... sia accorto. 47. A che ora ti trovo in ufficio? Mi .... trovi dalle 8 a mezzogiorno. 48. In questa stanza .... sono troppi quadri. 49. Con questi occhiali non .... vedo. 50. Nella vita .... vuole un po' di fortuna. 51. Ora .... manca lui! 52. Questa torta è molto buona: .... vuoi un po'? 53. Perché fumi? Perché non .... posso fare a meno. 54. Ma quanto .... metti a finire quel maglione! 55. Come stai? Meglio non parlar......... 56. .... ho viste delle belle! 57. .... Ho fin sopra i capelli di te e delle tue menzogne! 58. Lì .... metterò una bella pianta. 59. In certi casi .... vuole coraggio. 60. Oggi dico delle sciocchezze: non fate .... caso.

61. I suoi affari vanno in malora, ma lui non se .... fa né in qua né in là. 62. I suoi figli hanno molti problemi, ma lui non se .... cura perché è un egoista. 63. Ora non ho tempo per queste cose: me .... parlerai un'altra volta. 64. Dall'orecchio sinistro non .... sente bene. 65. Qui .... è troppo caldo.

XVI. I PRONOMI COMBINATI

Soggetto	Complemento indiretto		Pronome indiretto nella versione combinata (1)	Verbo + Complemento oggetto	Pronome diretto (2)	PRONOME COMBINATO (1 + 2)	Verbo
	Forma tonica	Forma atona					
	(a me)	mi	(ME)	presta il libro presta la penna presta i libri presta le penne	(LO) (LA) (LI) (LE)	= ME LO = ME LA = ME LI = ME LE	
	(a te)	ti	(TE)	presta il libro presta la penna presta i libri presta le penne	(LO) (LA) (LI) (LE)	= TE LO = TE LA = TE LI = TE LE	
	(a lui)	gli	(GLIE)	presta il libro presta la penna presta i libri presta le penne	(LO) (LA) (LI) (LE)	= GLIELO = GLIELA = GLIELI = GLIELE	
Mario	(a lei)	le	(GLIE)	presta il libro ecc.	(LO)	= GLIELO, ecc. come sopra	presta
	(a Lei)	Le	(GLIE)	presta il libro ecc.	(LO)	= GLIELO, ecc. come sopra	
	(a noi)	ci	(CE)	presta il libro presta la penna presta i libri presta le penne	(LO) (LA) (LI) (LE)	= CE LO = CE LA = CE LI = CE LE	
	(a voi)	vi	(VE)	presta il libro presta la penna presta i libri presta le penne	(LO) (LA) (LI) (LE)	= VE LO = VE LA = VE LI = VE LE	
	(a loro)	gli	(GLIE)	presta il libro presta la penna presta i libri presta le penne	(LO) (LA) (LI) (LE)	= GLIELO = GLIELA = GLIELI = GLIELE	

Attenzione:

a. Quando si uniscono ai pronomi diretti (**lo, la, li, le**) e alla particella **ne** i pronomi indiretti atoni **mi, ti, ci, vi** cambiano la **i** in **e**.

b. I pronomi indiretti di 3.a persona singolare e plurale, nell'unica forma **gli** (+ **e**) si uniscono in una sola parola ai pronomi personali diretti e alla particella **ne**:

	lo	= glielo
	la	= gliela
gli(e) +	li	= glieli
	le	= gliele
	ne	= gliene

c. I pronomi combinati precedono il verbo se questo è coniugato all'indicativo, al congiuntivo, al condizionale o all'imperativo indiretto.

Es: **Glielo** ricordai.
È necessario che io **te lo** dica.
Ve lo direi se non temessi le vostre reazioni.
Glielo dica lei.

d. I pronomi combinati seguono il verbo se questo è all'infinito, al gerundio, al participio, all'imperativo diretto.

Es: Per spiegar**telo** dovrei avere molto tempo.
Dicendo**glielo** apertamente gli ho tolto ogni dubbio.
Dovevo saldare un conto al dottor Rossi e, una volta saldato**glielo**, mi sentii più tranquillo.
Parla**gliene** tu.

e. Con i verbi servili (potere, dovere, volere, ecc.) i pronomi combinati possono essere collocati in due modi:

1. [verbo servile] + [infinito + pronome combinato]

io **posso dirglielo**.

2. [pronome combinato] + [verbo servile] + [infinito]

io **glielo posso dire**.

1. *Sostituisci ai puntini le forme appropriate dei pronomi combinati*:

1. Se avete finito l'olio, ... do io. 2. Se questo libro t'interessa, ... presto volentieri. 3. Questa borsa non l'ho comprata: .... ha regalata mia sorella. 4. Ugo ha lasciato l'ombrello: .... riporterò stasera. 5. Arianna, puoi prestarmi la tua auto? No, non posso prestar.................... perché serve a me. 6. Quando ti sei accorto che ti hanno rubato il portafoglio? .... sono accorto ieri sera. 7. Hai portato i miei pantaloni in lavanderia? Sì, ... ho portati ieri. 8. Vi siete ricordati di telefonare a Gisella? Sì, ... siamo ricordati. 9. Quando portate il gatto dal veterinario? .... abbiamo portato ieri. 10. Mi sai dire che ore sono? No, non .... so dire, perché ho perso l'orologio. 11. Mi sai dire quando partirai per il mare? No, non so dir.................... perché non l'ho ancora deciso. 12. Se siete rimasti senza soldi, ... prestiamo noi. 13. Se siete rimasti senza soldi .... prestiamo un po' noi. 14. Ti piace questa camicetta di seta? .... portata una mia amica da Pechino. 15. Hai detto a Giovanni che ha telefonato sua moglie? Sì, ... ho detto. 16. Hai detto a Mary che ha telefonato il suo professore? No, non .... ho ancora detto. 17. Puoi procurarmi un biglietto per il teatro? Sì posso procurar..................... 18. Tuo padre ti regala mai dei soldi? Sì, ... regala spesso. 19. Che splendido anello! Chi te l'ha regalato? .... ha regalato mio marito. 20. Se non avevate intenzione di venire a teatro con noi, dovevate dir.................... subito e non pochi minuti prima dell'inizio dello spettacolo. 21. Se non avevate intenzione di venire a casa mia, ... dovevate dire con franchezza. 22. Ho scritto una lunga lettera ai miei genitori, ma non .... ho ancora spedita. 23. Signora, io so che cosa è successo a suo figlio, ma non .... posso dire perché lui mi ha fatto promettere che non dirò a nessuno ciò che mi ha confidato. 24. Mio fratello mi vuole molto bene, ma non .... dimostra mai perché ha un carattere scontroso. 25. Allora, accetti la mia proposta? Ancora non lo so: .... farò sapere entro domani. 26. Quando hai comprato i regali ai bambini? .... ho comprati ieri. 27. .... regalerò io quel cappotto, se proprio lo desideri tanto! 28. Ho perso la mia borsa! .... cerchi tu? 29. Se sei senza sigarette, ... offro qualcuna delle mie. 30. Se sei senza accendino, ... do io. 31. Volete la verità? Ebbene, ... dirò. 32. Hai chiesto a Luciana se ha bisogno di aiuto? No, non .... ho ancora chiesto, ma .... chiederò stasera. 33. Ti sei ricordato di comprare le sigarette? Sì, ... sono ricordato. 34. Ti sei ricordato di fare gli auguri a Folco? Sì, ... sono ricordato. 35. Mi dai il tuo nuovo numero di telefono? Sì, ... do. 36. Avvocato, ha spiegato a mia madre la situazione? No, non ....

ho ancora spiegat............................ 37. Notaio, ci può comunicare le ultime volontà di nostro nonno? Sì, adesso .... posso comunicare poiché siete tutti presenti. 38. Hai parlato a Tullio del nostro problema? Sì, ... ho parlato, ma pare che lui non possa aiutarci. 39. Hai mostrato i tuoi dipinti a Giulio? Sì, ... ho mostrat............................ 40. Mi rilevi il tuo segreto? Mi dispiace, ma non .... posso rivelare. 41. Il medico ti ha spiegato in che cosa consisterà la cura? Sì, ... ha spiegato, ma non ho capito bene. 42. Chi vi ha dato questa brutta notizia? .... ha dat............................ Carlo. 43. Mio padre desidera un televisore nuovo: .... regalerò per il suo compleanno. 44. Chi vi ha portato questi dolci? .... ha portat............................ Mario. 45. Signorina, può ripetermi che cosa ha detto il dottor Lisi? Sì, avvocato, ora .... ripeto. 46. Mi offri un caffè, Paola? Certo, ... offro volentieri. 47. Sibilla ha una gonna nuova: .... ha regalat............................ sua madre. 48. Se ti piace il latte .... posso offrire un bicchiere. 49. Se ti piace la cioccolata con la panna, posso offrir............................ una tazza. 50. Antonietta e Miranda sono partite ieri e hanno dimenticato a casa mia alcuni abiti: dovrò spedir............................ (............................ dovrò spedire). 51. Mi può prestare 500.000 lire, Signor Ricci? Mi dispiace, ma non posso prestar............................ (non .... posso prestare) perché non .... ho. 52. Il professore vi spiega le regole di grammatica in italiano o in inglese? .... spiega sempre in italiano. 53. Sandra, se hai bisogno di una penna, posso prestar............................ io (............................ posso prestare io). 54. Hans, perché hai dato uno schiaffo a tua sorella? .... ho dato perché ha rotto la mia bicicletta. 55. Se desidera delle lasagne, avvocato, ... porto subito una bella porzione abbondante. 56. Quando desidero una cosa .... compro senza badare a spese. 57. Questa borsa costa troppo: non .... posso permettere (non posso permetter............................). 58. Signora, se desidera comprare la mia auto, ... vendo a un prezzo conveniente. 59. Rodolfo voleva l'indirizzo di Lucrezia, ma io non .... ho dato. 60. Se non avete capito i pronomi combinati, ... spiegherò di nuovo. 61. La moglie di Franco voleva una pelliccia di visone e lui .... comprò. 62. Enrichetta voleva un abito di seta e suo marito .... acquistò tre.

2. *A tua scelta, svolgi uno dei seguenti temi*:
1. La crisi del sentimento religioso nel mondo moderno.
2. Sembra che Enrico IV, all'alba del Seicento, avesse pensato a un "Grand dessin" che aveva per obiettivo l'unificazione dell'Europa sotto la guida spirituale della Francia. Ti pare che oggi esista quest'Europa unita vagheggiata dal monarca francese o che, viceversa, dal 1600 a

ora, ogni nazione si sia venuta maggiormente chiudendo nelle sue tradizioni e nei suoi particolarismi egoistici?
3. Grazie al progresso della scienza, certamente oggi l'uomo vive più a lungo che in passato, ma forse, sotto certi aspetti, la sua esistenza è diventata più infelice.

XVII. IL PIUCCHEPERFETTO

Il Fiorentino

C'era una volta un Fiorentino che tutte le sere andava a conversazione e sentiva ragionare la gente che *aveva viaggiato* e (*aveva*) *visto* il mondo. Lui non aveva nulla da raccontare perché *era* sempre *rimasto* a Firenze e gli pareva di far la parte del citrullo.

Così gli venne voglia di viaggiare; non ebbe pace finché non *ebbe venduto* tutto, (*ebbe*) *fatto* i bagagli e *fu partito*. Cammina cammina, a buio chiese alloggio per la notte in casa d'un curato *. Il curato lo invitò a cena e mangiando gli chiedeva il perché del suo viaggio. E sentito che il Fiorentino viaggiava per poter tornare a Firenze e aver qualcosa da raccontare disse: - Anche a me m'è venuto più volte questo desiderio: quasi quasi, se non vi dispiace, possiamo andare insieme.

- Si figuri, - disse il Fiorentino. - Non mi par vero di trovare compagnia.

E la mattina partirono assieme, il Fiorentino e il curato.

A buio arrivarono a una fattoria. Chiesero alloggio e il fattore chiese: - E perché siete in viaggio? - Quando l'*ebbe saputo* gli venne voglia di viaggiare anche a lui, e all'alba partì con loro.

I tre fecero molta strada insieme, finché arrivarono al palazzo d'un Gigante **. - Bussiamo - disse il Fiorentino, - così quando torneremo a casa avremo da raccontare di un Gigante.

Il Gigante venne ad aprire in persona e li ospitò. - Se volete restare con me, - disse poi, - qui alla Cura *** mi manca un curato, alla fattoria mi manca un fattore, e per il Fiorentino, sebbene di fiorentini non ne abbia bisogno, si troverà un posto anche per lui.

I tre dissero: - Be', a stare al servizio di un Gigante si vedranno certo cose fuori dell'ordinario; chissà quante potremo raccontarne poi! - e accettarono. Li portò a dormire e rimasero intesi che l'indomani avrebbero combinato tutto.

L'indomani il gigante disse al curato: - Venga con me che le faccio vedere le carte della Cura, - e lo condusse in una stanza. Il Fiorentino, che era un gran curioso, e non voleva perder l'occasione di vedere cose interessanti, mise l'occhio al buco della chiave e vide che, mentre il curato si chinava a guardare le carte, il Gigante alzava una sciabola, gli tagliava la testa, e lo buttava, testa e corpo, in una botola.

(*) sacerdote, prete
(**) Uomo di eccezionale corporatura
(***) Parrocchia

"Questa sì che sarà da raccontare a Firenze! - pensò il Fiorentino. -Il guaio sarà che non mi crederanno".

- Il curato l'ho messo al suo posto - disse il Gigante - ora sistemerò il fattore; venga che le mostro le carte della fattoria.

E il fattore, senza sospettare niente, seguì il Gigante in quella stanza.

Il Fiorentino dal buco della chiave lo vide chinarsi sulle carte e poi la sciabola del Gigante piombargli tra capo e collo, e poi lui decapitato finire nella botola.

Già si stava rallegrando di quante cose straordinarie poteva raccontare al suo ritorno, quando gli venne in mente che, dopo il curato e il fattore, sarebbe toccato a lui, e che quindi non avrebbe potuto raccontare proprio niente. E gli venne una gran voglia di scappare, ma il Gigante uscì dalla stanza e gli disse che prima di sistemare lui voleva andare a pranzo. Si sedettero a tavola, e il Fiorentino non riusciva a ingoiare nemmeno un boccone, e studiava un suo piano per sfuggire dalle mani del Gigante.

Il Gigante aveva un occhio che guardava male. Finito il pranzo il Fiorentino principiò a dire: Peccato! Lei è tanto bello, ma codest'occhio...

Il Gigante, a sentirsi osservato in quell'occhio, stava a disagio, e cominciò ad agitarsi sulla sedia, a batter le palpebre e ad aggrottare le sopracciglia.

- Sa? - disse il Fiorentino, - io conosco un'erba, che per i mali degli occhi è un toccasana; mi pare anzi d'averla vista qui nel prato del suo giardino.

- Ah, sì? Ah, sì? - fece subito il Gigante. - C'è qui nel prato? E andiamo a cercarla, allora.

E lo condusse nel prato, e il Fiorentino uscendo guardava bene porte e serrature per aver chiara in testa la via per scappare. Nel prato colse un'erba qualunque: tornarono in casa e la mise a bollire in una pentola d'olio.

- L'Avverto che farà molto male, - disse al Gigante. - Lei è capace di resistere al dolore senza muoversi?

- Be', certo... certo che resisto.. - fece il Gigante.

- Senta: sarà meglio che per tenerla ferma la leghi a questa tavola di marmo; se no lei si muove e l'operazione non riesce.

Il Gigante, che a farsi aggiustare quell'occhio ci teneva molto, si lasciò legare alla tavola di marmo. Quando fu legato come un salame, il Fiorentino gli rovesciò la pentola d'olio bollente negli occhi accecandoglieli tutti e due: e poi, via, giù per la scale, pensando: "Anche questa la racconto!"

Il Gigante con un urlo che fece tremare la casa s'alzò e con la tavola di marmo legata sulle spalle si mise a corrergli dietro a tentoni. Ma comprendendo che, accecato com'era, non l'avrebbe mai raggiunto ricorse a un'astuzia: - Fiorentino! - gridò! - Fiorentino! - perché m'hai lasciato? Non mi finisci la cura? quanto vuoi per finire di guarirmi? Vuoi quest'anello? - E gli tirò un anello. Era un anello fatato.

- To', - disse il Fiorentino, - questo lo porto a Firenze e lo faccio vedere a chi non mi crede! - Ma appena l'*ebbe raccolto* e se lo *fu infilato* al dito, ecco che il dito gli diventò di marmo, pesante da trascinare in terra la mano, il braccio e tutto lui dietro, lungo disteso. Ora il Fiorentino non poteva più muoversi perché non ce la faceva a sollevare il dito. Cercò di sfilarsi l'anello dal dito ma non ci riusciva. Il Gigante gli era quasi addosso. Disperato il Fiorentino trasse di tasca il coltello e si tagliò il dito: così poté scappare e il Gigante non lo trovò più.

Arrivò a Firenze con un palmo di lingua fuor dalla bocca, e gli *era passata* la voglia non solo di girare il mondo, ma anche di raccontare dei suoi viaggi. E il dito disse che se l'*era tagliato* a falciare l'erba.

(Da *Fiabe italiane*, raccolte e trascritte da Italo Calvino)

Attenzione: i verbi in corsivo sono al **trapassato prossimo** o al **trapassato remoto**

IL PIUCCHEPERFETTO (o TRAPASSATO) ha due forme:

a. TRAPASSATO PROSSIMO b. TRAPASSATO REMOTO

a. TRAPASSATO PROSSIMO = Imperfetto di ESSERE o AVERE + PARTICIPIO PASSATO del verbo che si vuole usare

Si usa per indicare un'**azione passata**, **precedente** a un'altra anch'essa **passata** (ed espressa da un imperfetto, da un passato prossimo o da un passato remoto).

AZIONE SUCCESSIVA (passata)			AZIONE PRECEDENTE (passata)
il mese scorso	rileggevo ho riletto rilessi	un libro che	**avevo letto** tanti anni fa

Attenzione:

AZIONE ACCADUTA PRIMA DEL PRESENTE = PASSATO (prossimo o remoto)	AZIONE ACCADUTA PRIMA DEL PASSATO = TRAPASSATO
Oggi spendo i soldi che **ho guadagnato** ieri. Oggi spendo i soldi che **guadagnai** tanti anni fa.	Ieri ho speso i soldi che **avevo guadagnato** l'altro ieri. L'anno scorso spesi i soldi che **avevo guadagnato** gli anni precedenti.

Uso indipendente del trapassato prossimo.	
Il trapassato prossimo si può usare anche da solo, nel caso che l'azione passata da cui dipende non sia espressa, ma esista solo nel pensiero di chi parla.	
Es: Silvia non **aveva** mai **dato** un esame	(prima di quello che **ha dato** ieri = chi parla fa riferimento a questa azione non espressa)
Non **avevo** mai **conosciuto** una donna tanto affascinante e bella	(prima di quella che **ho conosciuto** ieri)

b. TRAPASSATO REMOTO	=	Passato remoto di ESSERE o AVERE + PARTICIPIO PASSATO del verbo che si vuole usare.

Il trapassato remoto non è di uso frequente. Per poterlo usare occorre che:

1. La proposizione in cui si vorrebbe usare sia una **dipendente temporale** introdotta da un **avverbio di tempo** (appena, dopo che, quando, allorché, ecc.)
2. il verbo principale sia al **passato remoto**.

Es: Dopo che **ebbi salutato** gli amici, **partii**.
Dopo che **ebbe scoperto** il delitto, l'investigatore **telefonò** al commissario.
Appena **ebbe scritto** il suo ultimo libro, decise di partire per Londra.
Appena **fui tornato** a casa, **telefonai** a mio padre.
Quando **ebbi capito** il mio errore, **tentai** di farmi perdonare.
ecc.

Attenzione: al posto del trapassato remoto si possono usare altre forme:

Es:

Dopo che	Ebbi salutato	gli amici,	partii
Dopo che	salutai	gli amici,	partii
Dopo	aver salutato	gli amici,	partii
----	Salutati	gli amici,	partii
----	Avendo salutato	gli amici,	partii

Appena	fui tornato	a casa,	telefonai a mio padre
Appena	tornai	a casa,	telefonai a mio padre
Dopo	essere tornato	a casa,	telefonai a mio padre
----	Tornato	a casa,	telefonai a mio padre
----	Essendo tornato	a casa,	telefonai a mio padre

Naturalmente il significato delle due frasi cambia leggermente, a seconda dei modi e dei tempi usati per i verbi *salutare* e *tornare*.

Attenzione: per indicare un'azione avvenuta prima di un'altra espressa dal trapassato remoto, si usa il **trapassato prossimo**.

AZIONE N. 2	AZIONE N. 1	AZIONE N. 3
TRAPASSATO REMOTO	TRAPASSATO PROSSIMO	PASSATO REMOTO
Appena ebbe capito	che il suo gatto era scappato	si mise a piangere

1. *Sostituisci ai puntini il verbo al trapassato prossimo*:
1. Antonio si rese subito conto che suo figlio gli (dire) .... una bugia madornale. 2. Paolo si svegliò urlando e disse che (avere) .... un incubo. 3. Silvia aveva bisogno di riposo perché (avere) .... una lunga e grave malattia che l' (costringere) .... a letto per oltre un mese. 4. Ancora non sapevo quello che (succedere) .... 5. Luciano ci disse che (perdere) .... le chiavi della macchina. 6. L'imputato giurò che non (essere) .... lui a commettere l'omicidio. 7. Gaspare ammise che (fare) .... un grosso sbaglio a comprare quell'automobile. 8. I nostri genitori (arrivare) .... da appena due giorni quando, all'improvviso, ci dissero che dovevano ripartire. 9. Il mese scorso Anna perse un bracciale che (ricevere) .... in dono da suo marito l'anno precedente. 10. Mi hai portato i dolci che mi (promettere) ....? 11. Olimpia mi raccontò tutto quello che (fare) .... durante il suo lungo e interessante viaggio. 12. Sono andato da Gualtiero a riprendere i libri che gli (prestare) .... un anno fa. 13. Eleonora (decidere) .... di tagliarsi i capelli, ma poi non ne ha avuto il coraggio. 14. Quando l'investigatore ebbe scoperto che l'assassino (uccidere) .... la signora Dubois, telefonò al suo amico commissario. 15. Sono due ore che ti cerco: dove (nasconderti) ....?

2. *Sostituisci ai puntini il verbo al trapassato remoto*:
1. Solo quando (sconfiggere) .... definitivamente Napoleone a Waterloo, il duca di Wellington fu certo di aver salvato l'Inghilterra dai francesi. 2. Appena Giacomo (capire) .... che i suoi amici non erano contenti di vederlo, decise di andarsene e di non rimettere più piede nella loro casa. 3. I poliziotti arrestarono il ladro appena lo (raggiungere) .... 4. Appena (io - finire) .... di studiare, uscii. 5. Appena (lui - dire) .... quelle parole, si pentì della propria sincerità. 6. Dopo che (uccidere) .... la donna, l'assassino andò a costituirsi. 7. Quando (lui - comprendere) .... di amare quella ragazza, decise che l'avrebbe sposata. 8. Appena lo (io - riconoscere) ...., lo salutai affettuosamente. 9. Appena (smettere) .... di piovere, comparve l'arcobaleno. 10. Dopo che

(io - comprare) .... quell'abito, mi pentii di aver speso tanto danaro. 11. Appena (lui - lasciare) .... l'impiego, si mise alla ricerca di una nuova e più redditizia occupazione. 12. Dopo che (lui - ricevere) .... quella brutta notizia, si sentì male. 13. Quando (io - capire) .... di essere stato scortese, mi scusai. 14. Dopo che (noi - superare) .... gli esami, partimmo per le vacanze. 15. Solo dopo che (noi -capire) .... il problema, fummo in grado di prospettare una soluzione.

3. *Sostituisci ai puntini la forma appropriata del piuccheperfetto (trapassato prossimo o trapassato remoto)*:
1. Chi ha preso la penna che (io - lasciare) .... sulla scrivania? 2. Quando incontrai Marco non (io - compiere) .... ancora vent'anni. 3. Ieri Sabina aveva molta fame perché il giorno prima (saltare) .... il pranzo. 4. Appena (io - spengere) .... la luce, mi addormentai. 5. Dopo che (noi - scoprire) .... che ci avevano ingannato, diventammo sospettosi. 6. Appena ebbi scoperto che il ladro mi (rubare) .... tutti i gioielli, telefonai alla polizia. 7. Appena i suoi figli (andarsene) ...., la signora Olivieri uscì. 8. Miranda mi disse che il dentista le (estrarre) .... un dente del giudizio. 9. Appena il dentista le (estrarre) .... il dente, Miranda si sentì meglio. 10. Quel giorno Sibilla era molto stanca perché (alzarsi) .... all'alba e (viaggiare) .... tutto il giorno. 11. Conoscevo già quella ragazza perché le (parlare) .... altre volte. 12. Quando (io - finire) .... di parlare, guardai Clarissa e mi accorsi che era commossa. 13. Non (io - trascorrere) .... mai .... una giornata così bella! 14. Non (io - leggere) .... mai .... un libro tanto interessante. 15. Non (noi - sentire) .... mai .... una storia così avvincente. 16. Appena (io - finire) .... di vestirmi, Giorgio mi telefonò per rimandare l'appuntamento. 17. Quella vicenda non si concluse come (voi - sperare) .... 18. Decisi di comprare la macchina perché mio padre mi (promettere) .... un prestito. 19. Silvana non mi ha telefonato: eppure me lo (promettere) ....! 20. Ancora non hai smesso di fumare: eppure me lo (promettere) ....! 21. Dopo che (io - smettere) .... di fumare, ingrassai cinque chili. 22. Quando il commissario è andato ad arrestarlo, l'assassino (fuggire) .... già .... 23. Dopo che (loro - mangiare) ...., si addormentarono. 24. Ieri notte non riuscivo a prendere sonno perché (mangiare) .... troppo. 25. Quando sono arrivato, tu (andare) .... già .... via.

XVIII. I PRONOMI RELATIVI

SOGGETTO		COMPLEMENTO OGGETTO		COMPLEMENTI INDIRETTI	
Singolare	Plurale	Singolare	Plurale	Singolare	Plurale
CHE invariabile	CHE invariabile	CHE invariabile	CHE invariabile	(a)* di da in con su per CUI invariabile	(a)* di da in con su per tra CUI invariabile
Il / La QUALE	I / Le QUALI			al/alla del/della dal/dalla nel/nella con il/con la sul/sulla per il/per la QUALE	ai/alle dei/delle dai/dalle nei/nelle con i/con le sui/sulle per i/ per le tra i/tra le QUALI
CHI invariabile		CHI invariabile		a di da in con su per tra CHI invariabile	

(*) Si può dire indifferentemente **a cui** o **cui**. Es: Questa è la ragazza (a) cui ho parlato di te.

CHE

È invariabile e si usa per il maschile e il femminile, il singolare e il plurale. Può essere soggetto e complemento oggetto.

Es: Silvia è una ragazza fiorentina **che** (*soggetto*) vive a Parigi.
Il vestito **che** (*oggetto*) ho comprato è verde.

Attenzione:

a. **Che** non è mai preceduto dall'articolo quando è riferito a un nome o a un pronome. Quando è accompagnato dall'articolo (**il che** = la qual cosa; e ciò) cambia significato.
Es: Ieri ho rivisto un vecchio amico, **il che** (e ciò) mi ha commosso.

b. **Che** non segue mai direttamente il pronome indefinito **tutto**: fra i due pronomi si mette **ciò** (o **quello**).
Es: Tutto **ciò** (quello) che fai è ben fatto.

c. **Che soggetto** può essere sostituito da **il quale**, ma per il **complemento oggetto** si usa solo **che**.
Es: Luciano è un amico **che** (**il quale**) mi vuole bene.
La villa **che** vedi appartiene a Luigi.

CUI

È invariabile e si usa per il maschile e il femminile, il singolare e il plurale. Si usa sempre in funzione di complemento ed è preceduto da preposizione.

Es:

Marco è il ragazzo	(a) di da in con su per	CUI	ho regalato il mio gatto. ti ho parlato spesso. ho ricevuto molti favori. ho riposto la mia fiducia. studio botanica. faccio affidamento. Lucia ha tanto sofferto.
Ieri ho incontrato alcuni amici	(a) di da in con su per tra	CUI	ho parlato di voi. non ti ho mai parlato. non avevo avuto più notizie. mi sono imbattuto per caso. ho studiato all'università. posso contare in ogni momento. mi butterei nel fuoco. Andrea e Gualtiero.

Attenzione: a. **Cui** può essere sostituito da **il quale**.
b. **Cui** può avere valore di **possessivo**: in questo caso è preceduto dall'articolo determinativo o da una preposizione articolata.

Es: È un uomo	il cui valore il valore del quale	è molto apprezzato
È una donna	la cui bellezza la bellezza della quale	è nota a tutti.
Sono donne	i cui mariti i mariti delle quali	sono molto ricchi.
Sono amici	le cui qualità le qualità dei quali	sono rare.
È un uomo	del cui valore del valore del quale	sono certo. Ecc.

IL CUI (o LA CUI, I CUI, LE CUI, DEL CUI, DELLA CUI, DEI CUI, DELLE CUI, ecc.) *precede il nome dell'oggetto.*	*DEL QUALE* (o DELLA QUALE, DEI QUALI, DELLE QUALI) *segue il nome dell'oggetto.*
Con *Cui* l'articolo si accorda con l'oggetto.	*Con IL QUALE* l'articolo si accorda con il soggetto.

IL QUALE

È variabile ed è sempre preceduto da articolo o da preposizione articolata. Sostituisce *CHE* usato come soggetto e CUI (complementi indiretti), ma non può sostituire *CHE* usato come complemento oggetto.
Es:

SÌ	NO
Hans, **che** ha vent'anni, è un ragazzo tedesco. Hans, **il quale** ha vent'anni, è un ragazzo tedesco.	
La ragazza **con cui** studio è inglese. La ragazza **con la quale** studio è inglese.	
La casa **che** ho acquistato è molto antica.	La casa **la quale** ho acquistato è molto antica.

CHI

È invariabile e non segue mai un nome (o un pronome), ma lo sostituisce. Può essere preceduto da una preposizione, ma mai dall'articolo. Significa *colui che*.

Es: **Chi** tace acconsente (proverbio).
Ammiro **chi** ha coraggio.
La ricompensa andrà **a chi** mi riporterà il gatto.
Non è leale parlare male **di chi** è assente.
Sceglierò da solo il mio avvocato: andrò **da chi** mi parrà.
Io ho fiducia **in chi** dice poche parole, ma fa molti fatti.
Laura ha un carattere chiuso: non parla volentieri **con chi** non conosce.
Non so proprio **su chi** poter fare affidamento in questa situazione.
Queste sono davvero brutte giornate **per chi** odia il freddo.
Tra chi mi tirava da una parte e **chi** dall'altra, non sapevo dove andare.

1. *Sostituisci ai puntini il pronome relativo appropriato*:

1. Il libro .... cerchi è nel cassetto della scrivania. 2. Nicoletta e Carlo, ... abitavano in via Romana, adesso hanno cambiato casa. 3. Le città .... abbiamo visitato durante il nostro viaggio sono molto interessanti. 4. .... legge impara molte cose. 5. .... dorme non piglia pesci (proverbio). 6. Ride bene .... ride l'ultimo (proverbio). 7. Quando arriverò a Roma, andrò a trovare un mio amico .... fa il medico. 8. Mary è la ragazza di .... ti ho parlato. 9. Conosco bene la signora della .... mi parli. 10. L'amico con .... sono andato a teatro domenica si chiama Piero. 11. Ieri ho incontrato un pittore .... ho conosciuto in Francia. 12. .... si contenta gode (proverbio). 14. .... troppo vuole, nulla stringe (proverbio). 15. La musica .... preferisco è quella di Mozart. 16. Il paese di .... ti ho parlato si trova in provincia di Verona. 17. Conosco l'insegnante .... vi fa lezione d'italiano. 18. In un libro di .... non ricordo il titolo si parlava di una fata .... aveva i capelli turchini. 19. Negli ultimi mesi ho letto molti libri, tra .... quello che ha vinto il premio Campiello. 20. .... muore giace, ... vive si dà pace (proverbio). 21. Ho avuto un guasto alla macchina: ecco il motivo per .... ho fatto tardi. 22. Le difficoltà di .... mi parli mi sembrano davvero insormontabili. 23. Non parlo mai di argomenti seri con .... si dimostra disattento e superficiale. 24. Questo film non è adatto per .... è impressionabile. 25. Luigi è uno scrittore di successo i .... libri vanno a ruba. 26. Sono contento di aver ritrovato l'om-

brello .... temevo di aver perso. 27. Conosciamo una persona importante, la .... influenza (l'influenza della ....) può giovarti nel campo del lavoro. 28. Le troppe sigarette .... fumi finiranno con il rovinarti la salute. 29. Tu bevi troppo, il .... non ti fa certo bene alla salute. 30. Vi abbiamo raccontato tutto quello .... sapevamo circa questa triste storia. 31. Non mi piace la maniera poco gentile in .... si esprime quel ragazzo. 32. .... tardi arriva, male alloggia (proverbio). 33. Ho poca pazienza con .... non ha voglia di far nulla. 34. Non so con .... parlare di tutti i miei problemi. 35. Pierluigi è un amico carissimo da .... ho ricevuto molto affetto. 36. Antonio è l'amico con .... sono andato in Grecia. 37. Tiziano e Luciana sono amici .... tengo moltissimo. 38. L'appartamento nel .... vivo è molto piccolo, ma assai grazioso. 39. L'attico in .... vive Gianni è davvero lussuoso. 40. Anna è un tipo di donna con .... non potrei andare d'accordo. 41. Marcello è una persona su .... è meglio non fare affidamento. 42. Durante la giornata ho troppe cose a .... pensare. 43. .... rompe paga, e i cocci sono suoi (proverbio). 44. .... trova un amico, trova un tesoro (proverbio). 45. .... pratica lo zoppo impara a zoppicare (proverbio). 46. Le persone .... si dedicano all'assistenza degli anziani devono possedere pazienza e spirito di sacrificio. 47. Nell'ultimo film di Ingmar Bergman ci sono molte scene sulle .... ho meditato a lungo. 48. Ho comprato un vestito .... ti piacerà. 49. Ieri, in treno, sono rimasto in piedi in tutto il tratto da Firenze a Torino, il .... mi ha stancato molto. 50. Quella mia amica, la .... madre (la madre della ....) è una scrittrice famosa, mi ha detto che anche lei vuole dedicarsi alla narrativa.

2. *Sostituisci ai puntini i pronomi relativi appropriati, corredandoli, se occorre, di articoli e preposizioni*:
1. Firenze è la città .... abito. 2. Non è tutto oro quello .... luccica (proverbio). 3. Pecora .... bela perde il boccone (proverbio). 4. La roba sta .... la sa tenere (proverbio). 5. .... semina vento, raccoglie tempesta (proverbio). 6. Quelle due ragazze .... ho salutato sono le sorelle di Giulio. 7. A teatro ho assistito a uno spettacolo .... mi ha entusiasmato. 8. Mia cugina, ... più grande ambizione (la più grande ambizione ....) è quella di diventare una brava insegnante, discuterà la laurea in matematica il mese prossimo. 9. Luisa ha molti amici stranieri, ... anche due ragazzi cinesi. 10. Antonio Meli è quell'avvocato .... figlia è una celebre attrice di teatro. 11. Mia sorella,

.... onestà non ho mai avuto dubbi, ha finalmente potuto dimostrare di essere estranea alla truffa .... si era trovata implicata. 12. .... ha quattrini, ha amici (proverbio). 13. Non scorderemo mai coloro .... ci hanno aiutato nei momenti difficili. 14. Questo è lo scrittore .... ultimo romanzo ha vinto il premio *Viareggio*. 15. Ieri, per varie ore, ho dovuto ascoltare le confidenze di Silvana, ... mi ha annoiato moltissimo. 16. .... non ha frequentato le lezioni, non verrà ammesso all'esame. 17. Ti sei lasciato sfuggire l'unica opportunità .... avevi. 18. Nessuno si fida .... ha l'abitudine di mentire. 19. L'amica .... ho saputo queste cose è una persona .... merita la più completa fiducia. 20. .... ha la coda di paglia non s'avvicini al fuoco (proverbio). 21. Questo piccolo paese non è adatto .... ama la vita mondana. 22. Non devi picchiare .... è più piccolo di te. 23. Nell'ultimo mese ho letto vari libri, ... alcuni davvero interessanti e altri noiosi. 24. Simona è sposata con un uomo colto e intelligente .... vuole molto bene. 25. Nella mia casa c'è una terrazza .... si vede il panorama di tutta la città. 26. Augusto abita in una casa .... giardino coltiva ogni specie di fiori. 27. Mi hanno rubato la borsa, ... mi ha fatto molto dispiacere. 28. Non so .... chiedere questo favore. 29. Mio nonno, ... mi sono tanto preoccupato, è stato dichiarato fuori pericolo. 30. Mucci, il gatto grigio .... ho voluto tanto bene, è ormai vecchio e malato, ... mi addolora moltissimo. 31. La nostra vita sarebbe assai più triste senza gli animali, senza questi esseri straordinari .... ci regalano gioie e affetto senza chiedere nulla in cambio.

3. CACCIA ALL'ERRORE.

Correggi gli eventuali errori contenuti nelle seguenti frasi:

1. Non mi piacciono le persone chi ridono senza motivo. 2. Voglio proprio vedere a chi toccherà il primo premio. 3. Non conosco la signora di chi parli. 4. Alberto Moravia, la cui fama di scrittore è ben nota, si è recentemente sposato con una giovane giornalista spagnola. 5. Il libro il quale ho comprato costa 120.000 lire. 6. La signora Verri, la quale si è sposata da due mesi, è davvero una bella donna. 7. Non devi credere a chi mente per abitudine. 8. Erika dice tutto che pensa.

XIX. PRONOMI E AGGETTIVI INTERROGATIVI (ED ESCLAMATIVI)

CHE, *QUALE*, *QUANTO* sono pronomi e aggettivi interrogativi (ed esclamativi, qualora introducano un'esclamazione); *CHI* è solo pronome.

CHE

È invariabile.

a. Come **pronome** significa *CHE COSA* e ha tre forme:

CHE — Es: che fai?
CHE COSA — Che cosa pensi di lui?
COSA — Cosa hai detto?

differenza?

b. Come **aggettivo** significa QUALE.

Es: Che libro vuoi?
Che vino vuoi?

QUALE

Ha due forme: *QUALE* (maschile e femminile singolare) e *QUALI* (maschile e femminile plurali).
Si può troncare in *QUAL*, ma **non si apostrofa mai**.

a. Quando è **pronome** ha un significato molto diverso da *CHE*.

Es: Di queste due gonne, quale ti piace di più.
Fra questi dolci, quale preferisci.
Fra i tuoi insegnanti, qual è il migliore?

b. Quando è **aggettivo** può essere sostituito da *CHE*: rispetto a quest'ultimo esprime tuttavia una maggiore cognizione nella scelta.

Es: Quale libro vuoi?
Quale vino vuoi?

QUANTO

Varia nel genere (*QUANTO, QUANTA*) e nel numero (*QUANTI, QUANTE*); è pronome e aggettivo e indica quantità.

Es: Belli questi fiori: quanti me ne dai?
Quanta frutta hai comprato?

CHI

È solo pronome e indice persona (o animale, ma non cose). È invariabile.

Es: Pronto, chi parla?
Chi mi fa accendere?
Chi mi racconta che cosa è successo?

1. *Sostituisci ai puntini la forma appropriata del pronome o dell'aggettivo interrogativo*:

1. .... giorno è oggi? 2. .... è tuo fratello? Mio fratello è Gualtiero Viani. 3. .... è tuo fratello? Mio fratello è quello in piedi accanto alla finestra. 4. .... hai regalato a Mario per il suo compleanno? 5. A .... serve questo strano strumento? 6. .... può accompagnarmi dal dentista? 7. Di queste soluzioni, ... preferisci? 8. A .... ora arriverai? 9. .... te l'ha detto? 10. .... ore sono? 11. .... ora è? 12. .... è quella bella ragazza che ti ha salutato? 13. .... ha finito il dolce che era in frigorifero? 14. .... anni hai? 15. Dimmi .... ti ha raccontato queste menzogne. 16. Da .... anni lavora in questo ufficio, dottor Bini? 17. .... sono le vostre prospettive per il futuro? 18. .... genere di letteratura apprezzi di più? 19. .... può prestarmi 50.000 lire? 20. A .... devo rivolgermi? 21. .... di voi è disposto a venire con me? 22. In .... eravate a quella cena? 23. .... prosciutto devo darle, signora? 24. A .... piano abitate? 25. .... tempo impieghi a venire da Napoli a Firenze? 26. Abbiamo del Pinot e del Brunello; .... preferisce, avvocato? 27. Davvero non sai .... ti ha mandato questi splendidi fiori? 28. Di .... giorni è composto un anno bisestile? 29. Di .... è questo cane? 30. .... è che miagola in giardino? È il gatto dei vicini. 31. .... sono i vostri programmi per le vacanze? 32. Vado a comprare le mele: .... ne devo prendere? 33. Con .... sei andato al concerto ieri sera? 34. .... cravatta hai scelto? 35. Per .... lavori? Lavoro per un avvocato che mi paga molto bene. 36. .... è il vostro quotidiano preferito? 37. .... è un quotidiano? Il quotidiano è un giornale. 38. Per .... motivo mi rivolgete tante domande? 39. .... è la capitale della Francia? 40. .... scoprì l'America e in .... anno? 41. .... possiamo fare per voi? 42. In .... città sei nato e in .... anno? 43. Da .... andate? 44. Con .... desidera parlare, signora? 45. .... cerchi? 46. .... è tua madre? Mia madre è Sabrina Lisi. 47. .... è tua madre? Mia madre è quella signora bionda seduta sul divano. 48. .... fa tua madre? Mia madre fa la pittrice. 49. Dimmi .... ha telefonato. 50. Di .... è quell'ombrello?

2. *Aiutandoti con il dizionario, cerca di spiegare il significato dei seguenti modi di dire*:

1. Allevare una serpe in seno ....
2. Prendere due piccioni con una fava ....

3. Raddrizzare le gambe ai cani ....
4. Lacrime di coccodrillo ....
5. Salvare capra e cavoli ....
6. Fare gli occhi di triglia ....
7. Fare la gattamorta ....
8. Fare la civetta ....
9. Sentirsi un pesce fuor d'acqua ....
10. Avere una memoria da elefante ....
11. Essere sano come un pesce ....
12. Essere come cane e gatto ....
13. Essere quattro gatti ....
14. Gatta ci cova ....
15. Avere nove vite come i gatti ....
16. Fare una vita da cani ....
17. Essere solo come un cane ....
18. Menare il can per l'aia ....
19. Cane non mangia cane ....
20. Trattare come un cane ....
21. Non c'era un cane ....
22. Essere una vecchia volpe ....
23. Andare come i gamberi ....
24. Essere a cavallo ....
25. Febbre da cavallo ....
26. Cavallo di battaglia ....
27. Lavar la testa all'asino ....
28. Fare lo struzzo ....

3. *A tua scelta, svolgi uno dei seguenti temi*:
1. "La pazienza è la più eroica delle virtù giusto perché non ha nessuna apparenza d'eroico". (G. Leopardi)
2. Riflessioni allo specchio: trovi rispondenza fra ciò che sei e ciò che di te appare, fra la tua interiorità e il tuo aspetto fisico? Ti accetti come sei, o c'è qualcosa del tuo volto o della tua figura che vorresti modificare?
3. Una giornata che non potrai mai dimenticare...

XX. AVVERBI E LOCUZIONI AVVERBIALI

AVVERBI						
DI MODO		DI LUOGO	DI TEMPO	DI QUANTITÀ	DI AFFERMAZIONE	INTERROGATIVI
a.	Aggettivi femminili + **mente**	qui	oggi	molto	sì	come?
		qua	ieri	assai	certo	dove?
		lì	domani	parecchio	certamente	perché?
	onesta**mente**	là	adesso	troppo	sicuramente	quando?
	ferma**mente**	dappertutto	allora	alquanto	proprio	quanto?
	chiara**mente**	su	subito	abbastanza	davvero	
b.	Aggettivi in **le** e **re** = perdono la **e** prima di **mente**	giù	presto	poco	esattamente	
		lassù	tardi	niente	appunto	
		laggiù	spesso	quasi	ecc.	
		ci (ce)	sempre	più		
	agil(e)**mente**, ecc.	vi (ve)	talvolta	meno	DI NEGAZIONE	
	regolar(e)**mente**, ecc.	ne	mai	tanto	no	
		lontano	prima	altrettanto	non	
c.	bene	vicino	dopo	appena	neanche	
	male	fuori	già	affatto (*)	neppure	
	volentieri	dentro	frattanto	ecc.	nemmeno	
	così	ecc.	ormai		ecc.	
	come, ecc.		ecc.	AGGIUNTIVI: anche	DI DUBBIO	
		RELATIVI: dove		pure	forse	
d.	bocconi	ove		inoltre	probabilmente	
	carponi	donde		ancora	possibilmente	
	ginocchioni	dovunque		neppure	chissà	
	penzoloni	ovunque		perfino	ecc.	
	ciondoloni, ecc.			neanche		
				ecc.		

(*) *Affatto* ha valore affermativo e significa *interamente, compiutamente, del tutto*. *Affatto* assume significato negativo solo quando è preceduto da un'espressione negativa (*niente affatto, nulla affatto*).

Le LOCUZIONI AVVERBIALI sono costituite da gruppi di parole con funzione di avverbio.
Possono essere costituite:

a. da PREPOSIZIONE + AVVERBIO — di più, di meno, fra poco, da sempre, ecc.

b. da PREPOSIZIONE + AGGETTIVO — di frequente, a lungo, di recente, ecc.

c. da PREPOSIZIONE + SOSTANTIVO — di corsa, a piedi, per fortuna, ecc.

d. in altro modo — terra terra, pian piano, per l'appunto, a un di presso, né più né meno, ecc.

I GRADI DELL'AVVERBIO

Gli avverbi di modo, come gli aggettivi da cui derivano, **hanno il comparativo e il superlativo**.

Es: onestamente - più onestamente, meno onestamente, tanto (o così) onestamente quanto (o come) ..., onestissimamente, assai (o molto) onestamente, il più onestamente.

Gli avverbi **bene**, **male**, **grandemente**, **molto e poco** hanno forme particolari di comparativo e superlativo:

AGGETTIVO	AVVERBIO	COMPARATIVO	SUPERLATIVO
buono	bene	meglio	benissimo o ottimamente molto bene, assai bene
cattivo	male	peggio	malissimo o pessimamente molto male, assai male
grande	grandemente	maggiormente	massimamente o sommamente
piccolo	poco	meno	pochissimo o minimamente molto poco, assai poco
molto	molto	più	moltissimo o assai

Anche altri avverbi possono avere il comparativo e il superlativo.

Es: lontano - più lontano, meno lontano, tanto (o così) lontano quanto (o come), lontanissimo, assai (o molto) lontano, il più lontano.

tardi - più tardi, meno tardi, tanto (o così) tardi quanto (o come), tardissimo, assai (o molto) tardi, il più tardi.

Spesso avverbi e locuzioni avverbiali possono avere **forme alterate**.

Es: BENE	- **benino** (diminutivo), **benone** (accrescitivo).
MALE	- **maluccio** (vezzeggiativo), **malaccio** (peggiorativo).
A CASO	- **a casaccio** (peggiorativo).
PIANO PIANO	- **pianino pianino** (diminutivo).
ecc.	

1. *Trova i sinonimi dei seguenti avverbi e locuzioni avverbiali*:

1. Velocemente	2. Lemme lemme ....
3. Subito	4. Probabilmente ....
5. Spesso	6. Esattamente ....
7. Neppure	8. Felicemente ....
9. Celatamente	10. Talvolta ....
11. Piuttosto	12. Piano piano ....
13. Malinconicamente	14. Di punto in bianco ....
15. Virtuosamente	16. A dismisura ....
17. Pacatamente	18. Assai ....
19. Di buon grado	20. Ora ....

2. *Trova i contrari dei seguenti avverbi e locuzioni avverbiali*:

1. Davanti	2. Sopra ....
3. Difficilmente	4. Frequentemente ....
5. Sicuramente	6. In fretta ....
7. Di tanto in tanto	8. Tardi ....
9. Dopo	10. Volentieri ....
11. Meticolosamente	12. Allora ....
13. Allegramente	14. Onestamente ....
15. Eroicamente	16. Rumorosamente ....
17. Disordinatamente	18. Poco ....
19. Chiaramente	20. Bene ....
21. Certamente	22. Piano ....
23. Più	24. Cortesemente ....
25. Realmente	26. Oggettivamente ....
27. Lealmente	28. Negativamente ....
29. Anticamente	30. Lassù ....

3. *Spiega il significato delle locuzioni e degli avverbi contenuti nelle seguenti frasi*:

1. Camminava **lemme lemme**. ....
2. Si dedicava allo studio **di malavoglia**. ....

3. Paolo correva **a perdifiato**. ....
4. Silvia dorme **bocconi**. ....
5. Corrado è cresciuto **a dismisura**. ....
6. Olga fa le cose **alla carlona**. ....
7. Elena canta **a squarciagola** ....
8. Folco è caduto **ruzzoloni** ....
9. A causa del buio, procedeva **a tastoni**. ....
10. Di bugie, ne dice **a bizzeffe**. ....
11. Oggi piove **a catinelle**. ....
12. Luisa correva **all'impazzata**. ....
13. Si trascinava **carponi**. ....
14. Stava con le gambe **a cavalcioni**. ....
15. Ha finito i compiti **alla meglio** e poi è uscito. ....

4. *Alle locuzioni avverbiali fra parentesi sostituisci un avverbio di significato analogo*:
1. (A un tratto) .... capii che ero stato ingannato. 2. Ezio ha trovato lavoro (a fatica) .... 3. Luigi è tornato a casa (or ora) .... 4. (Di punto in bianco) .... è partito e nessuno l'ha più visto. 5. Lucia ha preso l'ombrello ed è uscita (in fretta e furia) .... 6. Ha fatto le cose (alla carlona) .... e adesso si rammarica degli scarsi risultati ottenuti. 7. Ugo prende la vita troppo (alla leggera) .... 8. Carlo, puoi farmi un favore? Certo: te lo faccio (di cuore) .... 9. Anna si è alzata (di buon'ora) .... ed è uscita quasi subito. 10. Ieri Mario ha finito (alla svelta) .... i suoi compiti e poi è andato al cinema con i suoi amici. 11. Enrico è partito (di malavoglia) .... 12. Alice e sua sorella s'incontrano (di rado) .... perché abitano in due città diverse. 13. Verrò da te (in un batter d'occhio) .... 14. Dov'è Francesca? È uscita (di volata) .... per andare alla stazione. 15. Ho finito (alla meglio) .... di preparare il pranzo, ma non ne avevo proprio voglia.

5. *Al posto dei puntini inserisci l'avverbio appropriato*:
1. È mezzogiorno e Mario non si è .... alzato; sarà .... che vada a svegliarlo. 2. Ti prometto che non dirò .... bugie. 3. Augusto è stanco perché questa notte è andato a letto .... 4. Che guaio! Le cose non potrebbero andare .... di così. 5. Oggi non ho più la febbre e mi sento .... di ieri. 6. Non usciamo .... di sera, però qualche volta andiamo a teatro. 7. Ho i minuti contati perché il mio

treno parte fra un'ora: quindi dimmi .... quello che posso fare per te. 8. La sua offerta è ottima, ingegnere, e io l'accetto .... 9. Tu non leggi .... è questo il motivo per cui non ricordi ciò che hai letto. 10. Se cambio letto dormo .... 11. Elisa aveva invitato molte persone? No, ne aveva invitate .... dieci. 12. .... smise di piovere e tornò il sole. 13. Ti parlerò .... per rispetto della nostra amicizia. 13. Consigliami tu: mi rimetto .... a te. 14. Silvio è un egoista: non si cura .... degli altri. 15. Ludovico non è .... uno stupido, ma .... si comporta come se lo fosse. 16. .... partirò domani, ma non ne sono .... certo. 17. Luigi ha perso l'equilibrio ed è caduto .... per terra. 18. Oggi mi sento ....: sarà meglio che vada a letto. 19. Angela ha comprato quel vestito perché costava .... degli altri. 20. La tartaruga cammina .... 21. Signora, dica a suo figlio che ho .... bisogno di vederlo. 22. Sei .... deciso a cambiare lavoro? 23. Anna è .... innamorata di suo marito. 24. Ieri Sandro non ha digerito perché ha mangiato .... e così è stato .... tutto il giorno. 25. Ti è piaciuto il film? Sì, mi è piaciuto ...., ma non quanto mi aspettavo.

6. *A tua scelta, svolgi uno dei seguenti temi*:

1. "È senz'altro da preferirsi la vita delle mosche e degli uccelli, che possono vivere tranquillamente secondo natura, per quanto almeno lo permettono loro le insidie dell'uomo. È incredibile quanto perda del suo fascino un uccello che, chiuso in gabbia, abbia imparato a balbettare qualche parola umana. Giacché la creazione della Natura è senz'altro più lieta ed attraente di quella dell'uomo." (Erasmo da Rotterdam).
2. "L'Amore sa leggere ciò che è scritto sulla stella più lontana..." (Oscar Wilde).
3. L'uomo si sta avvicinando al traguardo del secondo millennio dell'era cristiana: qual è il bilancio della sua spiritualità?

XXI. LA CONCORDANZA DEI TEMPI DELL'INDICATIVO

1. VERBO PRINCIPALE AL PRESENTE (O AL PASSATO LEGATO AL PRESENTE)

Verbo principale		Azione		
SO (Poco fa) HO SAPUTO	che	a. Azione posteriore	(domani) (domani) (domani)	STUDIERAI STUDI STUDIERESTI se...
		b. Azione contemporanea	(ora) (ora)	STUDI STAI STUDIANDO
		c. Azione anteriore	(ieri) (un anno fa) (prima di allora) (in quel periodo) (allora)	HAI STUDIATO STUDIASTI AVEVI STUDIATO STUDIAVI AVRESTI STUDIATO se...

2. VERBO PRINCIPALE AL PASSATO (NON LEGATO AL PRESENTE)

Verbo principale		Azione		
HO SAPUTO SAPEVO SEPPI AVEVO SAPUTO	che	a. Azione posteriore	(il giorno dopo) (il giorno dopo)	AVRESTI STUDIATO STUDIAVI
		b. Azione contemporanea	(quel giorno)	STUDIAVI STAVI STUDIANDO
		c. Azione anteriore	(il giorno prima) (dopo che)	AVEVI STUDIATO (AVESTI STUDIATO) *

3. VERBO PRINCIPALE AL FUTURO

Verbo principale		Azione		
SAPRÒ	se	a. Azione posteriore	(domani) (domani)	STUDIERAI STUDI
		b. Azione contemporanea	(oggi) (oggi)	STUDIERAI STUDI
		c. Azione anteriore	(ieri) (ieri) (quel giorno)	HAI STUDIATO (AVRAI STUDIATO) ** AVEVI (già) STUDIATO STUDIASTI

(*) Il **trapassato rem.** può dipendere **solo** dal **passato rem.** — (**) Es. dell'uso più comune del **futuro anteriore**: Dopo che avrai studiato, saprò se premiarti.

1. *All'infinito fra parentesi sostituisci il tempo appropriato dell'indicativo:*
1. Venerdì notte, mentre (io - uscire) .... da teatro, dove (io - assistere) .... alla rappresentazione di *Giuletta e Romeo*, incontrai mio cugino Daniele che non (io - vedere) .... da molto tempo. (Lui - dirmi) .... che (lui -tornare) .... allora da Londra dove (lui - visitare) .... i più importanti musei in compagnia di un celebre pittore inglese che (lui - conoscere) .... nel 1984. 2. Tre anni fa Lucrezia (andare) .... in Francia dove (visitare) .... molte gallerie d'arte in compagnia di un pittore che (conoscere) .... dal 1980. 3. Nel 1984, dopo svariati dubbi ed esitazioni, (io - decidere) .... di trasferirmi in Olanda dove (io - rimanere) .... fino al mese scorso. 4. Fra pochi minuti sapremo chi (essere) .... il fortunato vincitore della lotteria. 5. A mezzanotte in punto sapemmo chi (essere) .... il fortunato vincitore dei tre miliardi. 6. Non ti lascerò in pace se prima non (tu -dirmi) .... per quale motivo mi hai ingannato. 7. "Se ti è andata male con lei che era tutto il tuo sogno, con chi (poterti) .... mai andare bene?" (C. Pavese) 8. Gli rimproverarono azioni che non (lui - compiere) .... mai. 9. Gianni aveva deciso di cambiare lavoro, ma poi (ripensarci) .... 10. Eleonora mi ha ripetuto che (lei - incontrarti) .... ieri in via Cavour. 11. Temo che domenica (piovere) ....

2. *All'infinito fra parentesi sostituisci il tempo appropriato per esprimere un'azione* **posteriore** *rispetto a quella principale:*
1. Stefania sa già dove (andare) .... in vacanza la prossima estate. 2. Stefania sapeva già dove (andare) .... in vacanza l'estate successiva. 3. Capii subito che Laura (cercare) .... di conoscere la verità. 4. Mario promise al medico che (smettere) .... di fumare. 5. Poco fa Antonella mi ha detto che domenica prossima (partire) .... per il mare. 6. Una settimana fa Piero mi ha detto che (partire) .... per il mare. 7. Sono sicuro che in questa impresa (tu - rimetterci) .... dei soldi. 8. Se non (tu - uscire) .... in fretta, farai tardi all'appuntamento.

3. *All'infinito fra parentesi sostituisci il tempo appropriato per esprimere un'azione* **contemporanea** *rispetto a quella principale:*
1. Tutti notarono che Anna (essere) .... imbarazzata. 2. Gli domandai se (lui - avere) .... sete. 3. Capirò subito se oggi

(tu - avere) .... intenzione di studiare o no. 4. Ho saputo che Carlo (lavorare) .... alla clinica S. Rita. 5. Mentre (io -aspettare) .... Luisa, ho fumato tre sigarette. 6. So che (tu - avere) .... fretta e quindi non ti trattengo. 7. Non ti trattenni perché (tu - avere) .... fretta. 8. La soprano non poté cantare perché (avere) .... una grave faringite.

4. *All'infinito fra parentesi sostituisci il tempo appropriato per esprimere un'azione anteriore rispetto a quella principale*:
1. Olga capì immediatamente quello che (succedere) .... 2. Dopo che (io - finire) .... di mangiare, bevvi un caffè. 3. Domani saprò se ieri (arrivare) .... Lorenzo. 4. Dopo che (io - mangiare) ...., berrò un caffè. 5. Forse Dario non saprà mai che, nell'estate del 1982, sua moglie lo (ingannare) .... 6. Alberto raccontava che, da giovane, (essere) .... molto malato. 7. La signora Righi mi ha detto che sua figlia, già da una settimana, (partire) .... per l'India. 8. Papà, quando mi darai le 100.000 lire che mi (promettere) .... ?

5. *In questo racconto, all'infinito fra parentesi, sostituisci il verbo nel tempo e modo richiesti dalla logica della narrazione*:
Giotto di Bondone (1267? - 1337), il grande pittore toscano, ai suoi tempi godeva fama di essere un uomo faceto. Una domenica camminava a Firenze per via del Cocomero, insieme a un'allegra brigata di amici con i quali (scambiare) .... delle facezie. A un tratto, nella strada, (irrompere) .... alcuni maiali in corsa e uno di essi (andare) .... a sbattere violentemente contro le gambe di Giotto il quale, perso l'equilibrio, cadde a terra. Appena (rialzarsi) ...., il pittore non (mostrare) .... alcun segno di malumore, né (indirizzare) .... agli animali alcuna imprecazione, ma anzi, rivolto ai compagni che lo (guardare) .... divertiti, (dire) ....: "Non (avere) .... forse ragione queste bestie ad avercela con me? Grazie ai pennelli fatti con le loro setole, io (guadagnare) .... migliaia di lire e a loro non (offrire) .... nemmeno una scodella di minestra!"
(Libera riduzione da **Franco Sacchetti**, *Le Novelle*, LXXV)

XXII. IL CONDIZIONALE

S'i'(1) fossi fuoco

S'i' fossi fuoco, *ardere'* (2) il mondo,
s'i' fossi vento, lo *tempesterei*,
s'i' fossi acqua, l'*annegherei*,
s'i' fossi Dio, *mandereil* (3) en (4) profondo;

S'i' fossi Papa, *sare'* (5) allor giocondo
che tutti cristiani *imbrigherei* (6);
s'i' fossi 'mperator (7), sai che *farei*?
A tutti *mozzerei* lo capo a tondo.

S'i' fossi Morte, *anderei* da mio padre,
s'i' fossi vita, *fuggirei* da lui,
similmente *faria* (8) da mi' (9) madre.

S'i' fossi Cecco, com'i' (10) sono e fui,
torrei (11) le donne giovani e leggiadre,
e vecchie e laide *lasserei* (12) altrui.

(Cecco Angiolieri, 1260? -1310?)

Attenzione: i verbi in corsivo sono al **condizionale**.

---

1. s'i' = se io
2. ardere' = arderei
3. mandereil = lo manderei
4. en = in; nel
5. sare' = sarei
6. imbrigherei = darei delle brighe, dei problemi
7. 'mperator = imperatore
8. faria = farei
9. mi' = mia
10. com'i' = come io
11. torrei = toglierei, prenderei
12. lasserei = lascerei

Il **Condizionale** ha due forme: 1. **condizionale semplice** (o presente)
2. **condizionale composto** (o passato)

CONDIZIONALE SEMPLICE			
	I **AMARE**	II **PERDERE**	III **PARTIRE**
io	am**erei**	perd**erei**	part**irei**
tu	am**eresti**	perd**eresti**	part**iresti**
lui, lei, Lei	am**erebbe**	perd**erebbe**	part**irebbe**
noi	am**eremmo**	perd**eremmo**	part**iremmo**
voi	am**ereste**	perd**ereste**	part**ireste**
loro, Loro	am**erebbero**	perd**erebbero**	part**irebbero**
	ESSERE	**AVERE**	
io	sarei	avrei	
tu	saresti	avresti	
lui, lei, Lei	sarebbe	avrebbe	
noi	saremmo	avremmo	
voi	sareste	avreste	
loro, Loro	sarebbero	avrebbero	

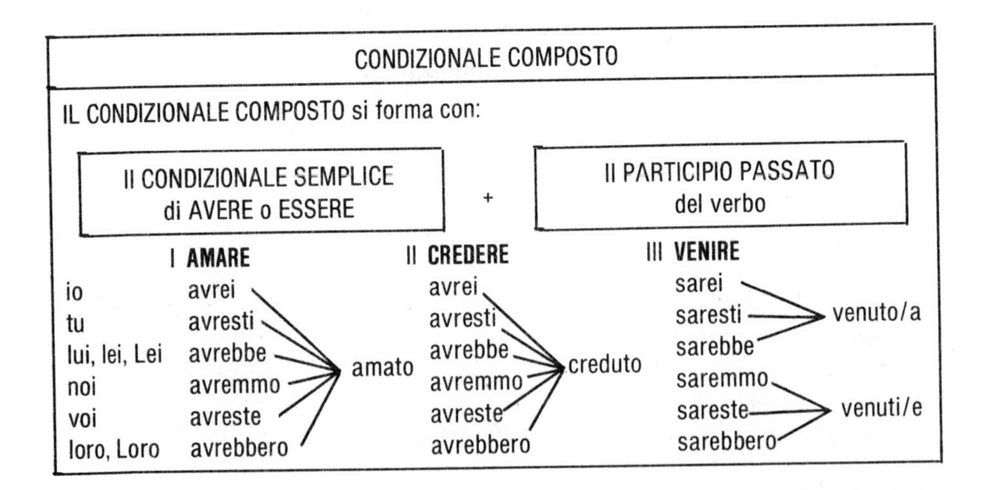

Attenzione: il condizionale presenta le stesse irregolarità del **futuro**.
Es: CERCARE - cercherò - cercherei
VENIRE - verrò - verrei
CADERE - cadrò - cadrei
DARE - darò - darei
ecc. (Ved. cap. VIII)

Attenzione: il CONDIZIONALE non esprime mai una condizione, ma la CONSEGUENZA di una condizione.

CONDIZIONALE SEMPLICE

Il condizionale semplice non esprime un'azione in atto, ma la **possibilità**, il desiderio di realizzarla.
Es: Domani **andrei** volentieri a Milano (l'azione non è certa, ma possibile).

CONDIZIONALE COMPOSTO

Il condizionale composto esprime un'azione che non si è realizzata nel passato e non è realizzabile né al presente, né al futuro.
Es: Ieri **sarei andato** volentieri a Milano, ma non ho potuto.
Oggi **sarei andato** volentieri a Milano, ma mi è capitato un contrattempo.
Domani **sarei andato** volentieri a Milano, ma invece dovrò lavorare.

USO DEL CONDIZIONALE

Il CONDIZIONALE si usa per esprimere:

1. **La conseguenza di una condizione, di un'ipotesi** (vedi periodo ipotetico).
   Es: Se volessi, ci **riuscirei**.
   Se avessi voluto, ci **sarei riuscito**.

2. **Un'azione determinata da un'altra**.
   Es: Ho già finito tutto il mio stipendio altrimenti ti **presterei** io le 500.000 lire di cui hai bisogno (lingua parlata).
   Avevo già finito tutto il mio stipendio, altrimenti ti **avrei prestato** io le 500.000 lire di cui avevi bisogno.

3. **Un dubbio**.
   Es: Non so se mio padre **sarebbe** d'accordo con te.
   Non sapevo se mio padre **sarebbe stato** d'accordo con te.

4. **Una supposizione**.
   Es: Secondo la stampa, i due presidenti **s'incontrerebbero** oggi a Parigi.
   Secondo la stampa, i due presidenti **si sarebbero incontrati** ieri a Parigi.

5. **Una richiesta cortese** (In genere si usa solo il condizionale semplice).
   Es: Signorina, **vorrei** quel libro per favore.

6. **Un'opinione personale.**
   Es: Secondo me **sarebbe** meglio andare a dormire.
   Secondo me **sarebbe stato** meglio andare a dormire.

7. **Un invito, un'esortazione.**
   Es: Tu **dovresti** smettere di fumare, mio caro.
   Tu **avresti dovuto** smettere di fumare da un pezzo, mio caro.

8. **Un'azione posteriore a un'altra passata** (FUTURO NEL PASSATO). In questo caso si usa soltanto il **condizionale composto.**
   Es: Mi promise che mi **avrebbe aiutato.**

9. **Un desiderio, un'intenzione.**
   Es: Adesso **berrei** volentieri un caffè bollente.
   In quel momento **avrei bevuto** volentieri un caffè bollente.

Attenzione: Mentre il condizionale semplice esprime un desiderio realizzabile nel presente o nel futuro, il condizionale composto esprime un desiderio che non si è realizzato nel passato (e non è realizzabile né nel presente, né nel futuro).

CONDIZIONALE SEMPLICE	CONDIZIONALE COMPOSTO
----	Ieri **avrei scritto** volentieri a Ugo, ma non ho avuto tempo (e quindi non gli ho scritto = L'AZIONE NON SI È REALIZZATA).
Oggi **mangerei** volentieri delle fragole (forse le mangerò = L'AZIONE SI PUÒ REALIZZARE).	Oggi **avrei mangiato** volentieri delle fragole, ma non le ho trovate (non le mangerò = L'AZIONE NON È REALIZZABILE NEL PRESENTE).
Domani **andrei** volentieri al mare (forse ci andrò = L'AZIONE SI POTRÀ REALIZZARE).	Domani **sarei andato** volentieri al mare, ma purtroppo ho un impegno (non andrò al mare = L'AZIONE NON È REALIZZABILE NEL FUTURO).

1. *All'infinito fra parentesi sostituisci la forma appropriata del condizionale*:

1. (Tu - dovere) .... scrivere immediatamente quella lettera di scuse: adesso è troppo tardi. 2. (Tu - dovere) .... scrivere una lettera di scuse prima che sia troppo tardi. 3. Non (piacermi) .... vivere sempre in una stanza d'albergo. 4. Questa sera Luigi (preferire) .... rimanere a casa: lo so perché me l'ha detto lui. 5. Questa sera Luigi (preferire) .... rimanere a casa e invece deve uscire perché ha un impegno di lavoro. 6. Signora, (potere) .... dirmi, per favore, dov'è piazza del Duomo? 7. (Tu - venire) .... a cena da me domani sera? 8. Seppi che Alberto (partire) .... la settimana successiva al nostro ultimo incontro. 9. Carlo aveva vent'anni e per quella donna (andare) .... in capo al mondo. 10. Per questa ragazza (io - fare) .... follie. 11. Mario era sicuro che la sua invenzione (fruttargli) .... molti soldi. 12. Scusa, Angela, (essere) .... tanto gentile da accendere la luce? 13. Andrea (vivere) .... volentieri in India. 14. Lucilla promise a sua sorella che (prestarle) .... il suo vestito rosso. 15. Adesso (io - bere) .... volentieri un bicchiere di latte freddo. 16. In quel momento Antonietta si sentiva così debole che (bere) .... volentieri un cognac. 17. Secondo me, (tu - fare) .... bene a prendere un calmante: sei troppo agitato. 18. (Tu - fare) .... bene a prendere un calmante: eri troppo agitato. 19. M'illudevo che, con il passare degli anni, il carattere di Ornella (migliorare) .... 20. Signorina, (io - preferire) .... un tessuto scozzese, piuttosto che in tinta unita. 21. Ragazzi, adesso (dovere) .... fare silenzio! 22. Invece del dolce, (io -volere) .... della macedonia. 23. Questa sera (io - andare) .... volentieri al cinema, ma invece dovrò lavorare fino a tardi. 24. Con quel freddo (noi - preferire) .... andare a letto, piuttosto che uscire. 25. Con questo freddo (io - preferire) .... rimanere a casa: non ho nessuna voglia di uscire. 26. Lucia mi promise che (avvertirmi) .... di ogni mutamento di programma. 27. In quell'occasione (tu - dovere) .... esigere più rispetto. 28. Vorrei vedere che cosa (fare) .... tu al mio posto! 29. In quell'occasione non mi comportai con intelligenza; al mio posto tu (agire) .... meglio. 30. Secondo i medici Giacomo non (dovere) .... bere alcolici. 31. (Io - volere) .... sapere chi ha preso il mio ombrello! 32. Mi dispiace che Orietta non venga a ballare con me questa sera: (io -portarla) .... in un locale molto raffinato. 33. La casa di Marta è troppo umida: non (piacermi) .... abitarci. 34. Secondo me hai fatto male ad agire d'impulso: (dovere) .... comportarti con più tatto. 35. Domani (io - volere) .... andare a trovare mia madre.

36. Oggi (io - volere) .... andare a trovare mia madre, ma non potrò perché dovrò trattenermi fino a tardi all'università. 37. So che hai già comprato la bicicletta nuova: peccato! (Io - potere) .... darti la mia. 38. Oggi (piacermi) .... andare in campagna, ma con questa pioggia dovrò rinunciarci. 39. Camminare per dieci chilometri sotto la neve (essere) .... una follia che non sono disposto a fare. 40. Allora chi (immaginare) .... che il matrimonio tra Pierluigi e Miranda era destinato al fallimento? 41. Hans è già stato agli Uffizi, ma (volere) .... ritornarci. 42. Che cosa (tu - volere) .... fare adesso? 43. Erina mi promise che (accompagnarmi) .... dal medico. 44. Dopo pranzo (io - fare) .... volentieri una breve passeggiata. 45. Mirella e Franco (dovere) .... arrivare oggi; invece hanno cambiato programma e non so quando arriveranno. 46. (Piacermi) .... andare a teatro, ma non ci sono più biglietti. 47. L'anno scorso Paolo mi disse che (trasferirsi) .... a Milano. 48. Non (io - dire) .... quelle cose, se non fossi stato tanto in collera. 49. Non (tu - parlare) .... così, se sapessi la verità. 50. È un vestito troppo vistoso: io non (avere) .... coraggio d'indossarlo.

2. *A tua scelta, svolgi uno dei seguenti temi*:

1. Il lavoro non è soltanto un mezzo per guadagnare danaro, ma anche un modo per affermare la propria personalità: parla dell'attività che svolgi o che ti piacerebbe svolgere.
2. L'immagine di città dell'arte e della cultura che molti stranieri hanno di Firenze prima ancora di averla visitata corrisponde alla realtà che hai sperimentato in questo tuo soggiorno?
3. "...Fatti non foste a viver come bruti,
   Ma per seguir virtute e conoscenza." (Dante)

XXIII IL CONGIUNTIVO

Marisa fu puntuale. Il suo volto mi parve meglio dipinto con cipria e rossetto. Non aveva più il fermaglio sulla tempia; ed i capelli, pettinati indietro, le scoprivano la fronte tagliata da una piccola vena azzurra che partiva di mezzo alle sopracciglia fino all'attaccatura dei capelli. Si poteva immaginare la sua carne raccolta nel proprio tepore, sotto i risvolti di pelliccia. Teneva le mani dentro le tasche del cappotto, e la borsetta stretta sotto il braccio.

Sapevo che era stata fidanzata più di una volta. E altri fatti, malignati da Carlo a mezza voce, allusioni e nulla più, la rendevano accessibile in cuor mio al desiderio. Stava al Madonnone: una fila di case lungo la via Aretina, abitate da lavandai e contadini, da infermieri del Manicomio ch'è nei pressi, da renaioli che hanno il fiume accanto a casa e tirano i barconi all'asciutto sulle soglie, quando è sera. Si era avvicinata a noi traverso Luciana, essendo entrambe commesse in un bazar del centro, ma io la conoscevo poco. La sua adolescenza era trascorsa lontano da noi, seppure simile. Non v'era amicizia fra lei e me.

Camminando e tenendola a braccetto ero felice, quel giorno. Essa odorava di colonia. Parlava, e la sua voce era chiara e squillante, commentata dal sorriso. Per la prima volta camminavo per le strade e piazze del nostro Quartiere con una ragazza al braccio, compreso del mio ruolo: mi sorprendeva la disinvoltura con la quale agivo. Marisa aveva frantumato con il suo volto aperto e la sua aperta franchezza ogni mio riserbo, la mia innata timidità. Io ero veramente innamorato di lei in quel momento, colmo della sua figura che camminava al mio fianco. Per un attimo pensai a Luciana: la vidi triste e sbiadita nel ricordo, come se la consuetudine che ci univa da troppo tempo *avesse consunto* dentro di me il sentimento inespresso che accompagnava la sua immagine. Marisa era presente al mio fianco, rideva. Stavo a mio agio vicino a lei: si immedesimavano nella sua persona, e trovavano il loro esito, gli incubi del sangue, gli eccessi del sesso che avevo patito fino allora oscuramente. Salendo d'accordo verso i Colli, traversato il fiume, parlando, era un'offerta tacita e reciproca dei nostri corpi adolescenti che ci scambiavamo con gli occhi. La mia castità era scontata da millenni nell'istante in cui passavo la mano sui suoi risvolti di pelliccia avvertendo il seno se premevo un poco.

"Stai calda, nevvero?"

"Abbastanza. Ti piace? È pelle di coniglio, cosa credi?"

Salivamo lentamente l'Erta Canina. Davanti ai nostri occhi, la scalinata del Monte alle Croci era ferma e aerea a tentare il cielo, con le due file di enormi cipressi battutti dal sole. Un pomeriggio di tardo inverno, tepido e solatio, col cielo azzurro della nostra città, accoglieva l'idillio. Dalla Porta San Niccolò ci inseguivano alle spalle un frastuono di carosello, grida di ragazzi, richiami di venditori di dolciumi e di lupini salati. Lungo l'Erta stavano le donne sedute sulle soglie a godersi il sole, raccolte negli scialli.

"Non ti meraviglia che io *sia* qui con te sapendo che tu ami Luciana? Pensi che *stia* commettendo una cattiva azione?"

"Macché cattiva azione" e le strinsi il braccio. "E poi, non ti ho mica detto che amo Luciana."

"Ma lei lo crede. Lo spera. E tu faresti male se *mentissi* a te stesso, perché lo dicono tutti che le vuoi bene. Me ne ha parlato Carlo più volte, non lei soltanto."

Ci fermammo, e io le fui di fronte. Ero più alto di lei, nella strada in pendio.

"Dimmi un po'" le chiesi. "Sei qui per sostenere la causa di Luciana?"

Un'improvvisa amarezza mi invadeva, ma non volevo cedere ancora alla delusione, deciso nel mio desiderio che le sue parole sembravano respingere tutto a un tratto. Essa rise. Fu contenta del mio risentimento: lo sguardo le balenava di malizia. Accentuò volutamente la sua ilarità, troppo immediata per essere sincera: si piegò sul busto battendosi una mano sulle ginocchia. Rispose:

"Ma non arrabbiarti così! Ti *vedessi* come sei brutto! Strizzi gli occhi come se *volessi* farmi paura".

Risollevandosi mi prese il braccio, intrecciando le mani come al mattino sul Lungarno, premendosi al mio fianco. Così salivamo verso i Colli. Essa disse:

"Allora spiegati, su. Parla". Sorrideva ancora, tuttavia un'incertezza era nella sua voce: sembrava temere le mie parole.

Ma i pantaloni lunghi, la brillantina sui capelli, non cambiano di colpo la stagione del cuore! Cercando di esprimermi fui impacciato, mi sentii il volto avvampare di rossore.

"Se dico che mi piaci, ti basta?"

"No che non mi basta, potrei anche avermene a male invece." E soggiunse: "Io so di stare commettendo una cattiva azione verso Luciana, ma non lo faccio per capriccio. Ti ho voluto bene da quando ti ho visto, ed ho sempre fatto a meno di avvicinarti. Pensavo che tu *fossi* innamorato di Luciana e per consolarmi mi dicevo che eri ancora un bambino, coi ginocchi scoperti. Non ti offendere. Era un modo come un altro per cercare di consolarmi. *Sapessi* che tuffo al cuore ebbi la sera che ci spiasti!".

"Te ne accorgesti che vi seguivo?"

"Sì. E mi vergognavo come una ladra. Vedesti come presi in corsa l'autobus in via Aretina per sperdere quell'individuo? Per poco non caddi."

"Io avevo seguito Luciana."

"Ah sì? Infatti" esclamò sorpresa; e tacque per un istante. "Chissà perché mi ero illusa! Non c'era motivo che tu lo *facessi*, eppure mi dicevo che eri venuto dietro a me. Questo cambia tutto quello che ho architettato dentro il cervello in questo tempo."

"Perché cambia tutto? Hai soltanto previsto ciò che doveva accadere. Avrei dovuto seguire proprio te quella sera."

"Lo dici così per dire."

Si era fatta seria. La sua faccia aveva un'espressione immota, tranquilla come nel sonno, con gli occhi aperti e fermi. Fu allora che mi accorsi della vena sulla fronte. Essa seguiva un suo pensiero, disse:

"Forse Carlo ti ha parlato di me. Tu sei venuto all'appuntamento pensando di potermi offendere e basta. E riderne poi con lui. Dimmi la verità."

"Ti giuro di no" risposi. "Ho scoperto che ti voglio bene, ecco come sta la cosa. Fino a ieri non pensavo a te. Ossia ci pensavo, ma al contrario di quanto ti succedeva; tu eri troppo grande per me, una signorina. O così mi sembravi."

"Ma io ho sedici anni come te, cosa credi?" Quasi si scusava.

"Ma ne dimostri di più, capisci? Sei già donna."

Essa parve ritrovare la sua allegria. Sciolse il volto nel sorriso.

"Dici?".

Eravamo giunti alla fine delle rampe, un po' ansanti. Il viale era diritto avanti a noi, curvava in lontananza verso il Bobolino. I platani rimettevano i germogli. Passavano automobili a passo d'uomo, con gente a bordo che si godeva la passeggiata. Alla balaustra del Piazzale Michelangelo c'era gente poggiata a mirare il panorama, o seduta sulle panchine. Attorno alla copia del David, alto sul piedistallo, il fotografo ambulante richiamava l'occasionale clientela. Il caffè aveva messo fuori sulla loggia i tavolini: dei turisti vi indugiavano contenti. Dal capolinea il tranviere scampanellava la partenza.

Al di sotto era la città, con le torri e i campanili, l'armonia dei tetti, antica nelle sue pietre. L'Arno scorreva in piena fra i ponti, lucente al sole. Si distinguevano lontano le Cascine, chiuse nel loro verde. Le colline chiudevano la città in un sapore di terra, di casolari caldi e abitati, di respiro eterno come il cielo, e come il cielo vasto e raccolto. A ridosso del fiume, e come premendolo contro la sua riva destra, stava il nostro Quartiere. Le nostre case buie, il nostro squallido suolo, sembravano scomparsi sotto la distesa dei tetti, uniti l'uno all'altro come se le vie non *esistessero* proprio, tanto pulito e fresco era il mondo al di sopra delle nostre miserie: l'abside di Santa Croce recingeva il Quartiere in un alone di silenzio e di quiete.

(Vasco Pratolini, da *Il Quartiere*)

Il CONGIUNTIVO ha quattro tempi: [1. **presente** / 3. **imperfetto**] [2. **passato** / 4. **trapassato**]

CONGIUNTIVO PRESENTE			
	I. **PARLARE**	II **PERDERE**	III **SENTIRE**
io	parl**i**	perd**a**	sent**a**
tu	parl**i**	perd**a**	sent**a**
lui, lei, Lei	parl**i**	perd**a**	sent**a**
noi	parl**iamo**	perd**iamo**	sent**iamo**
voi	parl**iate**	perd**iate**	sent**iate**
loro, Loro	parl**ino**	perd**ano**	sent**ano**
	ESSERE	**AVERE**	
io	sia	abbia	
tu	sia	abbia	
lui, lei, Lei	sia	abbia	
noi	siamo	abbiamo	
voi	siate	abbiate	
loro, Loro	siano	abbiano	

Attenzione: Poiché le forme delle prime tre persone sono uguali, è consigliabile specificare il pronome personale nel caso che, dal contesto del discorso, non appaia chiaro chi è che compie l'azione.

Attenzione: Le forme irregolari del presente congiuntivo sono simili a quelle del presente indicativo.

Es: INFINITO	PRESENTE INDICATIVO	PRESENTE CONGIUNTIVO
ANDARE	io vado	io vada
PORRE	io pongo	io ponga
POTERE	io posso	io possa
CAPIRE	io capisco	io capisca
FINIRE	io finisco	io finisca
ecc.		

Solo pochi verbi si distaccano da questa regola.

Es: STARE	io sto	io stia
SAPERE	io so	io sappia
DARE	io do	io dia
ecc.		

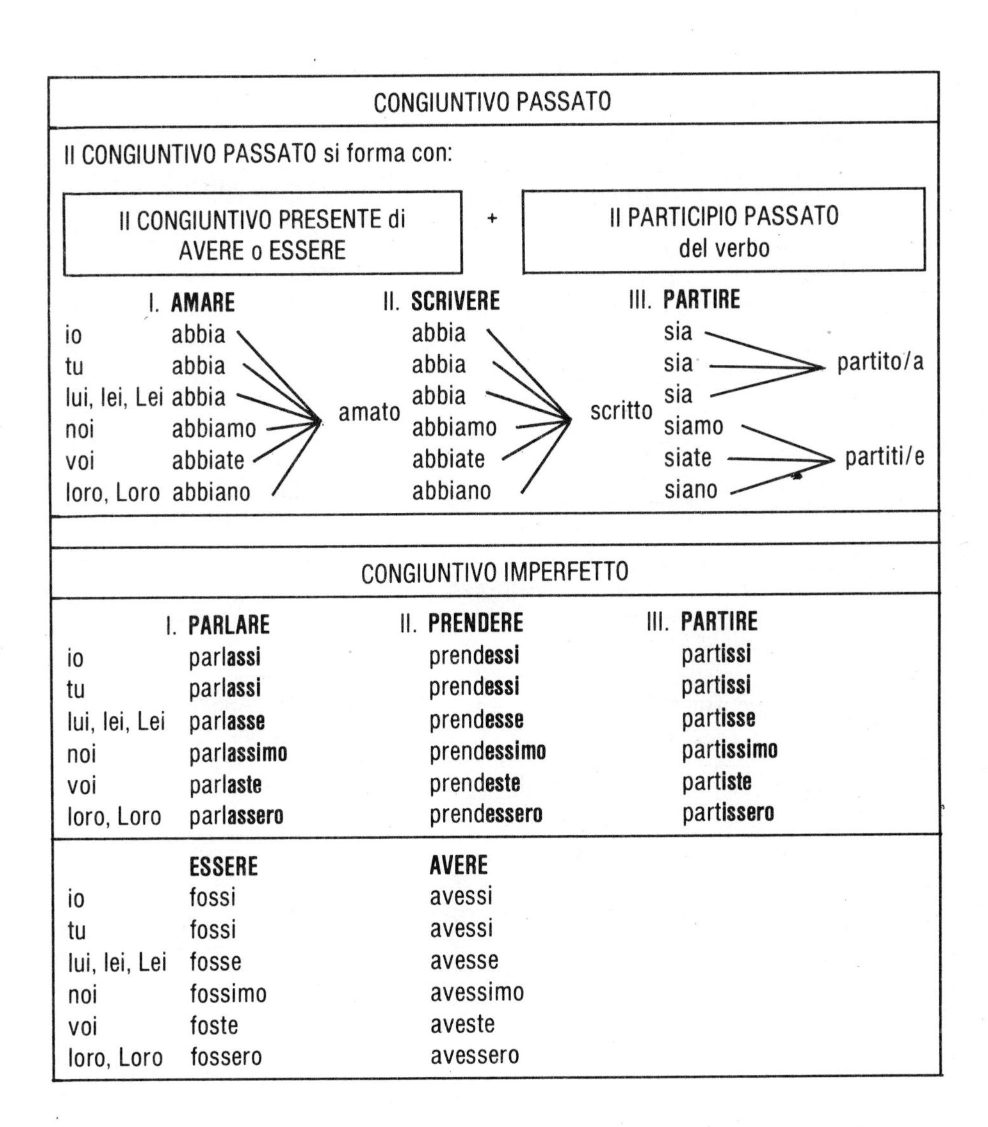

CONGIUNTIVO PASSATO

Il CONGIUNTIVO PASSATO si forma con:

Il CONGIUNTIVO PRESENTE di AVERE o ESSERE + Il PARTICIPIO PASSATO del verbo

	I. **AMARE**		II. **SCRIVERE**		III. **PARTIRE**	
io	abbia	amato	abbia	scritto	sia	partito/a
tu	abbia	amato	abbia	scritto	sia	partito/a
lui, lei, Lei	abbia	amato	abbia	scritto	sia	partito/a
noi	abbiamo	amato	abbiamo	scritto	siamo	partiti/e
voi	abbiate	amato	abbiate	scritto	siate	partiti/e
loro, Loro	abbiano	amato	abbiano	scritto	siano	partiti/e

CONGIUNTIVO IMPERFETTO

	I. **PARLARE**	II. **PRENDERE**	III. **PARTIRE**
io	parl**assi**	prend**essi**	part**issi**
tu	parl**assi**	prend**essi**	part**issi**
lui, lei, Lei	parl**asse**	prend**esse**	part**isse**
noi	parl**assimo**	prend**essimo**	part**issimo**
voi	parl**aste**	prend**este**	part**iste**
loro, Loro	parl**assero**	prend**essero**	part**issero**

	ESSERE	**AVERE**
io	fossi	avessi
tu	fossi	avessi
lui, lei, Lei	fosse	avesse
noi	fossimo	avessimo
voi	foste	aveste
loro, Loro	fossero	avessero

Attenzione:

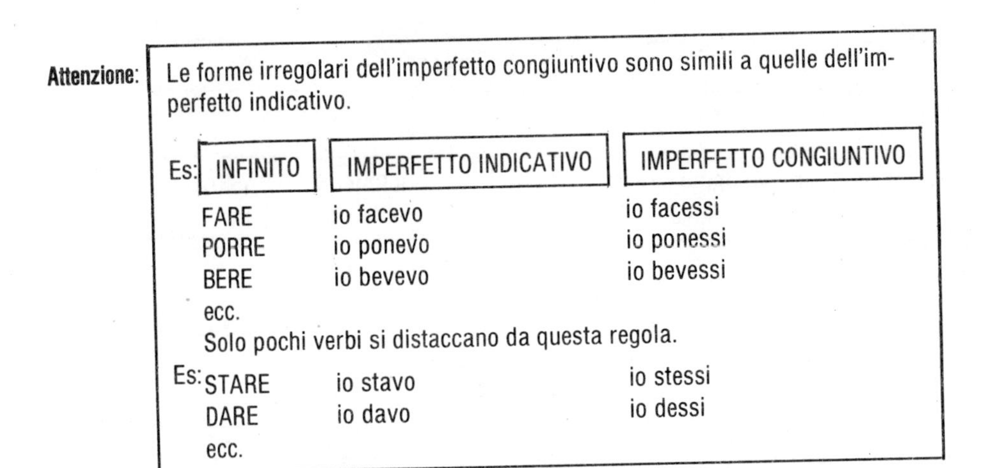

Le forme irregolari dell'imperfetto congiuntivo sono simili a quelle dell'imperfetto indicativo.

Es:

INFINITO	IMPERFETTO INDICATIVO	IMPERFETTO CONGIUNTIVO
FARE	io facevo	io facessi
PORRE	io ponevo	io ponessi
BERE	io bevevo	io bevessi
ecc.		

Solo pochi verbi si distaccano da questa regola.

Es:

STARE	io stavo	io stessi
DARE	io davo	io dessi
ecc.		

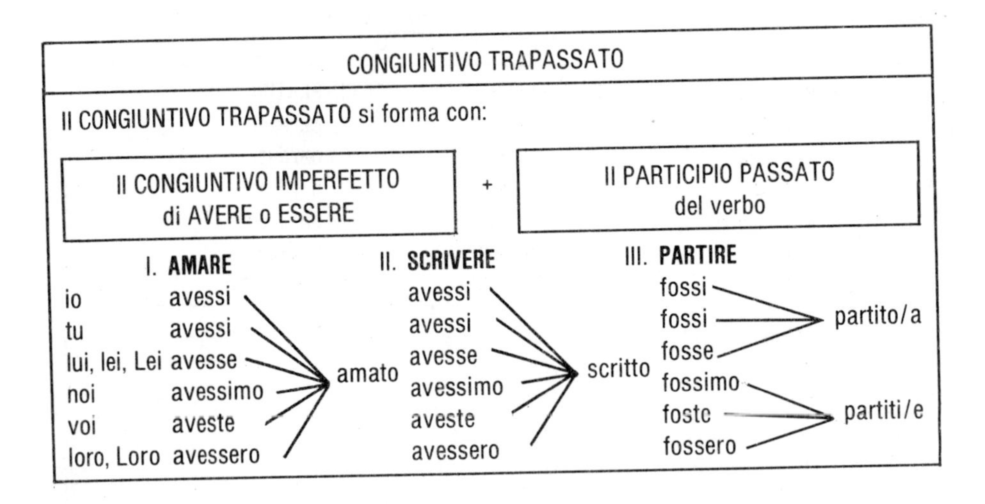

CONGIUNTIVO TRAPASSATO

Il CONGIUNTIVO TRAPASSATO si forma con:

Il CONGIUNTIVO IMPERFETTO di AVERE o ESSERE + Il PARTICIPIO PASSATO del verbo

	I. **AMARE**		II. **SCRIVERE**		III. **PARTIRE**	
io	avessi	amato	avessi	scritto	fossi	partito/a
tu	avessi		avessi		fossi	
lui, lei, Lei	avesse		avesse		fosse	
noi	avessimo		avessimo		fossimo	partiti/e
voi	aveste		aveste		foste	
loro, Loro	avessero		avessero		fossero	

L'USO DEL CONGIUNTIVO

Mentre si usa l'indicativo per esprimere REALTÀ e OGGETTIVITÀ, si usa il congiuntivo per esprimere un GIUDIZIO PERSONALE o un'azione avvertita come incerta. Esistono comunque anche altri criteri che determinano la scelta del congiuntivo. Cercheremo, per quanto possibile, di tracciare uno schema orientativo di tali criteri.

L'USO DEL CONGIUNTIVO NELLE PROPOSIZIONI INDIPENDENTI

Nelle proposizioni indipendenti si usa solo:

1. il **CONGIUNTIVO ESORTATIVO** (con valore imperativo). Si usa solo il **presente**.

   Es: **Abbia** fiducia!
   Che Dio vi **protegga**!

2. il **CONGIUNTIVO CONCESSIVO** Si usa solo il **presente**.

   Es: **Entri** pure.
   Fumi pure.

3. il **CONGIUNTIVO DUBITATIVO** Si usano soprattutto il **presente** e il **passato**.

   Es: Che **sia infelice**?
   Che **abbia perso** la ragione?

4. il **CONGIUNTIVO OTTATIVO** (di desiderio) Si usano solo l'**imperfetto** e il **trapassato**.

   Es: Lo **volesse** il cielo!
   Mi **avessero ascoltato**!

L'USO DEL CONGIUNTIVO NELLE PROPOSIZIONI DIPENDENTI

Attenzione: In genere il congiuntivo si usa quando il soggetto della proposizione dipendente è diverso da quello della proposizione indipendente. Nel caso di soggetti uguali si usa quasi sempre l'infinito preceduto o meno da preposizione.

Es:

SOGGETTI DIVERSI	SOGGETTI UGUALI
Spero che Anna **parta** domani.	Spero **di partire** domani.
Vorrei che tu **fossi** felice.	Vorrei **essere** felice.
Io parlo affinché tu **capisca**.	Io parlo **per farti capire**.

NELLE PROPOSIZIONI DIPENDENTI SI USA IN GENERE IL CONGIUNTIVO :

1. **SE IL VERBO PRINCIPALE** (cioè il verbo della proposizione indipendente):

a. esprime un'OPINIONE	- **Penso** che Luigi sia molto ricco.
b. esprime un DUBBIO	- **Non so** se Lucrezia sia sincera.
c. esprime un ORDINE un DESIDERIO	- **Voglio** (**desidero**) che Cosetta venga al mare con me.
d. esprime un AUGURIO	- **Mi auguro** che tu stia meglio.
e. esprime un'ATTESA	- **Aspetto** che arrivi mio fratello.
f. esprime un TIMORE	- **Temo** che Luisa stia male.
g. esprime uno STATO d'ANIMO	- La mamma **era contenta** che noi avessimo compreso le sue idee.
h. esprime una NECESSITÀ	- **Bisogna** che tu mi raggiunga al più presto.
i. esprime una DOMANDA INDIRETTA	- Luigi mi **chiese** dove andassi.
l. è al CONDIZIONALE	- **Vorrei** che tu fossi felice. (In genere si usano l'imperfetto e il trapassato congiuntivo).

2. **OPPURE SE LA PROPOSIZIONE DIPENDENTE**:

a. è una FINALE

introdotta da **affinché, perché, al fine che, allo scopo che**, ecc.

- Io lavoro **affinché voi viviate agiatamente**.

b. è una CONCESSIVA

introdotta da **benché, quantunque, sebbene, per quanto, nonostante che, malgrado, ammesso che, chiunque, checché**.

- **Benché piovesse**, uscii.
Malgrado avesse la febbre, partì.
(**Attenzione**: nel secondo esempio le due proposizioni hanno lo stesso soggetto).

c. è una TEMPORALE

introdotta da **prima che**.

- Voglio salutarlo **prima che parta.**
Attenzione: **prima che** + CONGIUNTIVO
dopo che + INDICATIVO.

d. è una CONDIZIONALE

introdotta da **qualora, purché, posto che, nel caso che, a condizione che, a patto che**, ecc.

- Partirò **a patto che tu venga con me.**
  Qualora dobbiate partire, avvertitemi.
  (**Attenzione**: nel secondo esempio le due proposizioni hanno lo stesso soggetto).

e. è una MODALE

introdotta da **comunque, quasi che, come se, in qualsiasi modo, senza che.**

- **In qualsiasi modo tu agisca**, io sarò dalla tua parte.
  Paolo si comportava **come se fosse impazzito**.

Con *come se* si usano solo imperfetto e trapassato.

(**Attenzione**: nel secondo esempio le due proposizioni hanno lo stesso soggetto).

f. è una ECCETTUATIVA

introdotta da **salvo che, a meno che.**

- Verrò con voi, **a meno che non si metta a piovere.**
  Verrà domani, **salvo che non abbia cambiato idea.**
  (**Attenzione**: nel secondo esempio le due proposizioni hanno lo stesso soggetto).

g. è una RELATIVA

in cui il pronome relativo annuncia un'esigenza, una qualità richiesta.

- Cerco un insegnante **che sia davvero bravo.**

h. è una CONSECUTIVA

introdotta da **troppo** ... **perché**

- Sei troppo buono **perché io possa ingannarti.**

i. è una CAUSALE

introdotta da **non perchè non** (causa irreale)

- Carlo non è venuto **non perchè non ne avesse voglia**, ma perchè stava male.

Attenzione:

Nel periodo:

a. la **proposizione finale** indica lo scopo dell'azione principale;

b. la **proposizione concessiva** ammette una circostanza nonostante la quale si realizza l'azione principale;

c. la **proposizione temporale** indica l'anteriorità, la contemporaneità, o la posteriorità dell'azione dipendente rispetto alla principale;

d. la **proposizione condizionale** indica la condizione da cui dipende il realizzarsi o meno di quanto si afferma nella principale;

e. la **proposizione modale** specifica il modo in cui viene compiuta l'azione principale;

f. la **proposizione eccettuativa** rivela una circostanza che pone un limite all'azione principale;

g. la **proposizione relativa** aggiunge una qualificazione al sostantivo cui si riferisce;

h. la **proposizione consecutiva** indica la conseguenza di quanto è detto nella principale;

i. la **proposizione causale** esprime la causa dell'azione principale.

3. **OPPURE DOPO**:

a. un SUPERLATIVO RELATIVO

- Questo è il libro **più noioso** che io abbia letto.

b. alcune LOCUZIONI IMPERSONALI

come **è bene che, è facile/difficile che, è possibile/impossibile che, è utile/inutile che, è necessario che, è giusto che, può darsi che, pare che, sembra che, basta che, è ora che, che peccato che**, ecc.

- **È probabile che** io parta stasera.

c. NIENTE CHE
NULLA CHE
NESSUNO CHE

- Qui non c'è **niente che** mi piaccia.

d. alcuni AGGETTIVI e PRONOMI INDEFINITI e AVVERBI

come **qualunque, qualsiasi, chiunque, ovunque, dovunque**, ecc.

- A **chiunque** telefoni, dite che non ci sono.
Chiunque venga sia bene accolto.
(**Attenzione**: nel secondo esempio le due proposizioni hanno lo stesso soggetto).

4. QUANDO IN UN PERIODO FORMATO DA UNA PROPOSIZIONE SOGGETTIVA (INDIPENDENTE) E DA UNA PROPOSIZIONE OGGETTIVA (DIPENDENTE) SI INVERTE L'ORDINE DELLE PROPOSIZIONI:

ordine normale	Si sa	che Anna **è** guarita.
	soggettiva indipendente	oggettiva dipendente
ordine invertito	Che Anna **sia** guarita	si sa.
ordine normale	È evidente	che Paolo **è** felice.
	soggettiva indipendente	oggettiva dipendente
ordine invertito	Che Paolo **sia** felice	è evidente.
ordine normale	Tutti dicono	che Lucia **è** bella.
	soggettiva indipendente	oggettiva dipendente
ordine invertito	Che Lucia **sia** bella	**lo** dicono tutti.
ordine normale	Tutti sanno	che Ugo **è** bugiardo.
	soggettiva indipendente	oggettiva dipendente
ordine invertito	Che Ugo **sia** bugiardo	**lo** sanno tutti.

Attenzione: Con *dire e sapere*, quando la proposizione dipendente precede l'indipendente, si ripete il pronome.

LA CONCORDANZA DEI TEMPI DEL CONGIUNTIVO

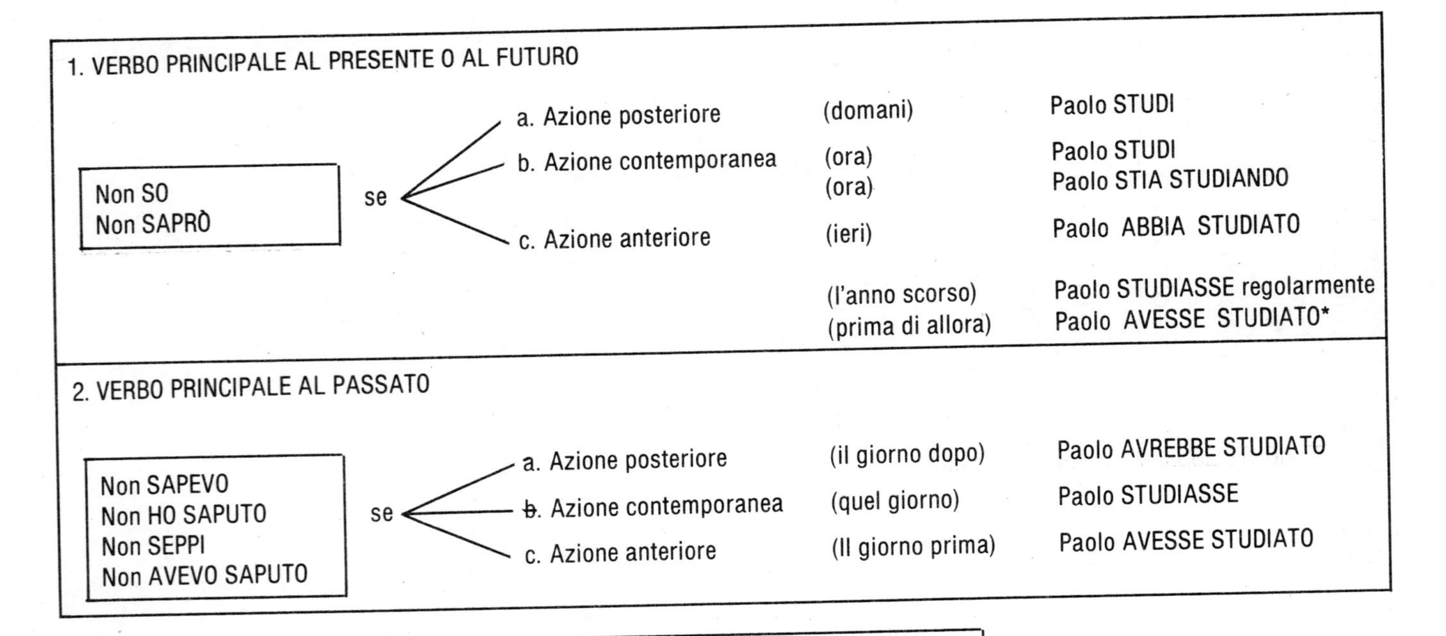

1. VERBO PRINCIPALE AL PRESENTE O AL FUTURO

Verbo principale		Azione	Tempo	Subordinata
Non SO Non SAPRÒ	se	a. Azione posteriore	(domani)	Paolo STUDI
		b. Azione contemporanea	(ora) (ora)	Paolo STUDI Paolo STIA STUDIANDO
		c. Azione anteriore	(ieri)	Paolo ABBIA STUDIATO
			(l'anno scorso) (prima di allora)	Paolo STUDIASSE regolarmente Paolo AVESSE STUDIATO*

2. VERBO PRINCIPALE AL PASSATO

Verbo principale		Azione	Tempo	Subordinata
Non SAPEVO Non HO SAPUTO Non SEPPI Non AVEVO SAPUTO	se	a. Azione posteriore	(il giorno dopo)	Paolo AVREBBE STUDIATO
		b. Azione contemporanea	(quel giorno)	Paolo STUDIASSE
		c. Azione anteriore	(Il giorno prima)	Paolo AVESSE STUDIATO

(*) **Attenzione**: il **trapassato congiuntivo** si usa raramente in rapporto a un presente, ma è tuttavia possibile usarlo (al posto del passato) per dare un maggiore stacco temporale all'azione.

Es: Mi hai raccontato che l'anno scorso, sciando, ti rompesti una gamba. Non so però se prima di allora tu avessi mai preso lezioni di sci.

1. *All'infinito fra parentesi sostituisci la forma appropriata del congiuntivo*:

1. Giorgio si comporta come se (essere) .... un dio. 2. Per me il tulipano è il fiore più bello che (esistere) .... 3. L'anno scorso Andrea aveva una brutta tosse e il medico non voleva che (fumare) .... più di due o tre sigarette al giorno. 4. Da molti giorni non vedevo Lorenzo e temevo che (essere) .... malato. 5. Olga pretenderebbe che suo figlio (stare) .... tutto il giorno a casa a studiare. 6. Luisa, credi che (essere) .... meglio andare in Egitto d'estate o d'inverno? 7. Signora, è necessario che lei (rispondere) .... al più presto a questa lettera. 8. È possibile che tu (trovare) .... in me tanti difetti? 9. Non creda, signora, che io (dimenticare) .... la promessa che le feci. 10. Non è certo che Dio (esistere) .... 11. Che Dio (esistere) ...., è certo. 12. (Avere) .... io la sua fortuna! 13. Prima che tu (partire) .... voglio farti un regalo. 14. Antonio era l'amico più ingrato ed egoista che (esistere) .... 15. Sembrava che nessuno (approvare) .... il mio comportamento. 16. Eleonora mi chiese che cosa (pensare) .... dei suoi genitori. 17. Dobbiamo partire prima che (fare) .... buio. 18. Mi sembrò che Cesare (essere) .... stanco. 19. Non ho comprato i fiori per Ornella non perché non (avere) .... i soldi, ma perché non mi sono sembrati freschi. 20. Abbiamo avuto la sensazione che Gabriella (nasconderci) .... la verità. 21. Romina continua a divorare molti dolci, sebbene il medico ogni giorno (dirle) .... che è necessario che (lei - dimagrire) .... 22. Romina continua a divorare molti dolci, sebbene il medico già da tempo (dirle) .... che è necessario che (lei - dimagrire) .... 23. Ti presto la mia macchina, a patto che (tu - mettere) .... la benzina. 24. Speravo che Andrea e Lisetta (tornare) .... prima di mezzanotte. 25. Quel giorno fui davvero felice che tu (trovare) .... un lavoro. 26. Magari (io - avere) .... vent'anni! 27. Mi sembrò che Sandra (comportarsi) .... male. 28. Cerco una ragazza che (avere) .... un corpo da modella e un volto bellissimo. 29. Mi domando come Gianni (fare) .... fortuna in così pochi anni. 30. Che Elena e Giovanni (sposarsi) .... a luglio ormai è sicuro. 31. Maya desidera che io (accompagnarla) .... dalla sarta. 32. Temo che (piovere) .... ancora per molte settimane. 33. Mio padre era contento che io (superare) .... l'esame. 34. Penso che a questo punto (essere) .... meglio non vederci più. 35. Non credo che Marta (fare) .... in tempo a comprare il pane. 36. Non era possibile che Mirella (tornare) .... già .... 37. Pensavo che tu (avere) .... fame.

38. Forse è meglio che tu (scegliere) .... qualcosa di meno vistoso. 39. Il gatto di Lisa è stato investito da una macchina e lei ha molta paura che (morire) .... 40. Che il mondo (essere) .... troppo popolato, è un fatto indubbio. 41. Ieri Giulia mi raccontò che l'anno scorso andò in Inghilterra. Non so, però, se (lei -starci mai) .... prima. 42. Abbiamo creduto che tu (abbandonarci) .... da tempo. 43. Non conosco nessuno che (essere) .... pauroso come te. 44. Questo luogo non mi piace: non c'è niente che (trattenermi) .... 45. Non c'è nessuno che (potere) .... aiutarmi? 46. Ti presto il mio ombrello purché tu (rendermelo) .... 47. Chiunque (conoscerlo) ...., afferma che Tiziano è un uomo generoso. 48. Devo comprare una macchina che (costare) .... poco. 49. Parlai con Lucio prima che (lui - partire) .... 50. (Lei - accomodarsi) ...., signora. 51. Non c'è nessuno che (amarti) .... più di me.

2. *All'infinito fra parentesi sostituisci il verbo al congiuntivo o all'indicativo*:
1. Sappiamo che Carlotta (essere) .... la cugina di Estella. 2. Pensiamo che Carlotta (essere) .... la cugina di Estella. 3. Finirò di scrivere questa lettera dopo che (tu - andare) .... via. 4. Temevo che (lui - arrabbiarsi) .... 5. Non devi discutere: farai come (dire) .... io! 6. Agisce come se (essere) .... molto sicuro di sé. 7. Era così buio che non (io - vederci) .... a un palmo dal mio naso. 8. Siete troppo simpatici perché io (potere) .... dimenticarvi. 9. Non ho invitato Ludovico perché (essere) .... uno sciocco presuntuoso. 10. Non abbiamo invitato Marco non perché non (esserci) .... simpatico, ma perché è a letto con l'influenza. 11. Anche se (nevicare) ...., Cristina e Daniele vollero uscire. 12. Benché (nevicare) ...., uscii. 13. Dopo che (lui -arrestarlo) ...., lo interrogò. 14. Fuggì prima che il commissario (arrestarlo) .... 15. Mi chiese dove (io - lavorare) ....

XXIV. L'IMPERATIVO

Milano, agosto 1943

Invano cerchi tra la polvere,
povera mano, la città è morta.
È morta: s'è udito l'ultimo rombo
nel cuore del Naviglio? E l'usignuolo
è caduto dall'antenna, alta sul convento,
dove cantava prima del tramonto.
Non scavate pozzi nei cortili:
i vivi non hanno più sete.
Non toccate i morti, così rossi, così gonfi:
lasciateli nella terra delle loro case:
la città è morta, è morta.

(Salvatore Quasimodo)

Alla compagna

Forse più blando il fremito del sole
ora di sbieco lo smeraldo coglie
della piccola isola ove siamo
naufragati da sempre. L'onda batte
con la magia delle fiorenti spume
sulla linea corusca dello scoglio.
No, *non devi* tremare. Un solo lembo
non rapirà la desolata furia
della urlante tempesta, non un lembo
soggiacerà. La trepida risacca
placa l'acque rigonfie e le trascina
dove il mare dilaga nell'azzurro
opalino del cielo.

Nella notte,
mite l'aria novella sulle piaghe
antiche verserà balsami e aromi
d'alchimisti lontani. Nella notte
il duro passo non s'udrà dell'ore(*)
che scendono sui gelidi gradini

(*) **dell'ore** è forma poetica. In prosa bisogna dire **delle ore**.

del nulla, non s'udrà la lamentosa
cantilena del vento che accompagna
tristi vascelli alla deriva spinti.

No, *non devi* tremare. *Chiudi* gli occhi,
(*chiudi* gli occhi: io li vedo su nel cielo
al primo germogliare delle stelle),
poggia la testa sul mio petto. Senti
come tutto è lontano, come tutto
si fa ala sottile di farfalla?

Chiudiamo nello scrigno del ricordo
e delusioni e lacrime. Domani
una piccola chiave avrà nel fondo
la generosa anima del mare.

(Carlo Galasso)

Attenzione: i verbi in corsivo sono al modo **imperativo**.

L'IMPERATIVO esprime un comando che può essere

1. diretto
2. indiretto

1. IMPERATIVO DIRETTO

È quello che esprime un ordine che viene rivolto:

a. alla seconda persona singolare (tu)
b. alla prima persona plurale (noi)
c. alla seconda persona plurale (voi)

Attenzione: **Le forme dirette dell'imperativo sono uguali a quelle dell'indicativo presente.** Fa **eccezione** la **seconda persona singolare (tu) dei verbi della prima coniugazione (in ARE)** che si ottiene **togliendo RE dall'infinito.**

INDICATIVO PRESENTE		IMPERATIVO
	I. PARLARE	
2S - Tu **parli** troppo.	=	**Parla**(re) di meno!
1P - Noi **parliamo** poco.	=	**Parliamo** ancora!
2P - Voi **parlate** in fretta.	=	**Parlate** più lentamente!
	II. SPENDERE	
2S - Tu **spendi** troppo.	=	**Spendi** meno!
1P - Noi **spendiamo** troppo.	=	**Spendiamo** meno!
2P - Voi **spendete** troppo.	=	**Spendete** meno!
	III. FINIRE	
2S - A che ora **finisci**?	=	**Finisci** subito!
1P - Noi **finiamo** alle 21.	=	**Finiamo** presto!
2P - A che ora **finite**?	=	**Finite** subito!

IMPERATIVO DIRETTO NEGATIVO

Si ottiene:

a. **alla seconda persona singolare (tu) con NON + INFINITO**
Es: Non parlare! Non fumare! Non partire! Non leggere!

b. **alla prima persona plurale (noi) con NON + FORMA POSITIVA**
Es: Non parliamo! Non spendiamo! Non usciamo! Non lavoriamo!

c. **alla seconda persona plurale (voi) con NON + FORMA POSITIVA**
Es: Non parlate! Non mentite! Non uscite! Non spendete!

FORME PRONOMINALI

IMPERATIVO POSITIVO	IMPERATIVO NEGATIVO
I pronomi semplici, i pronomi combinati, i pronomi riflessivi — si mettono dopo l'imperativo con cui formano **una sola parola**.	2S = NON + INFINITO + PRONOME NON + PRONOME + INFINITO 1P = NON + FORMA POSITIVA * 2P = NON + FORMA POSITIVA *
Es: (2S) PARLAGLI!	NON PARLARGLI! NON GLI PARLARE!
(1P) DICIAMOGLIELO!	NON DICIAMOGLIELO! NON GLIELO DICIAMO!
(2P) ADDORMENTATEVI!	NON ADDORMENTATEVI! NON VI ADDORMENTATE!

(*) **Attenzione**: I pronomi possono essere posti anche **davanti ai verbi**.

2. IMPERATIVO INDIRETTO

È quello che esprime un ordine che viene rivolto:

a. alla terza persona singolare (Lei)
b. alla terza persona plurale (Loro)

Si usa il congiuntivo presente.

CONGIUNTIVO PRESENTE	**IMPERATIVO INDIRETTO**
È opportuno che Lei venda i suoi gioielli.	Venda i suoi gioielli!
È meglio che Loro parlino.	Parlino: è meglio!

Attenzione: Oggi, quando ci si rivolge a più persone, si tende a usare il pronome *voi*, piuttosto che *loro*.

IMPERATIVO INDIRETTO NEGATIVO

Si ottiene con NON + LA FORMA POSITIVA
Es: Non venda i suoi gioielli!
Non parlino: è meglio!

FORME PRONOMINALI

IMPERATIVO POSITIVO	IMPERATIVO NEGATIVO
PRONOME + VERBO (separati)	NON + PRONOME + VERBO
Es: (3S) MI DICA!	NON MI DICA!
GLIELO DICA!	NON GLIELO DICA!
(3P) SI ALZINO!	NON SI ALZINO!

FORME IRREGOLARI DELL'IMPERATIVO

ANDARE	VA'!*	non andare!	vacci! **	non andarci!	non ci andare!
DARE	DA'!	non dare!	dagli!	non dargli!	non gli dare!
STARE	STA'!***	non stare!	stacci!	non starci!	non ci stare!
DIRE	DI'!	non dire!	dillo!	non dirlo!	non lo dire!
FARE	FA'!	non fare!	fammi!	non farmi!	non mi fare!
ESSERE	SII!****	non essere!	siilo!	non esserlo!	non lo essere!
AVERE	ABBI!	non avere!	abbilo!	non averlo!	non lo avere!

Attenzione: (*) Esiste anche la forma **vattene**.

(**) Quando l'imperativo è costituito da una sola sillaba, la consonante iniziale del pronome che lo segue si raddoppia.

(***) Esiste anche la forma **stattene**.

(****) Per la prima persona plurale (noi) e la seconda persona plurale (voi) dell'imperativo di *essere* e *avere* usiamo le forme del congiuntivo **siamo, siate/abbiamo, abbiate**.

ALTRI MODI PER ESPRIMERE COMANDO

A volte, al posto dell'imperativo, ma sempre con valore di comando, possiamo usare:

1. l'**INFINITO SEMPLICE** (presente)
   Es: Rallentare! Andare avanti! Moderare la velocità!

2. il **FUTURO INDICATIVO**
   Es: Per domani farete un tema! Per domani studierete il modo imperativo!

1. *All'infinito fra parentesi sostituisci il verbo all'imperativo positivo*:
1. (Accettare - voi) .... un consiglio da amico! 2. Se incontri Fabio (salutarlo - tu) .... da parte mia e (dirgli - tu) .... che lo ricordo sempre. 3. Questi pantaloni sono troppo larghi: (stringermeli - tu): ...., per favore. 4. (Parlare - tu) ...., (dire - tu) .... la verità una buona volta! 5. Prima di uscire, (finire - voi) .... i compiti! 6. (Smettere - Lei) .... di fumare! 7. (Avere - voi) .... un po' di comprensione! 8. (Lavarsi - voi) .... bene le mani prima di mangiare. 9. (Essere - tu) .... uomo! 10. (Spengere - voi) .... la luce! 11. (Fare - Lei) .... bene i suoi calcoli! 12. (Darci - tu) .... una mano! 13. (Starmi - tu) .... vicino! 14. (Farmi -tu) .... vedere! 15. Carla, (essere) .... più ragionevole! 16. Signora, (parlare) .... a bassa voce, per favore! 17. È molto caldo: (mettersi - tu) .... qualcosa di leggero. 18. (Girare - tu) .... a sinistra! 19. (Finire - voi) .... il discorso e poi vi dirò la mia opinione. 20. (Darmi - Lei) .... due chili di mele, per favore. 21. Se questo dolce ti piace, (prenderne) .... ancora! 22. (Dire - tu) .... quello che ti pare: io non ti ascolto! 23. (Darmi - voi) .... una sigaretta! 24. (Darmi - tu) .... un bacio! 25. (Darmi - Lei) .... un bacio! 26. (Aspettarmi - voi) ....! Vengo subito.

2. *All'infinito fra parentesi sostituisci il verbo all'imperativo negativo*:
1. (Non avere - tu) .... paura! 2. (Non avere - voi) .... fretta! 3. Questo vino non è buono: (non berlo - voi) .... tutto! 4. Questo vino è troppo forte: (non berne - voi) .... troppo! 5. (Non preoccuparsi - tu) ....: penserò a tutto io! 6. (Non dimenticarmi -voi) ....! 7. (Non prendersela - tu) .... con me, come al tuo solito! 8. (Non essere - Lei) .... scortese, signora! 9. (Non essere - voi) .... sciocchi! (Non dirmi - voi) .... altre bugie! 10. (Non correre - Lei) .... come un pazzo! 11. (Non prendere - noi) .... l'ombrello: ha smesso di piovere. 12. (Non seguirla -voi) ...., (non importunarla) ....! 13. (Non perdere -noi) .... altri minuti preziosi! 14. (Non darmi - Lei) .... cattive notizie, per favore! 15. (Non buttare - voi) .... via nulla.

3. *Completa le frasi con la forma conveniente dell'imperativo positivo o negativo* (aggiungendo per quest'ultimo la negazione "non")
1. Mi sento male e non ho voglia di andare a fare la spesa: (andarci) .... tu e (dimenticare) .... nulla! 2. Voglio confidarti una cosa: (starmi) .... a sentire e (interrompermi) ...., altrimenti mi passerà il coraggio di parlare. 3. Se sei affaticato (andare)

.... a fare un pisolino! 4. Ho finito lo zucchero: (darmi) .... un po' del tuo. 5. Che bel cappotto! (Farmelo - tu) .... provare! 6. Luisa, (vestirsi) ....! (Gingillarsi) ....! 7. Gabriella, (stare) .... in quell'angolino tutta sola: (venire) .... qui accanto a me! 8. Signora, (fare) .... complimenti: (dirmi) .... che cosa le posso offrire. 9. Ecco 500.000 lire per te: (sprecarle) .... tutte in vestiti! 10. Questa casa mi piace moltissimo: (vendermela - tu) ....! 11. Estella, quando esci (dimenticarsi) .... di chiudere il gas. 12. Questo orologio è rotto: (buttarlo - tu) .... via. 13. Questo orologio è rotto, ma (buttarlo - tu) .... via perché voglio chiedere se è possibile accomodarlo. 14. Carlo, (farmi) .... dare un'occhiata all'articolo che stai scrivendo! 15. Se a casa mia ti trovi bene, (starci) .... quanto ti pare.

4. *Trova il verbo corrispondente al verso dei seguenti animali*:

1. Il gatto ....
2. Il topo ....
3. La pecora ....
4. L'asino ....
5. Il cavallo ....
6. Il bue ....
7. La rondine ....
8. L'oca ....
9. Il lupo ....
10. Il cervo ....
11. la rana ....
12. Il maiale ....
13. L'elefante ....
14. il pulcino ....
15. Il leone ....
16. La cicala ....

5. *A tua scelta, svolgi uno dei seguenti temi*:

1. La ricerca degli oggetti del passato ha contagiato, più o meno, ognuno di noi. Ma non tutto ciò che è vecchio, o antico, è bello...

2. L'arte è senza dubbio una delle manifestazioni più esaltanti e complete dello spirito umano: che posto occupa nella tua vita?

3. Intervista a un capo di stato.

Primavera

Primavera che a me non piaci, io voglio
dire di te che di una strada l'angolo
svoltando, il tuo presagio mi feriva
come una lama. L'ombra ancor sottile
di nudi rami sulla terra ancora
nuda mi turba, quasi anch'io potessi
dovessi
rinascere. La tomba
sembra insicura al tuo *appressarsi*, antica
primavera, che più d'ogni stagione
crudelmente risusciti ed uccidi.

(Umberto Saba)

O falce di luna calante

O falce di luna *calante*
che brilli su l'(1)acque deserte,
o falce d'argento, qual mèsse di sogni
ondeggia al tuo mite chiarore qua giù!

Aneliti brevi di foglie,
sospiri di fiori dal bosco
esalano al mare: non canto non grido
non suono pe'l (2) vasto silenzio va.

Oppresso d'amor, di piacere,
il popol de' vivi s'addorme (3) ...
O falce *calante*, qual mèsse di sogni
ondeggia al tuo mite chiarore qua giù!

(Gabriele D'Annunzio)

1. su l' = sull'
2. pe'l = per il
3. s'addorme = s'addormenta

Alla deriva

La vita io l'ho *castigata vivendola*.
Fin dove il cuore mi resse
arditamente mi spinsi.
Ora la mia giornata non è più
che uno sterile avvicendarsi
di rovinose abitudini
e vorrei *evadere* dal nero cerchio.
Quando all'alba mi riduco,
un estro mi piglia, una smania
di non *dormire*.
E sogno partenze assurde,
liberazioni impossibili.
Oimè. Tutto il mio chiuso
e cocente rimorso
altro sfogo non ha
fuor che il sonno, se viene.
Invano, invano lotto
per *possedere* i giorni
che mi travolgono rumorosi.
Io annego nel tempo.

(Vincenzo Cardarelli)

Meriggiare pallido e assorto

Meriggiare pallido e assorto
presso un rovente muro d'orto,
ascoltare tra i pruni e gli sterpi
schiocchi di merli, frusci di serpi.

Nelle crepe del suolo o su la veccia
spiar le file di rosse formiche
ch'ora si rompono ed ora s'intrecciano
a sommo di minuscole biche.

Osservare tra frondi il *palpitare*
lontano di scaglie di mare
mentre si levano tremuli scricchi
di cicale dai calvi picchi.

(segue)

E *andando* nel sole che abbaglia
sentire con triste meraviglia
com'è tutta la vita e il suo travaglio
in questo *seguitare* una muraglia
che ha in cima cocci aguzzi di bottiglia.

(Eugenio Montale)

Attenzione: i verbi in corsivo sono all'**infinito**, al **gerundio**, o al **participio**.

FORME ESPLICITE E IMPLICITE

Secondo il MODO del verbo una proposizione può essere:

a. ESPLICITA, quando ha il verbo all'**indicativo**, al **congiuntivo**, al **condizionale**, o all'**imperativo**, modi che esprimono l'azione in maniera definita (rispetto alla persona che la compie e al tempo in cui viene compiuta).

b. IMPLICITA, quando ha il verbo all'**infinito**, al **participio**, al **gerundio**, modi che esprimono l'azione in maniera indefinita.

Attenzione: con l'infinito, il participio, il gerundio i pronomi personali atoni si pongono dopo il verbo con cui formano una sola parola.

L'INFINITO	Amare Avere amato	Vedere Avere visto	Partire Essere partito

L'infinito esprime l'azione in maniera indefinita, indeterminata (Es: *vedere, camminare, uscire, ridere,* ecc. non specificano chi compie l'azione, quante persone la compiono, o in che tempo essa venga compiuta).

Ha due forme:

a. INFINITO SEMPLICE (o presente)
b. INFINITO COMPOSTO (o passato)

Quando la proposizione principale (indipendente) e la secondaria (dipendente) hanno **un unico soggetto**:

1. con l'INFINITO SEMPLICE si esprime un'AZIONE CONTEMPORANEA alla principale (qualunque sia il tempo della principale);

2. con l'INFINITO COMPOSTO si esprime un'AZIONE ANTERIORE alla principale (qualunque sia il tempo della principale).

	CONTEMPORANEITÀ		ANTERIORITÀ	
tempo del verbo pr.	verbo principale	proposizione secondaria	verbo principale	proposizione secondaria
presente	Pensa	di AVERE la febbre.	Capisce	di AVERE SBAGLIATO
futuro	Penserà	di STARE meglio.	Partirà	dopo AVERE MANGIATO.*
futuro anteriore	Avrà capito	di AVERE fame.	Avrà capito	di AVERE SBAGLIATO
passato prossimo	Ha creduto	di AGIRE bene.	Ha creduto	di AVERE AGITO onestamente
imperfetto	Credeva	di ESSERE felice.	Capiva	di AVERE FATTO un errore.
passato remoto	Capì	di AVERE paura.	Morì	dopo AVERE FATTO testamento.
trapassato prossimo	Aveva capito	di AVERE paura.	Era morto	dopo AVERE FATTO testamento.

(*) **Attenzione**: L'infinito composto riferito al futuro ha valore di futuro anteriore.
Es: Partirà dopo avere mangiato (= dopo che avrà mangiato)

Quando due infiniti sono sintatticamente legati e si trovano l'uno di seguito all'altro, il primo **viene troncato**.
Es: Tu mi vuoi **far**(e) **credere** lucciole per lanterne!

IL PARTICIPIO

Regnante	Credente	Uscente
Regnato	Creduto	Uscito

Il participio esprime l'azione in maniera indefinita, indeterminata. Ha due forme:

a. PARTICIPIO PRESENTE
b. PARTICIPIO PASSATO

PARTICIPIO PRESENTE	PARTICIPIO PASSATO *
I. **REGNARE** II. **PERDERE** III. **USCIRE** Regn**ante** Perd**ente** Usc**ente**	I. **REGNARE** II. **PERDERE** III. **USCIRE** Regn**ato** Perd**uto** Usc**ito** (*) Per il participio passato irregolare vedi cap. V.

Il **PARTICIPIO PRESENTE** ha quasi completamente perduto il suo valore verbale ed è usato soprattutto come **sostantivo** (il cantante, l'insegnante, il credente ecc.) o **aggettivo** (affascinante, interessante, inebriante, sfuggente, ecc.).
Nei pochi casi in cui si usa con valore verbale esprime CONTEMPORANEITÀ rispetto all'azione principale.
Es: Il professore di storia ha tenuto una lezione **concernente** la rivoluzione francese.
Oggi andremo a una conferenza **riguardante** la tutela dell'ambiente e la protezione di alcune specie animali.
Regnante Luigi XIV, la Francia visse un periodo di splendore.

Il **PARTICIPIO PASSATO** si usa:
a. nella formazione dei **tempi composti** insieme a *essere* e *avere*.
b. da solo (**participio passato assoluto**)

Es: **Ricevuta** la lettera, Giulio ha cambiato umore.
Uscito Marcello, mi misi a leggere.
Salito sulla sedia, il gatto si addormentò.
Comprata una nuova gonna, mi accorsi che non mi piaceva più.

Attenzione: in questo caso

Il participio passato dei verbi transitivi concorda con i complemento oggetto; il participio passato dei verbi intransitivi concorda con il soggetto.

IL GERUNDIO	Parlando Avendo parlato	Temendo Avendo temuto	Uscendo Essendo uscito

Il gerundio esprime l'azione in maniera indefinita, indeterminata. Ha due forme:

a. GERUNDIO SEMPLICE
b. GERUNDIO COMPOSTO

GERUNDIO SEMPLICE	GERUNDIO COMPOSTO
I. **ASPETTARE** II. **PERDERE** III. **USCIRE** Aspett**ando** Perd**endo** Usc**endo**	ESSENDO o AVENDO + PARTICIPIO PASSATO del verbo

Il **GERUNDIO SEMPLICE** indica azione o stato contemporanei a quelli del verbo principale che può essere:
a. al PRESENTE (Camminando in fretta, arrivo a scuola in un quarto d'ora).
b. al PASSATO (Camminando in fretta, arrivai a scuola in un quarto d'ora.)
c. al FUTURO (Camminando in fretta, arriverò a scuola in un quarto d'ora).

Il **GERUNDIO COMPOSTO** indica azione o stato anteriori a quelli del verbo principale che può essere:
a. al PRESENTE (Avendo visto il film, posso dare un giudizio preciso).
b. al PASSATO (Avendo visto il film, potei dare un giudizio preciso).
c. al FUTURO (Avendo visto il film, potrò dare un giudizio preciso.)

Attenzione: In genere il gerundio si usa quando il soggetto della proposizione principale è lo stesso della proposizione dipendente.
Qualora i soggetti delle due proposizioni siano diversi, l'uso del gerundio è consentito raramente.
Es: Salute permettendo, la prossima estate andrò in Amazzonia.

Oltre che un rapporto di tempo, le due forme del gerundio possono esprimere anche la **causa** o la **condizione** dell'azione principale, oppure il **modo** in cui essa avviene:

1. la **CAUSA** (perché?)	Essendo stata male, (Poiché era stata male)	Maria andò dal medico.
2. la **CONDIZIONE** (a quale condizione?)	Mangiando meno dolci, (Se mangiassi meno dolci)	dimagriresti
3. il **MODO** (come?)	Leggendo, (Con il leggere)	ha imparato molte cose.

LA COSTRUZIONE PERIFRASTICA

La costruzione perifrastica può esprimere:

1. **UN'AZIONE IN VIA D'IMMEDIATA REALIZZAZIONE**. In questo caso si forma con:

a. STARE + PER + INFINITO

Es: Sta per arrivare.
In quell'anno Maria stette per morire.

b. ESSERE IN PROCINTO + DI + INFINITO

Es: Sono in procinto di cambiare casa.
Ero in procinto di partire per le vacanze, quando mi convocarono a Roma per un'importante consulenza di lavoro.

c. ESSERE IN VIA + DI + SOSTANTIVO (RARAMENTE VERBO)

Es: A primavera Marina sarà già in via di guarigione.
Il progetto era in via di approvazione.

d. ESSERE SUL PUNTO + DI + INFINITO

Es: Fui sul punto di perdere la pazienza molte volte.
Quando Silvia gli disse di restare, Ugo era già sul punto di fare le valigie.

2. **UN'AZIONE COLTA NELLA CONTINUITÀ.** In questo caso si forma con:

a. STARE + GERUNDIO SEMPLICE quando l'azione è colta mentre si svolge.

Es: Sto leggendo un libro.
Anna stava preparando un dolce.

b. ANDARE + GERUNDIO SEMPLICE quando l'azione è proiettata verso una continuazione futura.

Es: La salute di Ornella è andata migliorando di giorno in giorno.
La sua situazione economica andava peggiorando.

c. VENIRE + GERUNDIO SEMPLICE DI UN VERBO RIFLESSIVO quando l'azione è colta in una tendenza all'evoluzione, allo sviluppo positivo.

Es: Si viene delineando (viene delineandosi) un'immagine sempre più precisa di quella donna.
Piano piano il mio progetto si veniva chiarendo (veniva chiarendosi).

1. *All'infinito fra parentesi sostituisci la forma appropriata dell'infinito, del participio o del gerundio*:

1. Dopo (provare) .... molti vestiti, Eleonora ha scelto il più costoso. 2. (Fare) .... un buon pranzo, Teresa si sentì molto meglio. 3. (Pensarci) .... bene, tutta questa storia appare poco credibile. 4. (Leggere) .... ciò che Marcello ci scriveva, non potemmo fare a meno di preoccuparci per lui. 5. (Uscire) .... di casa, ho incontrato Fabio per le scale. 6. Dopo (divorziare) .... da Lucilla, Alfonso si sposò una seconda volta. 7. Dopo (accendere) .... la luce, ci vedrai meglio. 8. Giulio si mise in testa di (essere) .... malato, e invece stava benissimo. 9. Emanuele è convinto di (sbagliare) .... tutto nella sua vita. 10. Giulio si è messo in testa di (essere) .... molto malato nell'inverno scorso, e adesso vuole fare una serie di analisi. 11. Solo (leggere) .... tutto il libro, potrai darne un giudizio preciso. 12. (Studiare) .... di più, prenderesti voti migliori agli esami. 13. (Pensarci) .... bene, mi pare di avere fame. 14. (Riconoscerlo) .... lo salutò affettuosamente. 15. Franco si era fatto male a un piede e camminava (zoppicare) .... 16. (Affacciarsi) .... dalla finestra, vidi solo alberi spogli. 17. Dopo (mangiare) ...., prendo volentieri un caffè senza zucchero. 18. (Sbagliare) .... s'impara (proverbio). 19. (Vivere) .... il nonno, ogni decisione importante spettava a lui. 20. (Appartenere) .... a Napoleone, quella tabacchiera era un pezzo da museo. 21. (Guidare) .... a velocità folle, Gino è andato a sbattere contro un muro. 22. Quando capirò di (guarire) ...., tornerò al lavoro. 23. (Essere) .... un gatto a pelo lungo, ha bisogno di essere spazzolato con molta frequenza. 24. (Chiacchierare) .... del più e del meno, Luigi non si accorse che erano trascorse due ore. 25. (Osservare) .... quella vecchia fotografia, Giacomo impallidì. 26. Dopo (osservare) .... quella vecchia fotografia, Giacomo impallidì. 27. (Abbandonare) .... da sua moglie, si dette al bere. 28. (Rispondere) .... male al direttore, fu licenziato. 29 Partirò per le ferie dopo (comprare) .... una nuova macchina. 30. Dopo (prendere) .... quella decisione si sentì più tranquillo. 31. (Superare) .... brillantemente l'esame, s'iscrisse al Corso Superiore. 32. Pur (essere) .... una bella donna, Maria ha un volto irregolare. 33. Sergio criticò la moglie per (acquistare) .... quel cappotto. 34. Non (ricevere) .... tue notizie, sono stato molto in ansia per te. 35. Anche (correre) ...., non riuscii a raggiungerlo. 36. Si addormentò (guardare) .... la televisione. 37. (Riposarsi) ...., Gabriella dichiarò di sentirsi molto meglio. 38. Pur (essere) .... molto freddo, non accennava a ne-

vicare. 39. Dopo (fare) .... i conti, si accorse che l'avevano imbrogliato. 40. (Spendere) .... di meno, riusciresti a mettere da parte un po' di soldi.

2. *In questa novella, all'infinito fra parentesi, sostituisci il verbo nel tempo e nel modo richiesti dalla logica della narrazione*:

Corrado Gianfigliazzi era un ricchissimo e nobile fiorentino che molto spesso, trascurando i suoi affari, si dedicava alla caccia. Un giorno, con il suo falcone, andò a caccia nella zona di Peretola e (uccidere) .... una gru, un grosso uccello dalle lunghe e sottili zampe. La gru (essere) .... grassa e giovane e Corrado la (mandare) .... al suo cuoco - un veneziano che (chiamarsi) .... Chichibio - affinché la (spennare) .... e l'(arrostire) .... per la cena. Quando l'uccello (essere) .... quasi pronto, (entrare) .... in cucina Brunetta, una bella ragazza di cui il cuoco (essere) .... innamorato. (Vedere) .... la gru, Brunetta subito (pregare) .... il suo innamorato perché (dargliene) .... un pezzo. All'inizio Chichibio (rifiutare) ...., ma poi, intenerito dalle moine dell'amata, (tagliare) .... una zampa alla gru e (dargliela) ....

Quando la gru (fare) .... la sua comparsa sulla tavola di Corrado, costui, (osservare) .... che l'uccello (avere) .... una sola zampa, (domandarne) .... al cuoco la ragione.

"Signore," (dire) .... Chichibio "le gru (avere) .... tutte una sola zampa."

"Che cosa dici?" (replicare) .... il padrone. "Sei forse impazzito? E da quando, di grazia, le gru (avere) .... una zampa sola?"

"Quello che (io - affermare) .... è vero, mio Signore," (continuare) .... Chichibio. "Se volete, domani (dimostrarvi) .... la verità delle mie parole."

Fu così stabilito che il giorno soccessivo Corrado e il cuoco (recarsi) .... verso il fiume per controllare il numero delle zampe delle gru. La mattina seguente Corrado, appena alzatosi, montò a cavallo e (mettersi) .... in cammino insieme al cuoco, alla volta del fiume. Intanto Chichibio, sfumata la baldanza del primo momento, era assai impaurito e, mentre cavalcava il suo ronzino, (chiedersi) .... come poter uscire dal brutto guaio in cui (cacciarsi) ....

Arrivati vicino al fiume, Chichibio e Corrado (vedere) .... sulla riva dodici gru che (stare) .... tutte in piedi su una sola zampa, com'è loro abitudine quando (dormire) .... Subito il cuoco (mostrarle) .... al padrone, (dire) ....: "Ora (potere)

.... vedere, Messere, che ieri sera (dirvi) .... la verità".

Ma Corrado Gianfigliazzi, (avvicinarsi) .... alle gru, (battere) .... le mani e (gridare) ....: "Ooh! Ooh!"

A quel grido, gli uccelli, tirato giù l'altro piede, (fuggire) .... e Corrado (dire) .... a Chichibio: "Quante zampe (avere) .... dunque le gru, ghiottone?"

"(Averne) .... due, Messere. Ma voi non (gridare) .... "ooh ooh" alla gru di ieri sera e per questo essa non (mandare) .... giù l'altra zampa".

A Corrado (piacere) .... tanto la risposta che tutta la sua ira (convertirsi) .... in riso, e (dire) ....: "Hai ragione tu, Chichibio: ieri sera (dovere) .... gridare 'ooh ooh'!"

(Libera riduzione da Giovanni Boccaccio, **Il Decameron**, VI, 4)

XXVI. LA FORMA PASSIVA

Notizie a Giuseppina dopo tanti anni

Che speri, che ti riprometti, amica
se ritorni per così cupo viaggio
fin qua dove nel sole le burrasche
hanno una voce altissima abbrunata,
di gelsomino odorano e di frane?

Mi trovo qui a questa età che sai,
né giovane né vecchio, attendo, guardo
questa vicissitudine sospesa;
non so più quel che volli o mi *fu imposto*,
entri nei miei pensieri e n'esci illesa.

Tutto l'altro che deve essere è ancora,
il fiume scorre, la campagna è varia,
grandina, spiove, qualche cane latra,
esce la luna, niente si riscuote,
niente dal lungo sonno avventuroso.

(Mario Luzi)

Alla morte

Morire sì,
non *essere aggrediti* dalla morte.
Morire persuasi
che un siffatto viaggio sia il migliore.
E in quell'ultimo istante essere allegri
come quando *si contano* i minuti
dell'orologio della stazione
e ognuno vale un secolo.
Poi che la morte è la sposa fedele
che subentra all'amante traditrice,
non vogliamo riceverla da intrusa,
né fuggire con lei.
Troppe volte partimmo
senza commiato!
Sul punto di varcare
in un attimo il tempo,
quando pur la memoria
di noi s'involerà,
lasciaci, o Morte, dire al mondo addio,
concedici ancora un indugio.
L'immane passo non sia
precipitoso.
Al pensier della morte repentina
il sangue mi si gela.
Morte, non mi ghermire,
ma da lontano annunciati
e da amica mi prendi (*)
come l'estrema delle mie abitudini.

(Vincenzo Cardarelli)

Attenzione: i verbi in corsivo sono alla **forma passiva**.

---

* mi prendi = forma poetica per "prendimi".

Tutti i VERBI TRANSITIVI possono avere:

1. una forma ATTIVA (quando il soggetto compie l'azione)
2. una forma PASSIVA (quando il soggetto subisce l'azione)

Es: Simonetta accarezza il gatto (forma attiva).
Il gatto è accarezzato da Simonetta (forma passiva).

IL PASSAGGIO DALLA FORMA ATTIVA ALLA FORMA PASSIVA

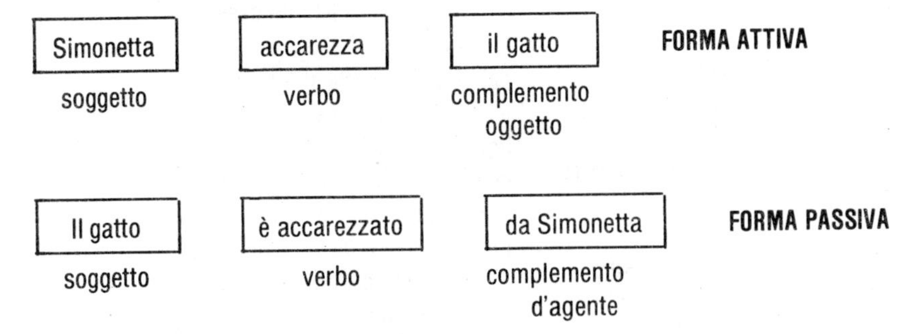

Attenzione:

1. Il complemento oggetto della proposizione attiva (il gatto) diventa soggetto della proposizione passiva.
2. Il nuovo verbo si forma con:

IL VERBO ESSERE *	+	IL PARTICIPIO PASSATO
alla persona corrispondente al nuovo soggetto, e al tempo e al modo in cui era coniugato il verbo della proposizione attiva.		del verbo usato nella proposizione attiva, accordato con il nuovo soggetto.

3. Il soggetto della proposizione attiva (Simonetta) diventa **complemento d'agente** della proposizione passiva ed è sempre preceduto dalla preposizione **da**.

(*) Nei **tempi semplici**, al posto del verbo essere, si può usare il verbo **venire**.
Es: Il gatto viene accarezzato da Simonetta.
Sempre nei **tempi semplici**, al posto del verbo essere, si può usare il verbo **andare**. In questo caso, però, l'azione acquista un carattere di obbligo, di necessità, di dovere.
Es: Le promesse **vanno** mantenute.

Attenzione: **nei tempi composti** la forma passiva si può costruire solo con il verbo **essere**.

ALTRE PARTICOLARITÀ DELLA FORMA PASSIVA

1. **Potere** e **dovere** non hanno forma passiva. Nella proposizione passiva mantengono la forma attiva e sono seguiti dall'infinito passivo.
   Es: In questo momento ognuno di voi **deve** mantenere la calma (forma attiva).
   In questo momento la calma **deve essere mantenuta** da ognuno di voi (forma passiva).
   Chiunque **può** vincere il premio (forma attiva).
   Il premio **può essere vinto** da chiunque (forma passiva).

2. La forma passiva si ottiene anche con SI + LA TERZA PERSONA SINGOLARE O PLURALE DI UN VERBO TRANSITIVO SEGUITO DAL COMPLEMENTO OGGETTO (vedi, al capitolo successivo, *La particella pronominale si passivante*).
   Questa forma viene adottata quando non è specificato chi fa l'azione.

3. Nel passaggio dalla forma attiva a quella passiva, i pronomi diretti *lo, la, li, le*, aventi funzione di complemento oggetto nelle proposizioni attive, diventano soggetto e quindi vengono omessi.

Es:

È una ragazza popolare: la conoscono tutti. (lei) è conosciuta da tutti.

Che brutta cravatta! Chi gliel'ha regalata? Da chi (essa) gli è stata regalata?

Attenzione: in questo caso, poiché il pronome diretto viene omesso, del pronome combinato (gliela) rimane solo il pronome indiretto (gli).

1. *Volgi alla forma passiva le seguenti frasi*:

1. Nel secolo XVII la guerra dei Trent'Anni sconvolse l'Europa ....

....

2. Il cardinale di Richelieu amava molto i gatti ....

....

3. Dante amò e odiò Firenze al tempo stesso ....

....

4. Luciana e Tiziano apprezzano la buona musica ....

....

5. Poche persone riconoscono i propri errori ....

....

6. Caterina dei Medici, regina di Francia, nell'agosto del 1572 ordinò il massacro degli Ugonotti ....

....

7. I ladri hanno rubato tutti i gioielli della mia amica Silvia ....

....

8. Il cameriere mi ha servito un ottimo arrosto con patatine .....

.....

9. Chi te lo ha raccontato? .....

10. Nessuno lo ha interrogato .....

11. La folla gremiva il teatro .....

12. Dopo che tutti mi ebbero salutato, partii .....

.....

13. Una grave malattia allo stomaco stroncò la robusta fibra di Napoleone .....

.....

14. Se tutti amassero la pace, il mondo sarebbe migliore .....

.....

15. Uno straniero non può comprendere le sfumature di questo dialogo

.....

16. Elena ha rotto una tabacchiera appartenuta a Girolamo Bonaparte .....

.....

17. Giovanni Boccaccio scrisse *Il Decameron* .....

.....

18. Carlotta Corday uccise Murat nel bagno .....

.....

19. Durante la Rivoluzione Francese la ghigliottina fece cadere molte teste .....

.....

20. Nel 1610 un prete fanatico, di nome Francesco Ravaillac, assassinò Enrico IV, re di Francia .....

.....

21. La gotta uccise molti esponenti della famiglia Medici .....

.....

22. Eleonora mi ha invitato a stare un mese in campagna con lei .....

.....

2. *Al si passivante sostituisci la corrispondente forma passiva*:

1. Oggi si festeggia il compleanno di Marco .....

.....

2. Per amore dei figli si fanno molti sacrifici .....

.....

3. Ieri l'uva si vendeva a poco .....

4. Dalla finestra si scorgeva la più alta torre di San Gimignano. .....

.....

5. In questo negozio si confezionano camicie per uomo .....

.....

6. In questa calzoleria si vendono scarpe di ottima qualità ....

....

7. Troppo spesso e crudelmente si maltrattano gli animali ....

....

8. Si sono formulate varie ipotesi a proposito di quel delitto ....

....

9. Non si capiva il motivo di quell'insolito ritardo ....

....

10. In questo cinema si proiettano degli ottimi films ....

....

11. In questo locale si serve dell'ottimo caffè con panna ....

....

12. Durante la guerra si sono viste cose tremende ....

....

XXVII. LA FORMA IMPERSONALE

Si dice impersonale quella costruzione sintattica in cui il soggetto non viene chiaramente espresso.
La più usata tra le forme impersonali è quella formata da:

SI + LA TERZA PERSONA SINGOLARE DI UN VERBO

1. LA PARTICELLA PRONOMINALE SI PASSIVANTE

La particella SI premessa alla terza persona singolare di un verbo:
a. INTRANSITIVO
b. RIFLESSIVO
c. TRANSITIVO non seguito da compl. oggetto

DÀ LUOGO ALLA FORMA IMPERSONALE DEL VERBO.

Es: a. In quel periodo si andava a letto tardi.
b. In questo periodo ci si veste con poche lire.
c. In questa trattoria si mangia a buon mercato.

Attenzione: La medesima particella SI preposta alla terza persona singolare o plurale di un VERBO TRANSITIVO SEGUITO DAL COMPLEMENTO OGGETTO, dà luogo alla FORMA PASSIVA.
Il verbo è: a. alla terza persona singolare se l'oggetto è singolare;
b. alla terza persona plurale se l'oggetto è plurale.
Es: Oggi si **festeggia** l'anniversario del matrimonio dei miei genitori.
Oggi si **festeggiano** le nozze d'oro dei miei nonni.
Qualora il complemento oggetto sia un pronome, esso precede sempre il verbo. Nei tempi composti il participio passato si accorda sempre con il complemento oggetto.
Es: Che Giovanni non abbia voglia di studiare, **lo** si capisce immediatamente.
Se si è vist**o** un bello **spettacolo**, se ne parla volentieri.
Un'**estate** così calda non si era vist**a** da molti anni.

2. LA FORMA IMPERSONALE DEI VERBI ESSERE, STARE, DIVENTARE, RIMANERE

L'aggettivo che segue la forma impersonale di *essere*, *stare*, *diventare* o *rimanere* prende la terminazione in **i**; Il verbo è alla terza persona singolare.

Es: Si è trist**i** quando non si hanno amici.
Quando si ha un lavoro ben retribuito, si sta tranquill**i**.
Purtroppo si diventa vecch**i** in un batter d'occhio.
Quando gli amici non sono sinceri si rimane delus**i**

3. FORMA IMPERSONALE DI UN VERBO PASSIVO

Si ottiene con:

SI + VERBO ESSERE ALLA TERZA PERSONA SINGOLARE + PARTICIPIO PASSATO IN **I**

Es: Se si è stimat**i**, si studia con maggiore impegno.
Se si è lodat**i**, si prova piacere.

4. FORMA IMPERSONALE DI UN VERBO RIFLESSIVO

Si ottiene con:

CI + SI + VERBO ALLA TERZA PERSONA SINGOLARE

Es: Ci si accorge sempre troppo presto che la giovinezza è passata.

5. FORMA IMPERSONALE NEI TEMPI COMPOSTI DEI VERBI INTRANSITIVI E RIFLESSIVI

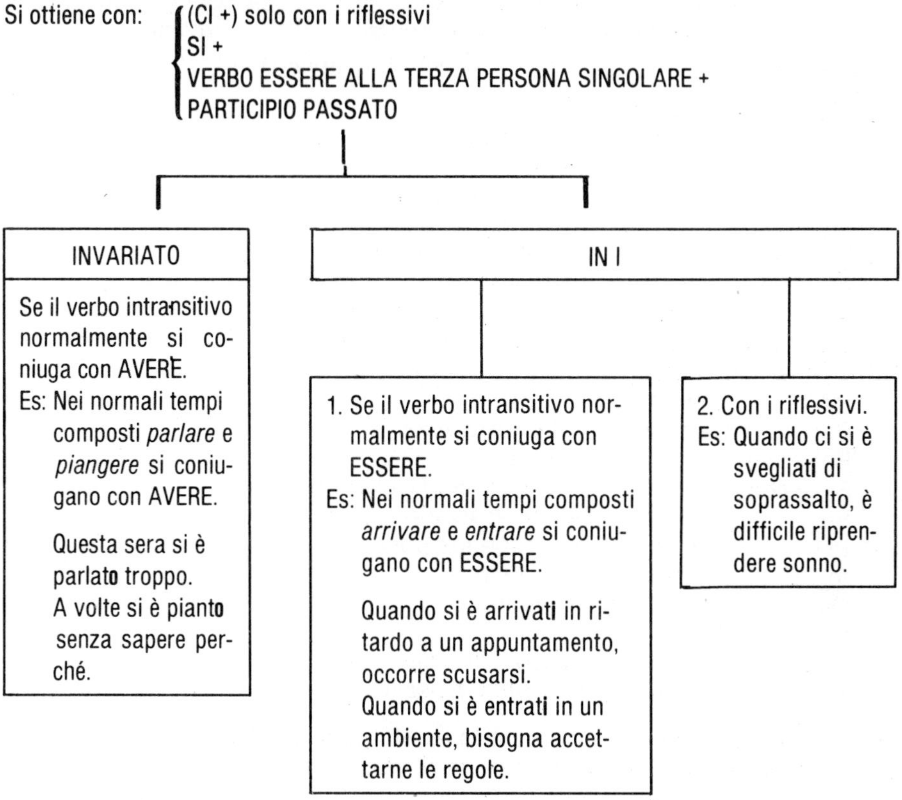

Si ottiene con:
- (CI +) solo con i riflessivi
- SI +
- VERBO ESSERE ALLA TERZA PERSONA SINGOLARE +
- PARTICIPIO PASSATO

INVARIATO

Se il verbo intransitivo normalmente si coniuga con AVERE.

Es: Nei normali tempi composti *parlare* e *piangere* si coniugano con AVERE.

Questa sera si è parlat**o** troppo.
A volte si è piant**o** senza sapere perché.

IN I

1. Se il verbo intransitivo normalmente si coniuga con ESSERE.

Es: Nei normali tempi composti *arrivare* e *entrare* si coniugano con ESSERE.

Quando si è arrivat**i** in ritardo a un appuntamento, occorre scusarsi.
Quando si è entrat**i** in un ambiente, bisogna accettarne le regole.

2. Con i riflessivi.

Es: Quando ci si è svegliat**i** di soprassalto, è difficile riprendere sonno.

1. *All'infinito fra parentesi sostituisci la forma impersonale*:
1. (Pregare) .... di non fumare. 2. Quando (ingrassare) .... è segno che bisogna cambiare alimentazione. 3. "Per me (andare) .... nella città dolente,/Per me (andare) .... nell'eterno dolore,/Per me (andare) .... tra la perduta gente" (Dante). 4. A Firenze (vivere) .... bene. 5. Quando (accorgersi) .... che la gioventù è passata è inutile disperarsi. 6. Non (vivere) .... di solo pane (proverbio). 7. (Morire) .... giovani per disgrazia, e vecchi per dovere (proverbio). 8. (Sapere) .... quando (partire) ...., ma non (sapere) .... quando (arrivare) .... (proverbio). 9. Giocando a carte molto spesso (perdere) .... 10. Spesso (parlare) .... a vanvera. 11. Quando

(andare) .... al mare? 12. In questa stanza (soffocare) .... 13Quando fa caldo (sudare) .... 14. Mangiando in modo sano e camminando molto (mantenersi) .... in salute. 15. Quando (stare) .... bene, tutto sembra più facile.

2. *Volgi al passato prossimo*:

1. Se si sbaglia, bisogna riconoscerlo.
   Se ...., bisogna riconoscerlo.
2. Ad arrivare in ritardo si fa una brutta figura.
   Ad arrivare in ritardo .... una brutta figura.
3. Oggi si preparano gli inviti per la conferenza.
   Ieri .... gli inviti per la conferenza.
4. Se ci si rovina la salute, è difficile tornare in forma.
   Se .... la salute, è difficile tornare in forma.
5. Oggi si va a letto presto.
   Ieri .... a letto presto.
6. Per prudenza si deve moderare la velocità.
   Per prudenza .... la velocità.
7. Se si comincia un lavoro non si può lasciarlo a metà.
   Se .... un lavoro non si può lasciarlo a metà.
8. In Lazio si mangia bene e si spende poco.
   In Lazio .... bene e .... poco.
9. Da bambini ci si diverte con poco.
   Da bambini .... con poco.
10. Se si scende troppo in basso è difficile risalire.
    Se .... troppo in basso è difficile risalire.

3. *Nella seguente poesia è contenuto un* **si**: *specifica se si tratta di un* **si** *impersonale, di un* **si** *riflessivo, o di un* **si** *passivante*:

La mia camera ha incanti di palmizio

La mia camera ha incanti di palmizio.
Il candido letto disordinato,
i quaderni innocenti: la presenza
in me di questa fisica allegrezza
che è la vita che **si** vive sola.

Poi passeri si sparpagliano come
confuse farfalle; la terra, al sole,
appassionata e indifferente...

E tra le vigne roventi di sole
e gli intonachi accesi delle case,
un invasato suono di campana.

(Pier Paolo Pasolini)

XXVIII. IL PERIODO IPOTETICO

Io sono un uomo molto ambizioso e lasciai da giovane il mio paese, con l'idea fissa di diventar qualcuno. Il mio paese sono quattro baracche e un gran fango, ma lo attraversa lo stradone dove giocavo da bambino. Siccome - ripeto - sono ambizioso, volevo girare tutto il mondo e, arrivato nei posti più lontani, voltarmi e dire in presenza di tutti: "Non avete mai sentito nominare quei quattro tetti? Ebbene, io vengo di là!". Certi giorni, studiavo con più attenzione del solito il profilo della collina, poi chiudevo gli occhi e mi fingevo di essere già per il mondo a ripensare per filo e per segno al noto paesaggio.

Così, andai per il mondo e vi ebbi una certa fortuna. Non posso dire di essere, più di un altro, diventato qualcuno, perché conobbi tanti che - chi per un motivo chi per un altro - sono diventati qualcuno, che, *se fossi ancora in tempo, smettarei volentieri di andare dietro a queste chimere*. Attualmente la mia ambizione sempre insonne mi suggerirebbe di distinguermi, se mai, con la rinuncia, ma non sempre si può ciò che si vorrebbe. Basti dire che vissi in una grande città e feci anche molti viaggi per mare e, un giorno che mi trovavo all'estero, fui lì lì per sposare una ragazza bella e ricca, che aveva le mie stesse ambizioni e mi voleva un gran bene. Non lo feci, perché avrei dovuto stabilirmi laggiù e rinunciare per sempre alla mia terra.

Un bel giorno tornai invece a casa e rivisitai le mie colline. Dei miei non c'era più nessuno, ma le piante e le case restavano, e anche qualche faccia nota. Lo stradone principale e la piazzetta erano molto più angusti di come me li ricordavo, soltanto il profilo lontano della collina non aveva scapitato. Le sere di quell'estate, dal balcone dell'albergo, guardai sovente la collina e pensai che in tutti quegli anni non mi ero ricordato di inorgoglirmene come progettato. Mi accadeva semmai, adesso, di vantarmi con vecchi compaesani della molta strada che avevo fatta e dei porti e delle stazioni dov'ero passato. Tutto questo mi dava una malinconia che da un pezzo non provavo più ma che non mi dispiaceva.

In questi casi ci si sposa, e la voce della vallata era infatti ch'io fossi tornato per scegliermi una moglie. Diverse famiglie, anche modeste, si fecero visitare perché vedessi le figliole. Mi piacque che in nessun caso cercarono di apparirmi diversi da come li ricordavo: i campagnoli mi condussero alla stalla e portarono da bere nell'aia, i borghesi mi accolsero nel salottino e stemmo seduti in cerchio fra le tendine pesanti mentre fuori era estate. Neanche questi tuttavia mi delusero: accadeva che in certe figliole che scherzavano imbarazzate riconoscessi le inflessioni e gli sguardi che mi erano balenati dalle finestre quand'ero ragazzo. Ma tutti dicevano ch'era una bella cosa ricordarsi del paese e ritornarci come facevo io, ne vantavano i terreni, ne vantavano i raccolti e la bontà della gente e del vino. Anche l'indole dei paesani, un'indole singolarmente fegatosa e taciturna, veniva illustrata interminabilmente, tanto da farmi sorridere.

Io non mi sposai. Capii subito che *se mi fossi portata dietro in città una di quelle ragazze, anche la più brava, avrei avuto il mio paese in casa e non avrei mai potuto ricordarmelo* come adesso me n'era tornato il gusto. Ciascuna di loro, ciascuno di quei contadini e possidenti, era soltanto una parte del mio paese, rappresentava una villa, un podere, una terra sola. E invece io ce l'avevo nella memoria tutto quanto, ero io stesso il mio paese: bastava che chiudessi gli occhi e mi raccogliessi, non più per dire "Conoscete quei quattro tetti"?, ma per sentire che il mio sangue, le mie ossa, il mio respiro, tutto era fatto di quella sostanza e oltre me e quella terra non esisteva nulla.

Non so chi ha detto che bisogna andar cauti, quando si è ragazzi, nel fare progetti, poiché questi si avverano sempre nella maturità. *Se questo è vero, una volta di più vuol dire* che tutto il nostro destino è già stampato nelle nostre ossa, prima ancora che abbiamo l'età della ragione.

Io, per me, ne sono convinto, ma penso a volte che è sempre possibile commettere errori che ci costringeranno a cambiare questo destino. È per questo che tanta gente sbaglia sposandosi. Nei progetti del ragazzo non c'è evidentemente mai nulla a questo proposito, e la decisione va presa a tutto rischio del proprio destino. Al mio paese, chi s'innamora viene canzonato, chi si sposa, lodato, quando non muti in nulla la sua vita.

Ripresi dunque a viaggiare, promettendo in paese che sarei tornato presto. Nei primi tempi lo credevo, tanto le colline e il dialetto mi stavano nel cervello. Sapevo ch'erano là, e soprattutto sapevo ch'io venivo di là, che tutto ciò che di quella terra contava era chiuso nel mio corpo e nella mia coscienza. Ma ormai sono passati degli anni e ho tanto rimandato il mio ritorno che quasi non oso più prender quel treno. In mia presenza i compaesani capirebbero che li ho giocati, che li ho lasciati discorrere delle virtù della mia terra soltanto per ritrovarla e portamela via. Capirebbero adesso tutta l'ambizione del ragazzo che avevano dimenticato.

(Cesare Pavese, da *Feria d'agosto*)

Attenzione: quelli in corsivo sono **periodi ipotetici**.

IL PERIODO IPOTETICO

È composto da due proposizioni che formano un'unità logica:

a. IPOTESI (protasi)
b. CONSEGUENZA (apodosi)

Può essere di tre tipi:
1. della **CERTEZZA** quando ipotesi e conseguenza sono reali, certe.

IPOTESI	CONSEGUENZA
se + presente indicativo	presente indicativo
se lo chiami,	ti risponde
se + presente indicativo	futuro
se lo chiami,	ti risponderà
se + futuro	futuro
se lo chiamerai,	ti risponderà
se + presente indicativo	imperativo
se ti chiamo,	rispondimi
qualora + presente congiuntivo	futuro
qualora tu chieda di me,	mi chiameranno

2. della **POSSIBILITÀ** quando ipotesi e conseguenza sono possibili.

IPOTESI	CONSEGUENZA
se + imperfetto congiuntivo	condizionale semplice
se lo chiamassi,	ti risponderebbe
qualora * + imperfetto congiuntivo	imperativo
qualora Maria stesse male,	chiamatemi

(*) Nel periodo ipotetico della possibilità con *qualora, nell'eventualità che*, *se per caso*, ecc., l'ipotesi in genere viene resa con l'imperfetto congiuntivo.

qualora + imperfetto congiuntivo	futuro
qualora Maria stesse male,	verrò
qualora + imperfetto congiuntivo	**condizionale semplice**
qualora mi accingessi a partire,	farei i necessari preparativi
se + imperfetto congiuntivo	**condizionale composto**

solo nel caso che l'ipotesi e la conseguenza si esauriscano contemporaneamente, cioè che la conseguenza non abbia inizio dopo l'ipotesi, ma incominci e finisca insieme ad essa.

se non imparasse a sciare,	avrebbe preso inutilmente tante lezioni di sci

3. della **IMPOSSIBILITÀ**

a. Quando ipotesi e conseguenza non sono state realizzate.

IPOTESI	CONSEGUENZA
se + trapassato congiuntivo	condizionale composto
se tu lo avessi chiamato,	ti avrebbe risposto

b. Quando l'ipotesi non si è attuata nel passato e la conseguenza continua nel presente.

IPOTESI	CONSEGUENZA
se + trapassato congiuntivo	condizionale semplice
se allora mi fossi curato,	oggi avrei più salute

c. Quando l'ipotesi vale anche per il presente, mentre la conseguenza si è esaurita nel passato.

IPOTESI	CONSEGUENZA
se + imperfetto congiuntivo	condizionale composto
se Anna fosse intelligente	avrebbe intuito i tuoi problemi

Attenzione: nel periodo ipotetico della **impossibilità**, sia per l'ipotesi che per la conseguenza, si può usare l'**imperfetto indicativo**.
Es: Se tu lo **chiamavi** (avessi chiamato), ti **rispondeva** (avrebbe risposto).

CASI PARTICOLARI DEL PERIODO IPOTETICO

a. Qualche volta l'ipotesi può essere costituita da una proposizione implicita:
   Es: **Alzando** il volume del televisore, sentiresti meglio.
   A osservarlo attentamente, si capisce che è un uomo timido.

b. A volte l'ipotesi o la consegunza possono essere sottintese.
   Es: IPOTESI SOTTINTESA
   Verresti alla mia festa? (= Se io t'invitassi, verresti alla mia festa?)
   CONSEGUENZA SOTTINTESA
   Se avessi i tuoi soldi! (= Se avessi i tuoi soldi, non avrei più preoccupazioni)

1. *Completa i seguenti periodi ipotetici coniugando i verbi fra parentesi nei tempi e nei modi appropriati.*

1. Se (io - conoscere) .... il suo nuovo numero di telefono, (telefonarle) .... volentieri. 2. Se incontri Mario, (salutarlo) .... da parte mia. 3. Se allora (tu - agire).................... con più intelligenza, oggi non (trovarsi) .... in questa situazione. 4. Raggiunto il mio obiettivo, non (io - chiedere) .... altro. 5. Se pensi così, (avere) .... torto. 6. Qualora gli venisse la febbre, (voi - chiamare) .... immediatamente il medico. 7. Nel caso che Luigi mi venisse a chiedere aiuto, (io - essere) .... pronto a darglielo. 8. Se tu partissi questa notte, (arrivare) .... a Parigi domani mattina. 9. Se tu fossi stato ricco, (fare) .... una vita migliore. 10. Se adesso (io - avere) .... tempo, (io - studiare) .... il russo. 11. Se allora (io -avere) .... tempo, (io - studiare) .... il tedesco. 12. Se allora (io - avere) .... danaro da investire, oggi (io - essere) .... ricco. 13. Se Ornella (essere) .... più simpatica non (mancarle) .... i corteggiatori. 14. Se tu (avere) .... una calligrafia migliore, (io - riuscire) .... a capire quello che scrivi. 15. Se l'anno scorso Erika (prendere) .... la patente, ora (potere) .... andare all'università in macchina. 16. Paolo ha fatto bene a divorziare: (ammalarsi) .... sicuramente se (continuare) .... a vivere con sua moglie. 17. Se Patrizio non (vincere) .... la corsa, (spendere) .... inutilmente tanti soldi in una macchina da competizione. 18. Se Ludovico (lasciarla) ...., Anita (gettare) .... via tutti gli anni trascorsi con lui. 19. Se Marcello non (arrivare) .... in tempo, (io - buttare) .... via l'intero pomeriggio a causa sua. 20. A quel tempo Giacomo era così spavaldo che, se (vedere) .... un fantasma con i propri occhi, (fare) .... finta di nulla. 21. Se Elena (lavare) .... accuratamente questa camicia, non (rimanerci) .... queste brutte macchie di

rossetto. 22. Se qualche volta (tu - essere) .... innamorato, oggi (capire) .... i miei problemi. 23. Se (lui - essere) .... un ragazzo equilibrato, non (comportarsi) .... in quel modo assurdo. 24. Se (tu- leggere) .... i giornali, (sapere) .... che cosa avviene nel mondo. 25. Ieri non hai letto i giornali: se (leggerli) .... (sapere) .... che cosa è avvenuto. 26. Se (io - essere) .... in te, non (stare) .... tanto tranquillo. 27. Se (tu - trovare) .... quel libro, (comprarlo) ....! 28. Se (io - avere) .... vent'anni di meno, (pensare) .... soltanto a divertirmi. 29. (Essere) .... meglio se tu (pensare) .... ai fatti tuoi. 30. Se non (tu - avere) .... altri impegni, (potere) .... venire al mare con noi. 31. Se tu non (fare) .... tante spese inutili, adesso non (noi - dovere) .... affrontare tutte queste difficoltà. 32. Se Carla, invece di quello scapestrato di Giorgio, (sposare) .... Paolo, oggi (trascorrere) .... un'esistenza più serena. 33. Se ieri sera non (tu - mangiare) .... tanto gelato, ora non (sentirti) .... così male. 34. Se (io - partire) .... prima, a quest'ora (essere) .... già a Milano. 35. Se (lui - avere) .... i baffi, (somigliare) .... a Clark Gable. 36. Se (noi -essere) .... meno stanchi, (accompagnarti) .... alla stazione. 37. Se (lui - non essere) .... così pessimista, non (guadagnarsi) .... la fama di menagramo. 38. Se vieni con me, (farmi) .... piacere. 39. Se (tu - gridare) ...., (loro - spaventarsi) .... sicuramente. 40. Qualora (tu - gridare) ...., (loro - spaventarsi) .... 41. Nell'eventualità che (esserci) .... dei grossi problemi, (voi - avvertirci) ....! 42. Se per caso (voi - avere) .... bisogno di danaro, (voi - farmelo) .... sapere. 43. Se poco fa non (tu - piangere) .... tanto, adesso non (avere) .... gli occhi gonfi e rossi. 44. Se Angela (studiare) .... di più, (superare) .... tutti gli esami in breve tempo. 45. Se Ludovico non (perdere) .... la testa per quella donna che gli ha impedito di far carriera, oggi (essere) .... un apprezzato chirurgo. 46. Se (tu- volermi) .... bene, non (rimproverarmi) .... sempre come fai.

2. *In questa novella, all'infinito fra parentesi, sostituisci il verbo nel tempo e nel modo richiesti dalla logica della narrazione*:

Usava un tempo a Firenze che i gentiluomini più in vista delle varie contrade si radunassero insieme e (costituire) .... delle brigate, guardando d'includervi cavalieri in grado di sostenere le spese della comitiva, cosicché, oggi uno, domani un altro, offrivano ricchi conviti ai quali (essere invitati) .... gentiluomini forestieri o anche fiorentini.

Tra le brigate più in vista (essercene) .... una capeggiata da messer Betto Brunelleschi il quale, insieme ai suoi compagni, (ingegnarsi) .... molto per attirare nella propria schiera Guido Cavalcanti che, oltre a essere uno dei più profondi filosofi e dei più valenti studiosi di scienze naturali, per di più (essere) .... ricchissimo e (sapere) .... onorare coloro che gli pareva (meritarlo) ....

Betto non (riuscire mai) .... a ottenere che Guido (entrare) .... nella sua schiera e (credere) .... che la causa del proprio fallimento (risiede) .... nel fatto che spesso Guido, (immergersi) .... nelle sue riflessioni, (allontanarsi) .... dalla realtà e, da seguace di Epicuro, (sforzarsi) .... di dimostrare che Dio non (esistere) ....

Un giorno Guido, (percorrere) .... il suo consueto cammino, dall'Orto di San Michele (arrivare) .... davanti alla chiesa di San Giovanni. Qui (sorprenderlo) .... Betto e i suoi compari i quali (stringerlo) .... tra i grandi sepolcri di marmo, le colonne fiancheggianti la porta della chiesa, e quella stessa entrata che (essere) .... chiusa.

"Guido," (dirgli) .... Betto "tu (rifiutare) .... di far parte della nostra brigata, ma quando (provare) .... che Dio non (esistere) ....che cosa (ottenere) ....?"

Guido, (vedersi) .... impedito il passaggio da quei messeri, immediatamente (rispondere) ....: "Signori, a casa vostra (potermi) .... dire tutto ciò che (piacervi) ...."!

Quindi, posta la mano sopra uno di quei sepolcri, (fare) .... un salto e, portatosi dall'altra parte, (andarsene) ....

Quei gentiluomini (rimanere) .... a guardarsi l'un l'altro, (commentare) .... che Guido (essere) .... un distratto e che ciò che (dire) .... non (significare) .... nulla, ma subito Betto (smentirli) ....

"I distratti (essere) .... voi che non (capire) .... " commentò. "Egli (dirci) .... chiaramente con poche parole la maggior villania del mondo perché, se voi (riflettere) .... bene, (capire) .... che lui (dire) .... che siamo a casa nostra, (volere) .... alludere a questi sepolcri che sono la casa dei morti. Secondo Guido noi (essere) .... idioti e illetterati, peggio che uomini morti, se paragonati a lui e agli uomini di scienza."

(Libreria riduzione da Giovanni Boccaccio, *Il Decameron*, VI, 9)

XXIX. IL DISCORSO DIRETTO E INDIRETTO

Esistono due modi per raccontare il contenuto di una conversazione:

1. Ripetere le parole precise di chi ha parlato (DISCORSO DIRETTO).
   Es: Mario disse: "Sono molto stanco".
2. Esporre il contenuto della conversazione, senza usare le parole precise (DISCORSO INDIRETTO).
   Es: Mario disse che era molto stanco.

IL DISCORSO INDIRETTO

Il discorso indiretto dipende sempre da un **verbo dichiarativo** (dire, replicare, dichiarare, aggiungere, rispondere, ecc.) che diventa il predicato principale del nuovo periodo. Questo verbo può essere a un **tempo passato** (imperfetto, passato prossimo non legato al presente, passato remoto, trapassato prossimo) oppure a un **tempo presente** (presente, futuro, passato prossimo legato al presente). Si hanno quindi due tipi di concordanza dei tempi: al passato e al presente.

VERBO PRINCIPALE AL PASSATO
Quando il verbo principale è al passato, nel passaggio dal discorso diretto a quello indiretto si verificano molti cambiamenti grammaticali.
Mutano:

a. I PRONOMI PERSONALI

IO, TU diventano LUI (EGLI), LEI (ELLA)

Es: Marta disse: "(Io) sono stanca".
Marta disse che (lei) era stanca.

NOI, VOI diventano LORO, ESSI, ESSE

Es: Piero e Ugo dissero: "(Noi) siamo stanchi".
Piero e Ugo dissero che (loro) erano stanchi.

Attenzione: **io, noi, tu, voi** si comportano diversamente quando sono al tempo stesso soggetti del verbo principale dichiarativo e protagonisti dell'azione narrata.

Es: (Io) dissi: "(**Io**) sono felice".
(Io) dissi che (**io**) ero felice.

(Noi) dicemmo: "(**Noi**) siamo rovinati!"
(Noi) dicemmo che (**noi**) eravamo rovinati.

(Tu) dicesti: "(**Io**) sono innamorata!"
(Tu) dicesti che (**tu**) eri innamorata.

(Voi) diceste: "(**Noi**) siamo dispiaciuti".
(Voi) diceste che (**voi**) eravate dispiaciuti".

b. I PRONOMI POSSESSIVI

MIO, TUO — diventano — SUO

Es: Piero disse a Mario: "Prendo il tuo ombrello".
Piero disse a Mario che prendeva il suo ombrello.

NOSTRO, VOSTRO — diventano — LORO

Es: Andrea disse: "La nostra giornata è rovinata!"
Andrea disse che la loro giornata era rovinata.

Attenzione: i possessivi **mio, nostro, tuo, vostro,** se riferiti a chi racconta, si comportano come i corrispondenti pronomi personali.

c. GLI AVVERBI E LE LOCUZIONI DI TEMPO E DI LUOGO

	diventano	
OGGI		QUEL GIORNO
DOMANI		IL GIORNO DOPO, L'INDOMANI
IERI		IL GIORNO PRIMA
ORA		ALLORA
TRA POCO		POCO DOPO
TRA (temporale)		DOPO
POCO FA		POCO PRIMA
QUI		LÌ, IN QUEL LUOGO
QUA		LÀ, IN QUEL LUOGO

d. GLI AGGETTIVI E I PRONOMI DIMOSTRATIVI

QUESTO, QUESTA	diventano	QUELLO, QUELLA
COSTUI, COSTEI	diventano	COLUI, COLEI

e. IL VERBO VENIRE

VENIRE diventa ANDARE

Es: Maria disse a Franco: "Vieni domani a casa mia".
Maria disse a Franco che andasse il giorno dopo a casa sua.

Attenzione: VENIRE non cambia:

1. quando è usato in espressioni idiomatiche.
   Es: Mara disse a Ugo: "Mi è venuto un forte mal di testa".
   Mara disse a Ugo che le era venuto un forte mal di testa.

2. quando è riferito al narratore.
   Es: Gualtiero mi disse: "Verrò questa sera".
   Es: Gualtiero mi disse che sarebbe venuto quella sera.

f. I TEMPI E I MODI DEI VERBI

IL PRESENTE INDICATIVO diventa IMPERFETTO INDICATIVO

Es: Mario mi disse: "**Dobbiamo** andare.'
Mario mi disse che **dovevamo** andare.

IL PRESENTE INDICATIVO diventa IMPERFETTO CONGIUNTIVO NELLE INTERROGATIVE INDIRETTE.

Es: Ugo mi chiese: "Quanti anni **hai**?
Ugo mi chiese quanti anni **avessi**.

IL PRESENTE CONGIUNTIVO diventa IMPERFETTO CONGIUNTIVO

Es: Carla gli disse: "Penso che tu **stia** male".
Carla gli disse che pensava che lui **stesse** male.

L'IMPERATIVO	diventa Es: Maria gli ordinò: "**Parla**!" Maria gli ordinò che **parlasse**. Maria gli ordinò di **parlare**.	IMPERFETTO CONGIUNTIVO o INFINITO SEMPLICE
IL FUTURO SEMPLICE (o anteriore)	diventa Es: Olga disse a Elena: "Ti **scriverò**". Olga disse a Elena che le **avrebbe scritto**.	CONDIZIONALE COMPOSTO
IL FUTURO SEMPLICE o L'IMPERFETTO CONGIUNTIVO	diventano QUANDO, NEL DISCORSO DIRETTO, ESPRIMONO UNA CONDIZIONE: Es: Alberto disse a Lisa: "Se tu mi **telefonerai**, sarò felice. Alberto disse a Lisa che, se lei gli **avesse telefonato**, sarebbe stato felice. Alberto disse a Lisa: "Se tu mi **telefonassi**, sarei felice". Alberto disse a Lisa che, se lei gli **avesse telefonato**, sarebbe stato felice.	TRAPASSATO CONGIUNTIVO
IL FUTURO (SEMPLICE o ANTERIORE), purché in rapporto con un altro futuro (*)	diventa Es: Sergio disse: "Quando mi **sarò riposato**, uscirò. Sergio disse che, quando si **fosse riposato**, sarebbe uscito. Giulio disse a Mirella: "Appena **saprò** (**avrò saputo**) qualcosa, ti avvertirò". Giulio disse a Mirella che, appena **avesse saputo** qualcosa, l'avrebbe avvertita.	TRAPASSATO CONGIUNTIVO

(*) Nel passaggio dal discorso diretto al discorso indiretto, il futuro (semplice o anteriore), seguendo la regola del futuro nel passato, diventa condizionale composto. Ma se nella stessa proposizione si trovano due verbi al futuro, quello riferito all'azione che avverrà prima (ed espresso da un futuro anteriore o da un futuro semplice con significato anteriore) va al **trapassato congiuntivo** e solo il secondo va al condizionale composto.

IL PASSATO PROSSIMO e IL PASSATO REMOTO	diventano Es: Virgilio disse: "Ti ho **scritto** spesso". Virgilio disse che gli **aveva scritto** spesso. IL VERBO DELLA DIPENDENTE PERÒ NON CAMBIA SE NON È IN STRETTA CONNESSIONE TEMPORALE CON QUELLO DELLA PRINCIPALE. Es: Disse: "Napoleone **fu** un grande stratega". Disse che Napoleone **fu** un grande stratega.	TRAPASSATO PROSSIMO
IL CONDIZIONALE SEMPLICE	diventa Es: Disse: "**Sarebbe** bello partire per il mare!" Disse che **sarebbe stato** bello partire per il mare.	CONDIZIONALE COMPOSTO

Non mutano:

a. L'INFINITO, IL GERUNDIO, IL PARTICIPIO

Es: Disse: "Ho cercato di **smettere** di fumare, ma non ci sono riuscito".
Disse che aveva cercato di **smettere** di fumare, ma non ci era riuscito.

Disse: "**Correndo**, sono caduto".
Disse che, **correndo**, era caduto".

Disse: "**Ricevuta** la lettera, mi sono tranquillizzato".
Disse che, **ricevuta** la lettera, si era tranquillizzato.

b. L'IMPERFETTO INDICATIVO E CONGIUNTIVO (non esprimente condizione)

Es: Luca disse: "Mentre **dormivo**, ho fatto un bellissimo sogno".
Luca disse che, mentre **dormiva**, aveva fatto un bellissimo sogno.

Maria Stella mi disse: "Volevo sapere quale **fosse** il problema".
Maria Stella mi disse che voleva sapere quale **fosse** il problema.

c. IL CONDIZIONALE COMPOSTO

Es: Lea disse: "Secondo il medico, mio figlio **avrebbe avuto** un'indigestione".
Lea disse che, secondo il medico, suo figlio **avrebbe avuto** un'indigestione.

d. IL TRAPASSATO INDICATIVO E CONGIUNTIVO

Es: Delia disse: "**Avevo** già **provato** a telefonare".
Delia disse che **aveva** già **provato** a telefonare.

Rossella disse: "Lucia mi ha chiesto se **avessi speso** molto".
Rossella disse che Lucia le aveva chiesto se **avesse speso** molto.

e. I PRONOMI **LUI, LEI, LORO** E I POSSESSIVI **SUO** E **LORO**

f. GLI AVVERBI **LÌ, LÀ**

g. IL DIMOSTRATIVO **QUELLO**

h. L'AVVERBIO **ALLORA**

VERBO PRINCIPALE AL PRESENTE

Quando il verbo principale è al presente (o al passato prossimo legato al presente, o al futuro), nel passaggio dal discorso diretto a quello indiretto si verificano pochi cambiamenti grammaticali.

Mutano:

a. I PRONOMI PERSONALI E I POSSESSIVI, secondo lo stesso criterio analizzato per il discorso indiretto dipendente da un verbo al passato.

b. L'IMPERATIVO che diventa **congiuntivo presente o infinito semplice.**
Es: Tutti i gioni Gisella dice a Roberta: "**Leggi!**".
Tutti i giorni Gisella dice a Roberta che **legga**.
Tutti i giorni Gisella dice a Roberta di **leggere**.

Non mutano:

a. GLI AVVERBI DI TEMPO E DI LUOGO

b. I TEMPI E I MODI DEI VERBI DIPENDENTI (TRANNE L'IMPERATIVO)

1. *Trasforma dal discorso diretto al discorso indiretto*:

1. La nonna disse al nipote: "Se sarai bravo e studioso per un'intera settimana, ti accompagnerò al circo". ....

....

2. La mamma chiese a Marcello: "Qual è la causa della tua tristezza?" ....

....

3. Tu dicesti: "Il mio avvenire è assicurato". ....

....

4. Noi dicemmo: "Adesso non ci sono dubbi: il nostro avvenire è assicurato". ....

....

5. Carlo disse: "Mia madre è partita e tornerà fra una settimana". ....

....

6. Elisabetta annunciò: "Appena mi sarò laureata, mi sposerò!" ....

....

7. Erina rispose: "Se potessi, ci verrei anch'io." ....

....

8. Ugo rispose: "Ho detto delle bugie, ma le ho dette a fin di bene". ....

....

9. E rivolgendosi agli altri (disse): "Cosa volete che facciano ad una povera vecchia come sono io e a quest'angelo? Ci lasceranno passare" (A. Bonsanti). ....

....

10. - Impara almeno a mangiare come le persone educate, - borbottò il topo navigatore. - Se fossimo su un bastimento saresti già stato buttato in mare. Ti rendi conto o no che fai un rumore disgustoso? (G. Rodari)

....

....

11. "Anch'io ho fatto tardi", mormorò poi Corrado guardando di sottecchi la moglie "sono stato a far visita a Della Pergola, che sta poco bene." (A. Campanile) ....

....

12. "Lasciati vedere" diceva tra le lacrime la madre, tirandosi un po' indietro "lascia vedere quanto sei bello. Però sei pallido, sei." (D. Buzzati) ....

....

13. "Ti risponderò un'altra volta" disse Giorgio. "Quando me lo chiederai un po' più seriamente." (V. Pratolini) ....

....

14. Infine commentò: "Sono contento che oggi abbiate trovato finalmente un accordo". ....

....

15. Carlo disse a Olga: "Ti aspetterò domani nel mio studio. Spero che sarai puntuale, perché io detesto aspettare".

16. Giovanni disse a sua figlia: "Se non smetterai di sprecare il tuo tempo in sciocchezze e non ti metterai a studiare seriamente, da me non avrai più una lira!"

17. L'uomo disse alla ragazza: "Ti amo profondamente, ma non voglio e non posso legarmi a te, perché i miei progetti richiedono che io sia assolutamente libero da qualsiasi vincolo".

18. Dario ripete sempre a suo figlio: "Osserva e rifletti prima di dare un giudizio".

19. Gualtiero disse a Simonetta: "Se mi ascolterai attentamente, capirai come si sono svolti i fatti".

20. Eleonora ordinò a Filippo: "Siediti e aspetta con pazienza, perché io in questo momento ho molto da fare".

21. Erika disse a Maria Pia: "Devi venire immediatamente da me, perché ho assoluto bisogno di parlarti".

22. Disse: "In questo modo vedrò se ho a che fare con persone davvero oneste, oppure con imbroglioni".

23. La contadina rispose alla fata: "Non credo nella tua magia! E, in cambio di un misero cece, non ti darò certo la mia gallina bella, grassa e giovane!".

24. Il bambino chiese al venditore di dolci: "Quante caramelle mi darai in cambio di un centesimo?"

25. Il gatto stregato, lisciandosi il pelo lucido, disse: "Io sono il micio più intelligente del mondo. So parlare, contare, dare ottimi consigli per catturare i topi più astuti. In breve, mettetevelo in testa voi gatti normali, io sono un genio e oggi ve lo dimostrerò".

XXX. AGGETTIVI E PRONOMI INDEFINITI

Solo aggettivi	**Solo pronomi**	**Aggettivi e pronomi**
QUALCHE	UNO/A	CIASCUNO/A
OGNI	OGNUNO/A	ALCUNO/A/I/E
QUALSIASI	QUALCUNO/A	NESSUNO/A
QUALUNQUE	CHIUNQUE	ALTRO/A/I/E
QUALSIVOGLIA	CHICCHESSIA *	MOLTO/A/I/E
CERTO/A/I/E	QUALCOSA	TANTO/A/I/E
	ALCUNCHE' *	PARECCHIO/A/I/E
	CHECCHE' *	TROPPO/A/I/E
	NULLA	POCO/A/I/E
	NIENTE	QUANTO/A/I/E
		TALE/I
		TUTTO/A/I/E
		ecc.

Attenzione: gl'indefiniti contrassegnati da asterisco sono quelli oggi meno usati.

OSSERVAZIONI SUI PRINCIPALI AGGETTIVI E PRONOMI INDEFINITI

QUALCHE

- *Qualche domenica* (= più di una volta, ma non molte volte) *andiamo in campagna.*

OGNI

- *Ogni domenica* (= tutte le domeniche) *andiamo al mare.*

QUALSIASI
QUALUNQUE
QUALSIVOGLIA

- Significano unità indeterminata e spesso richiedono l'uso del congiuntivo.
  Qualsiasi cosa tu faccia, sarò d'accordo con te.
  Qualunque persona ti direbbe che hai sbagliato.
  Compra un qualsivoglia libro.

CERTO/A/I/E

- Al singolare è spesso preceduto dall'articolo **un**.
  Ieri ho conosciuto un certo avvocato Bissoli.
  Non lavorerò più senza la garanzia di un guadagno certo.
  Attenzione: **certo** + sostantivo = certo ha valore di indefinito
  sostantivo + **certo** = certo ha valore di aggettivo qualificativo.

UNO/A - Si riferisce a persona indeterminata. Seguita da **altro**, è preceduto dall'articolo e può avere il plurale.
È uno che ha poco tempo.
Ho sentito il parere degli uni e degli altri.

OGNUNO/A - Indica una totalità di persone prese singolarmente.
Ognuna di loro è simpatica (= tutte sono simpatiche).

QUALCUNO - indica numero indeterminato, ma non grande.
Qualcuno mi risponderà.

CHIUNQUE - Spesso richiede il congiuntivo.
Chiunque (= qualsiasi persona) *venga mi farà piacere.*
Un film così non può apprezzarlo chiunque.

CHICCHESSIA - È simile a **chiunque**, ma si usa raramente.
Non parlane con chicchessia (= qualsiasi persona)

QUALCOSA
ALCUNCHÉ - Con *qualcosa* e *alcunché*, nei tempi composti il verbo si accorda al maschile.
È successo qualcosa di grave?

CHECCHÉ - Richiede il congiuntivo ed è poco usato.
Checché (= qualsiasi cosa che) *tu ne dica, io resto della mia opinione.*

NULLA
NIENTE - Con nulla e niente, nei tempi composti il verbo si accorda al maschile.
Nulla (= nessuna cosa) *è perduto*!
Miranda è un'acuta osservatrice: niente gli sfugge.
Non è successo **nulla**!
Non ho capito **niente**.
Attenzione: se **nulla** e **niente** seguono il verbo, questo, a sua volta, è preceduto dalla negazione **non**.
Niente è usato anche in espressioni come:
niente paura! Niente capricci!

* * * * * * * *

CIASCUNO/A - Esprime una totalità di cose o individui presi singolarmente.
Ciascuno è libero di fare ciò che vuole.
Ciascuna persona agisce come meglio crede.

ALCUNO/A/I/E - *Al singolare si usa in frasi negative; al plurale indica quantità limitata.*
Non ho alcun bisogno (= nessun bisogno) *di te*
Ho letto alcuni libri (= qualche libro) *interessanti.*

NESSUNO/A - Ha significato opposto a ciascuno. Usato prima del verbo non vuole la negazione *non*; usato dopo il verbo esige la negazione **non** prima del verbo.
Nessuno mi capisce.
Non mi capisce nessuno.

ALTRO/A/I/E - In genere, usato con l'articolo, indica persone; usato senza articolo indica cose.
Se non lo fai tu, lo farà un altro.
Non ho altro da dirti.

MOLTO/A/I/E
TANTO/A/I/E
PARECCHIO/A/I/E
TROPPO/A/I/E
POCO/A/I/E
QUANTO/A/I/E

- Esprimono una quantità indefinita. Usati come pronomi, al singolare indicano cose, al plurale sia persone che cose.
Mangia molto, ma non ingrassa.
Molti sono già partiti.

TALE/I - Si usa essenzialmente come pronome, preceduto dall'articolo indeterminativo. *Tale* si può troncare, ma **non si apostrofa mai**.
C'è un tale che vorrebbe parlarti.

TUTTO/A/I/E - È il contrario di **niente**. Indica totalità o interezza. Quando è seguito da un nome con l'articolo, quest'ultimo accompagna solo il nome.
Lorenzo dice che tutte le donne che ha amato erano bellissime.

1. *Sostituisci ai puntini la forma appropriata dell'indefinito*:

1. Qui non c'è .... 2. C'è forse .... che non va? 3. .... deve far valere i propri diritti. 4. Sul giornale non c'è .... notizia che possa interessarti. 5. Non dire a .... che ti ho raccontato queste cose. 6. Andrea si è fermato per strada a parlare con .... che non conosco. 7. Avrebbe bisogno di .... che l'aiutasse. 8. .... può indovinare che cosa succederà. 9. Non ha .... interesse a portare avanti quella faccenda. 10. Non preoccuparti: .... passerà a prenderti. 11. .... nasce maestro (proverbio). 12. In casa sua .... è re (proverbio). 13. .... porta la propria croce (proverbio). 14. .... medaglia ha il suo rovescio (proverbio). 15. Se cerchi dei fogli, ne troverai .... nel cassetto della scrivania. 16. .... mi darebbe ragione, ma tu ti ostini a contraddirmi. 17. .... le persone che ho interrogato mi hanno parlato bene di lui. 18. Per festeggiare il compleanno di Roberta, inviteremo .... amico. 19. A quel convegno non c'era .... che conoscessi. 20. Margherita è così ingrassata che non le sta più ....: dovrà comprarsi .... di nuovo. 21. Distribuì i dolci con molta attenzione, affinché .... rimanesse senza. 22. Alfonso non è il tipo da sposare una ragazza .... 23. Silvio non ha fatto amicizia con .... dei suoi colleghi. 24. .... saprà indicarti la strada per andare alla stazione. 25. Non dirmi altro: ho già sentito .... 26. In questa rivista non c'è .... articolo su quell'argomento. 27. C'era molta gente al concerto? No, solo .... intenditore di musica barocca. 28. .... e cinque i gatti salirono sul letto di Gioietta. 29. Questo negozio è troppo caro: non ci si può comprare .... 30. .... volta che la incontro mi pare più carina. 31. Non ho .... da offrirti, ma, se aspetti un attimo, vado a comprare .... 32. Vieni a un'ora .... del pomeriggio: ti aspetterò in casa.

XXXI. LE FORME ALTERATE

Le parole **gattino, gattone, gattaccio**, anche se non hanno un significato diverso dalla parola **gatto**, indicano un'alterazione, una sfumatura qualitativa di questa parola.

Gattino, gattone, gattaccio sono **nomi alterati.**

VARI TIPI DI NOMI ALTERATI

I nomi alterati possono essere:

DIMINUTIVI — quando indicano piccolezza e hanno i suffissi:

ino (gatt-o gatt**ino**)	**ina** (gatt-a gatt**ina**)
ello (alber-o alber**ello**)	**ella** (finestr-a finestr**ella**)
icello (vent-o vent**icello**)	**icella** (nav-e nav**icella**]
icciolo (port-o port**icciolo**)	**icciola** (fest-a fest**icciola**)
icino (cuor-e cuor**icino**)	**icina** (volp-e volp**icina**)
ecc.	

VEZZEGGIATIVI — quando indicano piccolezza, grazia, tenerezza e hanno i suffissi:

etto (vecchi-o vecchi**etto**)	**etta** (vecchi-a vecchi**etta**)
uccio (cavall-o caval**luccio**)	**uccia** (cas-a cas**uccia**)
ino (princip-e princip**ino**)	**ina** (bambol-a bambol**ina**)
icino (oss-o oss**icino**)	**icina** (port-a port**icina**)
ecc.	

Attenzione: fra **diminutivi** e **vezzeggiativi** non esiste molta differenza: alcuni suffissi (ino-ina; icino-icina) sono quindi comuni sia all'una che all'altra forma di alterazione)

ACCRESCITIVI — quando indicano grandezza superiore al normale e hanno i suffissi:

one (gatt-o gatt**one**)	**ona** (ragazz-a ragazz**ona**)
otto (baril-e baril**otto**)	**otta** (contadin-a contadin**otta**)
ecc.	

PEGGIORATIVI — quando indicano disprezzo, disapprovazione, antipatia, derisione e hanno i suffissi:

accio (gatt-o gatt**accio**)
ucolo (giornal-e giornal**ucolo**)
astro (ricc-o ricc**astro**)
onzolo (medic-o medic**onzolo**)
iciattolo (fium-e fium**iciattolo**)
ecc.

accia (gatt-a gatt**accia**)
ucola (rivist-a rivist**ucola**)
astra (ricc-a ricc**astra**)

Attenzione: a. in certi casi, nell'alterazione, il nome può cambiare genere.
Es: una donna - un donnone
una barca - un barcone
una scala - uno scalone
una stanza - uno stanzone, ecc.

b. Anche alcuni aggettivi e avverbi possono essere alterati.
Es: caro - carino
bello - bellino, belloccio
povero - poverino, poveretto, poveraccio

male - maluccio, malaccio
bene - benino, benone
poco - pochino

c. Esistono anche dei **falsi alterati**, cioè dei nomi che terminano con suffissi di alterazione, ma non sono alterati.
Es: burrone non deriva da burro
tacchino non deriva da tacco
merletto non deriva da merlo
focaccia non deriva da foca, ecc.

1. *Componi tutte le forme alterate possibili dei seguenti nomi*:
1. cane ....
2. coniglio ....
3. libro ....
4. naso ....
5. bocca ....
6. occhi ....
7. macchia ....
8. palazzo ....
9. scatola ....
10. ragazzo ....
11. prete ....
12. rivista ....
13. mano ....
14. piede ....
15. chiesa ....
16. sole ....
17. bacio ....
18. bottiglia ....
19. uomo ....
20. strada ....
21. zampa ....
22. regalo ....
23. stoffa ....
24. parola ....
25. figura ....
26. dolore ....
27. posto ....
28. porta ....
29. pentola ....
30. vento ....

2. *Al posto delle seguenti espressioni, metti i corrispondenti alterati*:
1. una brutta notte .... 2. una donna piccola ....
3. un brutto giornale .... 4. una vecchia antipatica ....
5. un grosso gelato .... 6. una brutta giornata ....
7. un fatto tremendo .... 8. un vino leggero ....
9. una cornice piccola .... 10. un cavallo piccolo ....
11. un sapore cattivo .... 12. una brutta vita ....
13. un treno piccolo .... 14. una macchina grande ....
15. un sorriso ironico .... 16. un odore cattivo ....
17. una risata sguaiata .... 18. un profumo delicato ....

19. un attore scadente .... 20. un brutto carattere ....
21. un fiore piccolo .... 22. un brutto dente ....
23. un lume fioco .... 24. una valigia piccola ....
25. un piatto piccolo .... 26. una piccola tazza ....
27. un piccolo monte .... 28. un piccolo orologio ....
29. un cappello sciupato .... 30. un brutto lavoro ....
31. una moglie graziosa .... 32. un ladro da poco ....

3. *A tua scelta, svolgi uno dei seguenti temi*:

1. Volta a volta esaltata o denigrata da poeti e filosofi, fini indagatori dell'animo umano, la gelosia è in grado d'insidiare e distruggere l'amore più tenace, oppure - se dosata con ironia e intelligenza - di ridare freschezza a un sentimento un po' appannato...

2. "Noi tutti abbiamo avuto l'occasione di constatare che eventi felici non sono stati capaci di renderci felici, ed eventi tristi non sono stati capaci di renderci infelici. Entro ciascuno di noi v'è qualcosa, forse un'intima esaltazione, che ci eleva al di sopra dei colpi avversi della fortuna, e nello stesso modo non sempre fa dipendere da avvenimenti felici la vera gioia. La nostra dipendenza dagli eventi non è quindi assoluta; è limitata dalla libertà spirituale."

(Albert Schweitzer)

3. Descrivi il tuo partner ideale. Quale aspetto dovrebbe avere e quali dovrebbero essere le caratteristiche della sua cultura e della sua intelligenza?

4. La chirurgia plastica aiuta non solo a migliorare il proprio aspetto, ma addirittura, in una snervante lotta con gli anni che passano, ad abbattere le barriere del tempo, prolungando la giovinezza. Il sogno di Faust, entro certi limiti, pare essere vicino a realizzarsi... Qual è la tua opinione?

APPENDICE DI ESERCIZI

1. A tua scelta, svolgi uno dei seguenti temi:
1. "L'esperienza non ha alcun valore etico: è semplicemente il nome che gli uomini danno ai propri errori." (O. Wilde)
2. "L'amore non consiste nel lanciarsi delle occhiate, ma nel guardare insieme nella stessa direzione." (A. de Saint Exupéry)
3. "È cosa comune delle buone intenzioni, se sono guidate senza moderazione, spingere gli uomini ad azioni assai colpevoli." (M. de Montaigne)
4. "Il talento è come il denaro: non è necessario averne per parlarne." (J. Renard)

2. Inserisci le preposizioni appropriate:
1. Marcello è arrivato .... aereo. 2. Clarissa è andata in centro .... piedi. 3. Oggi devo andare .... zio Piero. 4. Oggi devo andare .... mio zio. 5. Il vigile mi ha fatto una multa .... novantamila lire. 6. Maja è partita .... alba. 7. Marina è tornata .... notte fonda. 8. Serena è rientrata .... tre di notte. 9. Il pinguino vive .... Polo Sud. 10. La tigre vive .... Asia. 11. Ti ho spedito il pacco .... corriere. 12. .... trenta giorni, ventiquattro sono stati di freddo e pioggia. 13. Ho comprato il quadro di Giulio .... novecentomila lire. 14. Il professore di storia ha fatto una lezione .... guerra dei Trent'Anni. 15. Mario è il più giovane .... i figli di Antonietta. 16. Molta gente vive .... espedienti. 17. Luciano agisce sempre .... testa sua. 18. Oggi si muore .... caldo. 19. Eugenia proviene .... un'antica famiglia genovese. 20. Ludovica è una ragazza .... buona famiglia. 21. .... punto .... bianco si è alzato ed è andato via. 22. L'imputato è stato assolto .... accusa .... omicidio. 23. Quel giovane sospetto che era stato arrestato ieri, oggi è stato rimesso .... libertà. 24. Il cane di Raoul è cieco .... un occhio. 25. Augusto indossa una camicia .... righe. 26. Carlo ha una gatta .... gli occhi azzurri. 27. Simona è una ragazza .... vent'anni. 28. Un amico ti darà .... bene ciò che dieci nemici ti hanno dato .... male. (Proverbio) 29. Le cose donate .... affetto devono essere conservate .... lo stesso sentimento affettuoso. 30. "Nulla è più complicato .... sincerità." (L. Pirandello) 31. "Ai giornali e .... riviste sono più utili i nemici che gli amici, perché gli amici si fanno regalare una copia .... dirne bene, mentre i nemici .... dirne male la comprano." (Pitigrilli) 32. "La ragione non serve .... nulla .... mondo, se non è largamente ovattata .... immaginazione." (G. Prezzolini). 33. Questa sera Gualtiero ha parlato ininterrottamente .... due ore. 34. .... tutta la sua intelligenza, il fratello di Anna non è stato

capace di farsi una posizione. 35. A volte si può piangere .... gioia. 36. Elena piangeva .... commozione. 37. Tullio è andato .... comprare i biglietti .... il concerto. 38. Mi permetti .... parlarti .... tutta sincerità? 39. "Anche quella mattina si era levato, sbarbato e vestito .... dolcezza; si era liberato .... vestaglia .... sua stanza, ... un brivido .... freddo che gli veniva .... invernate fonde dell'infanzia, quando ancora era la madre che lo spogliava." (P. Volponi) 40. "Quaranta giorni dopo le elezioni, ormai .... pieno dell'estate, Guido partì .... Roma, una domenica mattina." (P. Volponi) 41. "Quella .... odio è la sola legge che gli uomini rispettino .... millenni. È un filtro sottile, l'odio, che dilaga .... vene .... fulminea rapidità e incenerisce .... sua corsa ogni altro sentimento." (C. Galasso) 42. "Morire .... letto, ecco l'unica fine che Artemisia non s'era prevista, quando incalzava e quasi frustava il proprio destino. Morire a letto, non di accidente fulmineo, né di tragica peste, ma .... un male lento, incerto, malizioso, che può durar degli anni: così muore la più parte .... uomini." (A. Banti) 43. "La domenica, all'Ave Maria, Emilio andò .... prender la sorella. Non era più vestito .... prete, ma .... pantaloni a dadini, il soprabito .... vita e la tuba come usava allora, sembrava uno sperticato fantoccio terrore .... passerotti." (B. Cicognani) 44. "Il vecchio estrasse un lighter .... gilè e molto urbanamente accese la sigaretta ancora penzolante .... labbra di Vincenzo." (V. Gassman) 45. "Era la prima volta che mangiavano .... casa, e il giovane, ignaro .... virtù domestiche di Maria Teresa, aveva immaginato una cena fredda, ... le vivande comprate .... negozi." (A. Moravia) 46. "Perrone era bruno, e come abbronzato .... sole; Mostallino invece pareva serbare .... larga faccia pallida un perpetuo riflesso .... luna." (A. Moravia) 47. "Aspettò una decina .... minuti ripetendosi che non c'era .... aver paura, che l'amante aveva telegrafato che veniva e sarebbe certamente venuta." (A. Moravia) 48. "Abitavo .... secondo piano .... via de' Pepi 25, ... casa d'angolo .... via dell'Ulivo." (V. Pratolini) 49. "Ora parlavamo .... più agio: la consueta confidenza si era ristabilita .... noi." (V. Pratolini) 50. "La signora Maria Gron entrò .... sala .... pianterreno .... villa .... cestino .... lavoro." (D. Buzzati) 51. "Un minuscolo topo sgusciò .... mie gambe, attraversò la camera e andò .... nascondersi sotto il cassettone. Correva .... modo goffo, avrei fatto .... tempo benissimo .... schiacciarlo. Ma era così grazioso e fragile." (D. Buzzati) 52. "Le uniche donne che vale la pena .... sposare, sono quelle che non ci si può fidare .... sposare." (C. Pavese) 53. "Gli uomini che hanno una tempestosa vita interiore e non cercano sfogo o .... discorsi o .... scrittura, sono semplicemente uomini che non hanno una tempestosa vita interiore." (C. Pavese) 54. "Il problema non è la durezza della sorte, poiché tutto quello che si desidera .... bastante forza, si ottiene. Il problema è piuttosto che ciò che si ottiene disgusta. E allora non deve mai accadere .... prendersela .... la sorte, ma .... il proprio desiderio." (C. Pavese) 55. "Una donna che non sia una stupida, presto o tardi, incontra un rottame umano e si prova .... salvarlo. Qualche volta ci riesce. Ma una donna che non sia una stupida, presto o tardi trova un uomo sano e lo riduce .... rottame. Ci riesce sempre." (C. Pavese) 56. "Laura Santelso parlava, ... la sua voce un poco velata, ... sua vita eguale, trascorsa .... quella solitudine quasi claustrale, ... quel romitorio chiuso così vicino e così lontano .... città tumultuosa." (A. Guglielminetti) 57. "La Francia ha trovato .... cardinale di Richelieu un uomo capace di governarla, invece .... un losco sfruttatore come il Concini, o .... un avvenente imbecille, come il Luynes." (G. Spini) 58. "......... 1509 .... casa di Thomas More, subito dopo il viaggio .... Italia, Erasmo stese .... getto la più famosa, e forse la più bella, delle sue opere, il *Moriae Encomium*, l'*Elogio della pazzia*, messo .... bocca alla Stultitia che fa l'esaltazione .... sé medesima." (E. Garin) 59. "Il Quattrocento italiano si apre .... insegnamento del greco che dà il suo primo frutto, importante anche se non ancora maturo, ... versione .... *Repubblica* di Platone." (E. Garin) 60. "È l'alba agra .... una primavera nebbiosa, sono .... letto, la balia Colomba mi desta .... improvviso dicendo cose troppo terrificanti .... essere vere." (M. Bellonci) 61. "Tutta avvolta .... una sopravveste foderata .... pelliccia, tagliata sontuosamente .... un broccato d'oro .... fiori rossi, andavo .... l'esile infreddolito pioppeto dove .... file esatte si allineavano gli alberelli magri senza foglie." (M. Bellonci) 62. "Esiste una singolare intima correlazione .... il paesaggio marchigiano, così riposante e civile, così privo .... elementi iperbolici ed eccitanti, e la gente che lo abita: composta, piena di buon senso, sobria e patriarcale, aliena .... eccessi e dissonanze, individualista e autosufficiente, d'una intelligenza scettica bonaria e fondamentalmente saggia, ... cui tutto risponde .... un interesse logico e di possibile realizzazione." (G. Solari) 63. "Il 1617 inizia .... gaiezza .... Firenze, dove il carnevale viene celebrato .... impronta delle splendide feste .... onore di Caterina dei Medici che il 7 febbraio sposa Ferdinando Gonzaga." (E. Galasso Calderara) 64. "A casa è tutto .... ordine, è tutto pulito. Ho disfatto la mia borsa lentamente, cercando .... individuare .... ogni camicia, ... ogni maglione il profumo e la traccia .... giorni passati .... Nicola." (M. Fortunato) 65. "Aspetto Marina seduto .... tavolino .... un bar .... centro." (M. Fortunato) 66. "Presi .... armadio la più bianca delle camicie .... lino di mio padre, poi un abito scuro, ... taglio fuori moda, i pantaloni troppo corti, l'abbottonatura troppo alta, anch'esso appartenuto .... mio padre, così come lo erano il fazzoletto bianco leggerissimo, le scarpe di pecari, e la cravatta il cui disegno rinviava la memoria .... altri tempi, quelli .... infanzia, ... felicità giovanile dei miei genitori, ... loro innocenti ambizioni, che la vita di poi avrebbe mutate .... tortura e malinganno." (L. Doninelli) 67. "Innanzitutto dovrei decidere chi sono. Forse il cadavere del lord disteso .... pavimento .... biblioteca .... una pallottola .... corpo, proprio .... altezza .... cuore. Ben si comprende però come da tale punto .... vista, a meno .... non ricorrere .... ipotesi indimostrabili circa la sopravvivenza dell'anima, mi rimarrebbe assai poco .... raccontare." (P. Capriolo) 68. "Un pomeriggio, ... parrucchiere, Ada lesse .... una rivista femminile che l'oscurità e la penombra favorivano il distendersi .... rughe intorno .... occhi." (S. Tamaro) 69. "Marta avvertiva il sudore colarle .... volto, incanalandosi .... rughe che il tempo e le passioni vi avevano inciso, e provava un acuto senso di malessere: le sembrava .... soffocare .... quell'angusta cella dove l'uscio inchiavardato sbarrava l'ingresso .... leggera brezza della sera .... giugno che, dai colori solari del meriggio, impallidiva .... toni .... indaco e .... violetto." (E. Galasso Calderara) 70. "........ piena canicola, ... le due e le quattro .... pomeriggio, le strade .... città sono quasi deserte." (J.N. Schifano) 71. "Non è sempre facile .... lo storico odierno rendersi conto .... molteplicità d'influssi e di ripercussioni che .... quadro dell'Ancien Régime ebbero certi eventi di vertice." (F. Diaz)

3. A tua scelta, svolgi uno dei seguenti temi:

1. "La strategia amorosa si adopera soltanto quando non si è innamorati." (C. Pavese)
2. "L'amore è un'erba spontanea, non una pianta da giardino." (I. Nievo)
3. "L'amore non deve pregare e neppure esigere. L'amore deve avere la forza di arrivare alla coscienza di sé. Allora non subirà, ma eserciterà attrazione." (H. Hesse)

4. Sostituisci l'imperfetto o il perfetto (passato prossimo o passato remoto) all'infinito fra parentesi:

1. "Desideroso di una breve distrazione, mentre anch'io attendevo il mezzogiorno e i suoi sviluppi, imboccai una stradicciola che (condurre) .... alla piazza della chiesa, accanto alla quale (sorgere) .... la casa canonica, dove (vivere) .... l'arciprete don Mario, un vecchio amico di mio padre." (L. Doninelli) 2. "Erminia (cominciare) .... a tingersi i capelli nell'inverno che

seguì quello che, dentro di sé, ancora chiama il suo grande amore." (A. Banti) 3. Carlo (nascere) .... a Roma, ma si considera fiorentino. 4. Gemma non (credere) .... ai propri occhi: dopo tutti quei mesi di lontananza, Guido era tornato: (lui-essere) .... lì davanti a lei e (guardarla) .... con una tenerezza del tutto nuova. Dopo un attimo di stordimento, la donna (riscuotersi) .... dal suo stupore e (correre) .... ad abbracciare l'uomo che (amare) ....
5. Ieri mattina alle 11 (io-essere) .... ancora dal dentista.
6. Ieri mattina (io-rimanere) .... dal dentista fino alle 11.
7. "Guido sentì, appena chiuso il portone, l'aria notturna sul suo corpo; (arrivargli) .... dal collo e dal petto dove la sola camicia di seta non (ripararlo) ...." (P. Volponi) 8. "Quella primavera nevicò come non (nevicare) .... da un decennio." (S. Tamaro) 9. "Quando un uomo si accorge di avere bisogno di una donna incontrata vent'anni prima, quando (loro-avere) .... appena quattordici o quindici anni, vuol dire che (esplodere) .... una bomba nella sua vita, che (distruggere) .... quasi tutti i suoi anni." (C. Piersanti) 10. Nel 1989 Luigi non (sapere) .... ancora che avrebbe sposato una delle più belle e famose attrici del cinema francese. 11. Luigi (incontrare) .... Tessa a un ballo di beneficenza, nell'estate del 1978.
12. Maja e Luciana (essere) .... sempre .... due ottime amiche. Non (succedere) .... mai .... niente che potesse farmi dubitare del loro affetto.
13. "Il giorno che decisi di recarmi a G... per conoscere il dottor Mortensen, (levarmi) .... verso le sei senza alcuna traccia di sonno. G... è un piccolo centro della riviera gardesana ricco di ville e di alberghi sfarzosi, e frequentato oggi per lo più da anziani, e dista una ventina di chilometri dalla cittadina, anch'essa affacciata sul Garda, dove (io-crescere) ...., e dove sono solito trascorrere brevi periodi di riposo dal lavoro. A quel tempo, però, (io-frequentare) .... ancora l'università, e sul lago, presso mia madre, (passare) .... sovente mesi e mesi, intento nella preparazione dei miei esami." (L. Doninelli) 14. Thomas Mann (trascorrere) .... molti anni della sua vita negli Stati Uniti. 15. Nel 1929 Thomas Mann (vincere) .... il premio Nobel per la letteratura. 16. "Una volta, A Busto Arsizio, la gente era preoccupata perché i bambini (rompere) .... tutto. Non parliamo delle suole delle scarpe, dei pantaloni e delle cartelle scolastiche: (loro-rompere) .... i vetri giocando alla palla, (rompere) .... i piatti a tavola e i bicchieri al bar, e non (rompere) .... i muri solo perché non

(avere) .... martelli a disposizione." (G. Rodari) 17. "Cesare Libondi e Danilo Sublich non erano propriamente amici, soprattutto per la differenza di età e per gli ambienti diversi che (frequentare) ....; ma (diventarlo) .... presto durante le serate in casa di Mirella." (G. Parise) 18. "Una grande calma s'impadronì di me, (svuotarmi) .... d'ogni energia, (trasfigurarmi) .... in un ossessionato dolorante fantoccio. (Io-volere) .... tornare a Parigi, attendere nella mia città, nella mia casa, quell'ultimo minuto liberatore." (C. Galasso) 19. "Dopo la morte del Magnifico il Botticelli (continuare) .... a godere della protezione di Lorenzo di Pierfrancesco dei Medici. (Essere) .... allora che (lui-comporre) .... i disegni per l'illustrazione della *Divina Comedia*, commentata ed edita dal Landino." (U. Dorini) 20. "Nel periodo corso tra la metà del Trecento e i primi del Cinquecento (sorgere) .... e (svilupparsi) .... nell'Italia settentrionale istituti e pratiche eccezionalmente avanzati di organizzazione sanitaria." (C.M. Cipolla) 21. "Nell'Italia del Rinascimento, come in quasi tutto il mondo attuale, la domanda di servizi medici (essere) .... maggiore nelle città che in campagna." (C.M. Cipolla) 22. "Io ero innamorato al punto che, in fondo, non (conoscerla) .... (Io-vederla) ...., (parlarle) ...., (toccarla) ....; ma quando (venire) .... il momento (accorgermi) .... che non (sapere) .... niente di lei, del suo carattere, del suo passato, della sua famiglia, delle sue idee, dei suoi gusti." (A. Moravia) 23. "Ristorato da otto ore di sonno e da una gran tazza di caffè, mentre (vestirsi) .... l'avvocato Vaccagnino (ripensare) .... alla lettera della signora di Maddà." (L. Sciascia) 24. "Il giorno dopo andai a prenderla di nuovo; di lì a qualche giorno (io-proporle) .... di andarla a rilevare anche la mattina, quando (lei-recarsi) .... al magazzino, e (lei-accettare) ...." (A. Moravia) 25. "Per la quarta volta Don Camillo (guardarsi) .... attorno e, finalmente, (scoprire) .... che il piccolo vecchissimo quadro di San Giovannino era scomparso." (G. Guareschi) 26. "In punta di piedi percorse il corridoio. Davanti alla camera del padre (fermarsi) .... un attimo trattenendo il fiato; (spingere) .... la porta socchiusa, (guardare) .... dentro e (respirare) ....: la camera (essere) .... buia." (A. Campanile) 27. "Daria aveva una casa bellissima e grande, con mobili e quadri antichi. Un cameriere in giubba bianca con spalline di cordone dorato (condurre) .... Goffredo in un salotto semibuio, dove una canzone sommessa, cantata in inglese, (parere) .... provenire da ogni parte." (G. Berto) 28. "Partì la notte dopo. (Essere) .... una delle prime notti di primavera, l'aria (essere) .... tiepida. Nell'oscurità dei prati (brillare) .... le corolle delle pratoline, i petali dei primi crochi." (S. Tamaro) 29. "Fu un giorno durante il pranzo. (Arrivare) .... una ragazza, una nuova. (Avere) .... quindici anni, i capelli diritti come lame, gli occhi severi e fissi, ombrati. Il naso aquilino, i denti, quando (ridere) ...., e (ridere) .... poco, (essere) .... aguzzi." (F. Jaeggy) 30. "Da quel punto, se ben ricordo, io divenni stranamente silenzioso, e (cercare) .... di non fissare troppo Giovanna che (essere) .... sempre calmissima, invece." (M. Prisco)

5. *Sostituisci l'imperfetto, o il perfetto (passato prossimo o passato remoto), o il piuccheperfetto (trapassato prossimo o trapassato remoto) all'infinito tra parentesi:*

1. Dopo che (visitare) .... la paziente, il medico decise che (occorrere) .... ricoverarla in clinica. 2. Solo dopo che (ricevere) .... la lettera che (attendere) .... per tanti mesi, Elena ritrovò un po' della sua serenità perduta. 3. "Si destò ansante, coperto di sudore. (Essere) .... un sogno, ma qualche cosa di reale (restare) ....: il dolore insopportabile." (I. Svevo) 4. "Si vedeva che, malgrado tutto, l'uomo (essere) .... orgoglioso della vita dura che (condurre) ...., delle estenuanti veglie intorno alle carbonaie, del pulviscolo di carbone che (prendere) .... stabile dimora sotto la sua pelle, del suo tabacco forte come polvere da cannone." (C. Cassola) 5. "Fu lesta a scendere e (prendere) .... a camminare con piccoli passi rapidi, abilmente scansando gente e carrelli. Sfatti, a ciocche che l'umidità (intridere) .... e (umiliare) ...., i capelli a ogni passo (batterle) .... con ritmici salti sul bavero del paltò." (G. Arpino) 6. "L'assetto della penisola italiana, determinato dalla pace di Cateau Cambrésis, (rimanere) .... sostanzialmente invariato fino al 1715. Per oltre un secolo e mezzo, dunque, la Spagna (continuare) .... a detenere il dominio diretto di quasi metà della superficie della penisola stessa e ad esercitare una pressione politica e militare sul resto dei minori stati italiani, tale da rendere spesso puramente nominale l'indipendenza." (G. Spini) 7. "L'Olanda del sec. XVII era il più ricco, il più civile, il più laborioso paese d'Europa. Questo piccolo paese dalla indomabile industriosità (riuscire) .... a strappare al mare

porzioni sempre più larghe di territorio, dove (sviluppare) .... un'agricoltura progreditissima e un allevamento bovino che non (trovare) .... paragone in Europa." (G. Spini) 8. Quando (comprendere) .... che Miriam non (amarlo) .... più, Oliviero cadde preda del più profondo sconforto. 9. Gli anni (passare) .... veloci e Viola non era più la bimbetta che lui (ricordare) ....: quella che (stargli) .... davanti (essere) .... una splendida donna, ricca di seduzioni. 10. Dopo che (ascoltare) .... il lungo racconto della donna, il commissario si rese conto che, nonostante le apparenze, lei (essere) .... del tutto innocente. 11. Quando (indossare) .... il suo bellissimo abito nuovo, Clarissa si guardò allo specchio compiaciuta. 12. Dopo che Paolo (andare) .... via, Renata si pentì di tutte le brutte cose che (dirgli) .... 13. Quando (capire) .... di essere stato davvero scortese con i suoi amici, Manfredi non esitò a scusarsi con loro.

6. A tua scelta, svolgi uno dei seguenti temi:

1. "Non bisogna attaccarsi tanto fortemente alle proprie tendenze e alla propria indole. La nostra principale abilità è di sapersi applicare a diversi usi. È un essere ma non un vivere, il tenersi attaccato e obbligato per necessità ad un solo modo di vita. Le più belle anime sono quelle che hanno più varietà e pieghevolezza." (M.de Montaigne)
2. "Ci sono molti modi di arrivare, ma il migliore è non partire." (E. Flaiano)
3. "Tutto ciò che è profondo ama la maschera." (F.W. Nietzsche)
4. "C'è un solo piacere, quello di essere vivi, tutto il resto è miseria." (C. Pavese)
5. "Aspettare è ancora un'occupazione. È non aspettar niente che è terribile." (C. Pavese)

7. All'infinito fra parentesi sostituisci l'indicativo o il congiuntivo:

1. "Che io (essere) .... povero è un fatto ampiamente conosciuto." (S. Veronesi) 2. Che in tutta questa faccenda tu (avere) .... torto è un fatto indiscutibile. 3. Mi guardò sorridendo e mi chiese dove (io-andare) .... 4. È ingiusto che tu (dare) .... sempre a me la colpa di tutto. 5. Mio padre pensava che io (fare) .... un grave errore a sposare Marta. 6. Penso che tu (avere) .... ragione. 7. È chiaro che (avere) .... ragione tu! 8. Che tu (avere) .... ragione è ancora da dimostrare. 9. Che tu (avere) .... ragione è certo. 10. Serena è sicura che suo padre (volerle) .... molto

bene. 11. Clarice dubita che suo padre (volerle) .... bene. 12. Dorotea spera che sua padre (volerle) .... ancora un po' di bene. 13. Se solo tu (desiderarlo) ...., potresti ottenere un ottimo lavoro. 14. "Che qualcuna delle ultime poesie (essere) .... convincente, non toglie importanza al fatto che le compongono con sempre maggiore indifferenza e riluttanza." (C. Pavese) 15. "La villa è molto bella, immersa in una macchia verdissima: (esserci) .... un ampio salone col pavimento di cotto rustico, una piccola cucina da cui, attraversando una specie di patio con un grande camino, si arriva alle camere. Peccato che le altre due stanze in costruzione, dopo il furto di quest'inverno, (essere-abbandonate) .... a se stesse." (B. Arpaia) 16. "Ogni sera, la mia compagna di stanza e io ci troviamo ai lavabi. Una volta fui cordiale con lei, (caderle) .... il pettine, prontamente mi chinai a raccoglierlo. Si pettinava prima di andare a dormire, come se (andare) .... a un ballo." (F. Jaeggy) 17. "Spiando nel labirinto di fumo, Francesco poté indovinare un massiccio orologio a pendolo, in cima al quale un gattone soriano, con la coda a ventaglio e il muso languidamente austero, (stare) .... beatamente facendo le fusa, serafico padre guardiano di quel non comune convento." (C. Galasso) 18. "Gli parve che una voce (rispondergli) ...., ma non dall'esterno, e (essere) .... tutto. Un attimo dopo era in terra, la faccia contro la polvere, in un mare di sangue." (C. Galasso) 19. "Quella sera si persuase d'aver compiuto il miracolo: aveva contato, una ad una, tutte le piccole stelle. Il resto non importava: aveva perdonato ogni cattiveria. E il giorno dopo spingendo il barroccino degli stracci, per quanto (lui-sentirsi) .... correr nell'ossa i brividi della febbre, (parergli) .... di spingere sulla strada della letizia tutto il carro della miseria umana." (C. Galasso) 20. "Raccontare le cose incredibili come (essere) .... reali - sistema antico; raccontare le reali come (essere) .... incredibili - moderno." (C. Pavese) 21. "L'amore è una crisi che (lasciare) .... avversione. Il senso dei corpi vivi e gagliardi accompagna invece ogni giorno della vita: è naturale che il succo della nostra esperienza (essere) .... quest'ultimo." (C. Pavese) 22. "Che a vent'anni, quando i primi amici ti lasciarono, tu (soffrire) .... per nobile sofferenza, è una tua illusione. Ti dispiacque dover smettere abitudini gradite, non altro. E (tu-continuare) .... adesso, tale e quale." (C. Pavese) 23. "Reggendosi al bastone nell'alzarsi e poi ponendoselo sottobraccio, l'uomo del sedile accanto al mio si avviò lungo la banchina verso il centro del paese, e io (seguirlo) .... poiché il suo incamminarsi mi aveva fatto sentire stranamente solo, quasi che, per un caso, i miei pensieri (trovare) .... un adeguato ricettacolo nell'immagine di quello sconosciuto e ora non (riuscire) .... più a distogliersene. In questo brivido dell'anima riconobbi il segno del presentimento." (L. Doninelli) 24. "Inghiottii la pillola con un sorso d'acqua e (averne) .... un lieve refrigerio. Baciai mia moglie sulla guancia macchinalmente. Era un bacio quale (potere) .... accompagnare le pillole. Non me lo sarei potuto risparmiare se (io-volere) .... evitare discussioni e spiegazioni." (I. Svevo) 25. "La notte sarebbe stata orrenda se non (intervenire) .... ad alleviarla le favole." (I. Svevo) 26. "L'uomo è una struttura in continuo divenire: il suo presente e il suo avvenire possono essere nelle sue mani solo che (lui-volerlo) ....; ed anche se spesso non (potere) .... essere facile districarsi dai condizionamenti che la vita (opporgli) .... pur tuttavia egli è sempre libero di tentare di farlo, confortato in ciò dalla certezza che questa, possibilità (esistere) ...." (A. Anile) 27. "Se tu non (avere) .... la libertà interiore, quale altra libertà speri di avere?" (A. Graf) 28. "L'amore è fuoco: ovunque (essere) .... lo vedi da lontano." (Proverbio arabo) 29. "Vivi con gli uomini come se (vederti) .... Dio. Parla con Dio come se (sentirti) .... gli uomini." (Proverbio cinese) 30. "Noi supponiamo sempre negli altri una grande e straordinaria penetrazione per rilevare i nostri pregi veri o immaginari che (essere) ...., e profondità di riflessione per considerarli, quando anche (noi-ricusare) .... di riconoscere in loro queste qualità rispetto a qualunque altra cosa." (G. Leopardi) 31. "È bello quando un giovane - diciotto, vent'anni - si ferma a contemplare il suo tumulto e (cercare) .... di cogliere la realtà e (stringere) .... i pugni. Ma meno bello è farlo a trenta come se niente (succedere) .... E non ti viene freddo a pensare che (tu-farlo) .... a quaranta, e poi ancora?" (C. Pavese) 32. "Non è vero che la morte (giungerci) .... come un'esperienza in cui tutti (noi-essere) .... novellini (Montaigne). Tutti prima di nascere eravamo morti." (C. Pavese) 33. "Avevo toccato da poco la maggiore età, quando da un giorno all'altro m'accorsi di non saper più compiere un gesto o pronunziare un discorso, dentro cui, come il verme nel frutto, non (annidarsi) ...., per così dire, una 'riserva mentale' ." (G. Bufalino) 34. "Il conte declinò gentilmente l'invito, dichiarando di dover ripartire assai presto e di avere ancora diverse faccende da sbrigare in città. I due lo guardarono costernati, come se (essere-annunciata) .... loro .... l'imminente separazione da un amico carissimo." 35. Che tu (avere) ....

o no ragione, non m'interessa: sappi che (io-non aiutarti) .... a condurre a termine il tuo folle progetto. 36. "Ripensò a un celebre dipinto del quale spesso (lui-vedere) .... la riproduzione, e improvvisamente capì, o (credere) .... di capire, perché l'Amor Sacro (esservi-raffigurato) .... nelle sembianze di una donna nuda e l'Amor Profano invece (essere-avvolto) .... tutto .... nei panneggi di un'ampia veste delle maniche lunghe, simile all'abito da sposa che Linda (mostrargli) .... con orgoglio qualche giorno prima." (P. Capriolo) 37. "Abitava solo come un cane, in un appartamento lussuoso che (essere) .... sufficiente per tre famiglie. Dove (lui-mangiare) ...., non si sa. Quelli del piano di sotto dicevano che non faceva altro che camminare il giorno e la notte. (Lui-parlare) .... anche da solo." (C. Galasso) 38. "Camminava lentamente, quasi non (avere) .... mèta. Provava una strana gioia nel martellare le strade, con le scarpe piene di buchi e di fango, una torbida voluttà nello schiacciare le mille pozzanghere distese sul suo cammino, come un uomo che (potere) .... alla fine prorompere: - Adesso sì che son io! -" (C. Galasso) 39. "Non sperare mai, commessa un'azione brutta, che essa (avere) .... a restare occulta. Imperocché, quand'ella (rimanere) .... nascosta a tutti gli altri, sarebbe pur manifesta a te medesimo." (G. Leopardi) 40. "Considera la natura. Come dai fiori (nascere) .... i frutti, come l'acqua (scendere) .... dai monti verso il mare, come il giorno (seguire) .... la notte, così a ogni moto retto del tuo cuore segue un frutto, palese o nascosto." (Leonardo da Vinci) 41. "Il saggio non (dire) .... mai ciò che fa. Ma non fa nulla che non (potere) .... essere detto." (Proverbio cinese) 42. "La mia famiglia era di ricchi drappieri che commerciavano con tutta Europa. Mio padre, uomo dispotico e pieno di sangue, tornava dai lunghi viaggi d'Olanda o Turchia con una straniera diversa ogni volta che (lui-pretendere) .... d'imporre in casa e tenervela, finché (lui-non ripartire) .... con lei." (G. Bufalino) 43. "Vorrei che il mio amore per lei (essere) .... più che un sentimento: (essere) .... una virtù. La più libera e la più generosa delle mie virtù. Che ella (essere) .... per me il mio paesaggio e il mio destino." (C. Malaparte) 44. "Lascia che io (appoggiare) .... il viso sulla tua spalla." (C. Malaparte) 45. "Che l'uomo (essere-fatto) .... di terra è senza dubbio la sua più schietta ragione di nobiltà." (C. Malaparte) 46. "Da ragazzo ero triste, profondamente infelice. Nulla mi mancava di tutto ciò che (formare) .... la felicità dei ragazzi, né le carezze materne, né il sorriso bonario di mio padre, né l'affetto dei miei fratelli, né la possibilità di soddisfare tutti i capricci e le voglie dell'infanzia. Ma vivevo, chi sa perché, nell'atroce sospetto che nessuno (volermi) .... bene." (C. Malaparte) 47. "Marta parlava ispirata, quasi (cantare) ...., e pareva impugnare una bandiera per agitarla al sole." (A. Palazzeschi) 48. "Per qualche minuto, dopo che ebbe veduto l'amante scomparire nel giardino, Pietro rimase immobile con le mani nelle tasche del soprabito e il dorso contro il parapetto. Non (confessarselo) ...., ma oscuramente sperava che Andreina, riaperto il cancelletto, (riapparire) .... sul marciapiede oppure (affacciarsi) .... ad una delle finestre e (fargli) .... in qualche modo capire che desiderava ancora parlargli e perciò (lui-salire) .... in casa. Era assurdo, si diceva, e (lui-provare) ...., così pensando, un dolore acuto e intollerabile, era proprio assurdo che due persone che (amarsi) .... (lasciarsi) .... in questo modo, dopo due schiaffi e un 'Ti odio'." (A. Moravia) 49. "Aveva indossato un impermeabile verde dai cangianti riflessi rosa, tra il cappellino ed il bavero sollevato il viso rotondo e molle, inegualmente imbellettato, (sembrare) .... una grossa pesca ammaccatissima e già mezza disfatta. Una cintura (stringerle) .... la vita, i seni che aveva voluminosi e sfioriti (farle) .... un gran rigonfio sotto l'impermeabile come se (lei-introdurvi) .... un pacco di giornali." (A. Moravia) 50. "Aveva parlato con una sicurezza infervorata, non come chi (dare) .... un giudizio arrischiato su fatti controversi, ma piuttosto come chi (legge) .... in un libro aperto, o (descrivere) .... un oggetto che (lui-avere) .... sotto gli occhi." (A. Moravia)

8. A tua scelta, svolgi uno dei seguenti temi:

1. "Il rispetto è il sentimento della libertà degli altri, della dignità degli altri, l'accettazione senza illusioni, ma anche senza la minima ostilità o il minimo disprezzo, di un essere così com'è. È uno dei pochi fondamenti della vita." (M. Yourcenar)
2. Secondo William Faulkner "(...) il nome è, può in qualche modo essere, una sorta di presagio di quel che si sarà, se si riesce ad afferrarne in tempo il significato". Quale vorresti che fosse il tuo nome?
3. "È più facile conquistarsi un titolo che l'abilità, dirsi dottore che saper guarire, pittore che dipingere, genio che creare. È più facile ridere delle cose che capirle, girare intorno alle difficoltà che sormontarle, citare un errore di un uomo che dimostrarne la complessa natura." (G. Prezzolini)

4. "Il bello è solo l'inizio del tremendo." (R.M. Rilke)
5. "Un uomo può sopportare molte cose se riesce a sopportare se stesso." (A. Munthe)
6. "Chiunque conosca la mente umana sa che quasi niente è più difficile da abbandonare di un piacere sperimentato." (S. Freud)
7. "Io sono nessuno, voi chi siete?" (E. Dickinson)

9. All'infinito fra parentesi sostituisci l'indicativo, il congiuntivo, o il condizionale:
1. Anche se non sono del tutto sicuro che questa (essere) .... la scelta migliore, secondo me (essere) .... meglio rinunciare al viaggio che (noi-programmare) .... 2. "Linda amava gli animali e perciò, Walter (esserne) .... sicuro, (lei-abituarsi) .... presto .... ai gatti. Già la vedeva preparare ogni sera un piattino con gli avanzi della cena o una ciotola di latte, lasciarli fuori dalla porta e poi ritirarsi perché l'ospite (potere) .... consumare il pasto indisturbato." (P. Capriolo) 3. "I miei giorni mi assomigliano, (avere) .... il mio viso, il mio aspetto, quasi (io-dire) .... la mia voce, il mio sguardo, il mio sorriso. Ma (io-volere) .... che un giorno, fra i tanti, un giorno qualunque, un giorno di tutti i giorni, più d'ogni altro (assomigliarmi) ...., (essere) .... lo specchio fedele di me, della mia vita e del mio destino." (C. Malaparte) 4. "Il fascino del viaggiare è lo sfiorare innumerevoli scene ricche e sapere che ognuna (potere) .... esser nostra e passar oltre, da gran signore." (C. Pavese) 5. Io credo che Lucrezia (essere) .... una donna davvero indisponente: (lei-non fare) .... mai niente per nessuno se non (pensare) .... di poterne ricevere qualcosa in cambio. 6. Secondo la mia opinione Lucrezia (essere) .... una donna davvero frivola. 7. Che Lucrezia (essere) .... una donna indisponente, è opinione comune. 8. "Rimasto solo, Ottavio pensò di ricorrere alla sorella. Ma lo mise anch'essa alla porta e gli fece dire dal marito che (lui-non azzardarsi) .... a mettere piede in casa sua." (C. Galasso) 9. "Ognun vede quel che tu (parere) ...., pochi sentono quel che tu (essere) ...." (N. Machiavelli) 10. Durante un'estate a Saint Tropez Alessandro Ruspoli, incontrando Brigitte Bardot e Jane Fonda, comprese la differenza tra una star e un'attrice. Questo sono le sue parole: "Ovunque (muoversi) ...., la Bardot (lasciare) .... dietro di sé una scia, tutti (notarla) .... e tutti stupivano di ammirazione. Una volta che stavo cercando in un bar Jane Fonda, già attrice

famosa, nessuno seppe dirmi dove (lei-trovarsi) .... e se (loro-averla vista) .... E dire che era seduta a un tavolino, pochi metri più in là". ("Gioia", LIV, n. 29) 11. È meglio fare qualcosa piuttosto che desiderare che la cosa (essere-fatta) .... già .... 12. "Si mosse solo dopo che fu sparita, si avviò verso la pensione per prendersi la valigia. Nonostante la debolezza, (lui-andare) .... a piedi fino alla stazione, perché, se (avanzargli) .... qualche soldo dopo aver comprato il biglietto, (comprarsi) .... volentieri .... un panino." (G. Berto) 13. "Una volta c'erano quattro fratelli. Tre erano piccolissimi ma tanto furbi, il quarto (essere) .... un gigante dalla forza smisurata ma era molto meno furbo degli altri. La forza (avercela) .... nelle mani e nelle braccia, ma l'intelligenza (avercela) .... nei capelli. I suoi furbi fratelli (tagliargli) .... i capelli corti corti, perché (lui-restare) .... sempre un po' tonto, e poi tutti i lavori (farli) .... fare a lui, che (essere) .... tanto forte, e loro (stare) .... a guardarlo e (intascare) .... il guadagno." (G. Rodari) 14. "Se non (essere) .... per le ghiandole velenifere che posseggono e che tanto hanno fatto parlare di sé, le vipere non (meritare) .... certo .... alcuna attenzione da parte del genere umano, in quanto Ofidi veramente poco appariscenti e timidissimi, tanto da preferire di fronte a grandi animali o all'uomo la fuga, riparando in un qualsiasi ricovero di fortuna." (A. Calderara) 15. Penso che oggi (essere) .... opportuno telefonare a Vanessa per avvertirla del nostro prossimo arrivo. 16. Secondo me oggi (essere) .... meglio avvertire Domiziana del nostro prossimo arrivo. 17. Secondo la mia opinione, Simonetta, già da molti anni, (dovere) .... trasferirsi dalla campagna in città. 18. Credo che Filippo non avere .... nessuna seria intenzione di sposarsi. 19. A mio parere Filippo non (avere) .... nessuna seria intenzione di fidanzarsi con Giulia. 20. Penso che (essere) .... davvero l'ora che Maurizio cominciasse a lavorare. 21. Secondo me Antonio (dovere) .... impegnarsi più seriamente nel lavoro. 22. "Pensavo, ascoltando con un solo orecchio le avventure di Agesilao, a ciò che (raccontarvi) .... a mia volta: e quale (convenirmi) .... scegliere nello specchio rotto della mia vita, se la più tenera o la più aguzza." (G. Bufalino) 23. Nell'eventualità di un nostro incontro, non credo che Gaetano (essere) .... disposto a prestarmi la cifra di cui ho bisogno. 24. Questa sera vedrò Carlo e gli parlerò, ma temo che non (potere) .... prestarmi la somma che gli chiederò. 26. Questa sera vedrò Alessandro e gli parlerò a cuore aperto, ma so già che non (potere) .... prestarmi la somma che gli chiederò, neppure se (lui-volerlo) .... 27. Elvira ha fissato il suo matrimonio per il 20 di luglio, ma francamente non so se (lei-essere) .... davvero contenta di sposare Paolo. 28. Ignoro come (procedere) .... i rapporti fra Giovanna e Marcello: in ogni modo non so se, nell'eventualità di un matrimonio fra loro, lei (essere) .... davvero contenta. Mi pare infatti che la cosa a cui (lei-tenere) .... di più (essere) .... la propria libertà. 29. "La più mite e pacata e molle stagione, l'autunno, soppianta la precedente e si stabilisce con sussulti paurosi, temporali enormi, tenebre sul mattino, turbini e stragi di foglie che (fare) .... capire quanta violenza (costare) .... la maturità." (C. Pavese) 30. "Vivo attualmente come i più spregevoli personaggi che mai (farmi) .... indignare in gioventù." (C. Pavese) 31. "Non si sfugge al proprio carattere: misogino eri e misogino resti. Chi (crederlo) ....?" (C. Pavese) 32. "Io (volere) .... non essere torinese per poter vedere Torino con occhi nuovi." (G. Gozzano) 33. "La Francia ha fatto una cosa ottima innalzando a Carlo Perrault un monumento tra la folta verzura del Bois de Boulogne. Ma credo che il marmo e il bronzo (essere) .... assai meno duraturi delle dolci fantasie evocate dallo scrittore secentesco." (G. Gozzano) 34. "Dopo queste considerazioni il mio maestro decise di non fare più nulla. Ho già detto che aveva talvolta di questi momenti di totale mancanza di attività, come se il ciclo incessante degli astri (arrestarsi) ...., ed egli con esso e con essi. Così fece quel mattino. Si distese sul pagliericcio con gli occhi aperti nel vuoto e le mani incrociate sul petto, muovendo appena le labbra come se (recitare) .... una preghiera, ma in modo irregolare e senza devozione." (U. Eco) 35. Giulio mi confessò che (partire) .... il mattino successivo, senza avvertire nessuno. La sua (essere) .... una specie di fuga, e mi fece promettere che (io-mantenere) .... il suo segreto. 36. "Simbolo talora del demonio, talora del Cristo risorto, nessun animale è più infido del gallo. L'ordine nostro ne conobbe di infingardi, che non (cantare) .... al levar del sole. E d'altra parte, specie nelle giornate invernali, l'ufficio di mattutino ha luogo quando ancora la notte (essere) .... piena e la natura tutta addormentata, perché il monaco deve alzarsi nell'oscurità e a lungo nell'oscurità pregare attendendo il giorno e illuminando le tenebre con la fiamma della devozione. Perciò saggiamente la consuetudine predispose dei veglianti che non (coricarsi) .... con i confratelli, ma (trascorrere) .... la notte recitando ritmicamente quel numero esatto di salmi che (dare) .... loro la misura del tempo trascorso, così che, allo scadere delle ore votate al sonno degli altri, agli altri (dare) .... il segno della veglia." (U. Eco) 37. "Il gallo rappresenta l'arditezza e la vigilanza e, come tale, fino dall'antichità fa parte di una vastissima iconografia. Il mito (narrare) .... che Ares, in convegno amoroso con Afrodite, dette incarico al suo servo Alettrione (dal greco *aléktor, alektryón*=gallo) di vegliare perché (avvertirlo) .... dello spuntare del nuovo giorno. Ma Alettrione (essere-vinto) .... dal sonno e il Sole (scoprire) .... i due amanti avvisando Efesto, sposo di Afrodite; per punizione Ares (trasformare) .... il servitore in gallo, obbligandolo così a far risuonare, ogni mattina prima del levar del sole, il suo squillante segnale." (A. Calderara) 38. "Poco importa che l'uomo (possedere) .... tutti i mezzi di azione sul mondo, se non (possedere) .... dei mezzi di azione su se stesso." (P. Carneiro) 39. (Io-volere) .... finalmente poter vivere con un po' di tranquillità, perché fino a oggi mi sono sempre affannato per cercare di ottenere una cosa o un'altra. 40. Io temo che (tu-non rinunciare) .... a quella donna per niente al mondo. 41. Penso che tu (essere) .... la persona più ostinata che io (conoscere) .... mai .... (Tu-non fare) .... mai nulla per compiacere qualcuno, (trattarsi) .... anche del tuo più caro amico. 42. Che cosa (tu-volere) .... di regalo per il tuo compleanno? 43. Per non incorrere nella tua giusta collera, (io-potere) .... anche dirti una bugia, ma preferisco che tu (sapere) .... tutta la verità. 44. "Quel senso dolce e indulgente d'amore per l'umanità che si prova in un giorno freddo, durante un intervallo trascorso in un caffé - quando si osserva il volto emaciato e triste di uno, la bocca piegata di un altro, la voce dolente e buona di un terzo, ecc. - e ci si abbandona ad un voluttuoso e malinconico abbraccio sentimentale a tanto quotidiano soffrire, non (essere) .... *amore del prossimo*, ma compiaciuta e distesa introversione. In quei momenti (non-muoversi) .... un dito per nessuno: si è, in sostanza, beati alla nostra tranquilla futilità davanti alla vita." (C. Pavese) 45. "Aver l'impressione che ogni cosa buona che ti tocca (essere) .... un felice errore, una sorte, un favore immediato, non (nascere) .... da buon animo, da umiltà e distacco, ma dal lungo servaggio, dall'accettazione dell'arbitrio e della dittatura. (Tu-avere) .... l'anima dello schiavo, non del santo." (C. Pavese) 46. "I giorni seguenti Guido guardava le case e ne valutava il prezzo; o (cercare) .... di valutare gli incassi dei negozi o (guardare) .... i terreni liberi che incontrava per calcolarne il prezzo e quanto (aumentare) .... in un anno e in dieci anni." (P. Volponi) 47. "Ci si domanderà ora se la passione del Bembo e di Lucrezia [Borgia] passò i limiti del platonismo puro. È una questione che ognuno può risolvere a suo modo. Difficile, e non (dare) .... nessun risultato fare il calcolo delle circostanze, perché, se Lucrezia era sorvegliatissima, (lei-avere) .... presso di sé, l'abbiamo visto, gente che (potere) .... disporsi prontamente alla complicità: e si sa quanto agio di isolamento (potere) .... dare i soggiorni di campagna a chi (volerlo) ...." (M. Bellonci) 48. "Non si può dire che la Bentivoglio (essere) .... una cattiva donna e che non avesse amato sua madre: (essere) .... piuttosto una donna leggera. Della sua bontà (essere) .... prova l'affetto che aveva per Don Antonio, per quanto (sapere) .... che non (essere) .... affatto suo fratello." (C. Giachetti) 49. "Però è un fatto che la storia della Toscana medicea - male o bene che ciò (essere) .... - fu diversa da quella dell'Italia spagnola o da quella dello Stato Pontificio. E (essere) .... diversa anche perché Cosimo de' Medici, in un momento particolarmente critico, (impedire) .... che lo stato di Firenze (diventare) .... una provincia dell'impero di Carlo V od un dominio del papa e dei Farnese." (G. Spini) 50. "Il nodo che mi stringeva alla gola (farsi) .... più forte e mi sentivo soffocare, come se già il carnefice (pazientare) .... troppo e (decidersi) .... a farmi penzolare nel vuoto. La mente vaneggiava e le forze dello spirito (stare) .... per abbandonarmi. Aprii la scrivania e (trarre) .... fuori la rivoltella. (Io-rabbrividire) .... nel toccarla. (Io-avere) .... infine il coraggio di togliere la sicura e di puntarmi lentamente l'arma alla tempia. Non so se (avere) .... l'energia di premere il grilletto, perché, sul più bello di quella farsa grottesca, (squillare) .... insistentemente il telefono. (Io-avere) .... un sobbalzo, come se (loro-cogliermi) .... in fallo. (Io-rimettere) .... la sicura, (riporre) .... l'arma nel cassetto e risposi. Uno sbaglio, il solito banale sbaglio." (C. Galasso)

10. A tua scelta, svolgi uno dei seguenti temi:
1. "Spesso il confine tra il dire e il tacere è esile come un capello, ma il suo effetto può essere profondo come l'abisso." (A. Calderara)
2. "Ogni vita è una moltitudine di giorni, un giorno dopo l'altro. Noi camminiamo attraverso noi stessi incontrando ladroni, spettri, giganti, vecchi, giovani, mogli, vedove, fratelli, adulterini. Ma sempre incontrando noi stessi." (J. Joyce)

3. "I giovani belli sono capricci della natura. I vecchi belli sono opere d'arte." (M. Barstow Greenbie)
4. "La maggior parte della società occidentale considera il diritto al superfluo e allo spreco come la più logica e necessaria conseguenza dell'evoluzione umana." (A. Calderara)
5. "Non v'è macchia maggiore del far mostra di un sapere non posseduto, dovendo quindi far ricorso alla menzogna." (K. Kaus)
6. "Ci sono molte persone a questo mondo che passano tanto tempo a occuparsi della propria salute da non trovare tempo per godersela." (J. Billings)

11. Completa i seguenti periodi ipotetici coniugando i verbi fra parentesi nei modi e nei tempi appropriati:
1. "I capelli di Michele erano già grigi quando nella vita di quel miserabile sognatore comparve una donna. Un fulmine! Una donna volgare, né brutta né bella, né giovane né vecchia. Egli la trasfigurò tanto nella sua fantasia, che, se una dea (discendere) .... dall'Olimpo, non (potere) .... incarnarsi che nelle sembianze della sua Teresa." (C. Galasso) 2. Se (io-non conoscerti) .... bene come in realtà ti conosco, (dubitare) .... delle tue parole. 3. Serena non ha compreso l'amore di Marco per lei. Se (lei-capire) .... che lui l'amava veramente, non (lasciarlo) .... all'improvviso, senza nemmeno una parola di spiegazione. 4. Se mio nonno (avere) .... più cura della sua salute, oggi (essere) .... ancora vivo. 5. "Se qualcuno, passando, (vederci) .... così, seduti l'uno accanto all'altra, (pensare) .... senza dubbio a qualche amorosa complicità." (C. Malaparte) 6. Se (io-avere) .... più coraggio, (realizzare) .... qualcosa di più nella mia vita. 7. Luigi non ha mai avuto un gatto quando era bambino, ma se (lui-averlo) .... (amarlo) .... moltissimo. 8. Se (tu-trovarti) .... su un'isola deserta e (potere) .... avere solo la compagnia di un animale, (preferire) .... avere con te un cane, un gatto, un gorilla, un cavallo, o quale altra bestia? 9. Marcella non aveva sicuramente compreso la serietà dei sentimenti di Giannetto nei suoi confronti: se infatti (capire) .... che lui l'amava sinceramente non (prendersi) .... gioco di lui così come ha fatto. 10. Se (io-avere) .... un miliardo tutto per me, (fare) .... il giro del mondo, e (impiegarci) .... molto più di ottanta giorni! 11. Se (tu-essere) .... giusto e leale (ottenere) .... la stima di tutti. 12. Se Alice (tingersi) .... i capelli, (sembrare) .... più giovane. 13. Se (tu-studiare)

.... meglio l'inglese, ora non (incontrare) .... tante difficoltà nel tuo lavoro. 14. Se Antonietta (volere) .... il mio aiuto, io (essere) .... sempre al suo fianco. 15. Tu non ami gli animali: se davvero (amarli) ...., non (andare) .... a caccia. 16. Smettila di insistere perché io mangi qualcosa: se (avere) .... fame, (mangiare) .... 17. Se Armando non (fare) .... tanti debiti, adesso non (essere-costretto) .... a vendere la sua splendida villa a Capri. 18. Se (tu-essere) .... abituato ad alzarti presto la mattina, la sera non (potere) .... andare a letto tanto tardi come fai sempre. 19. Se (tu-essere) .... in collera con me, (dirmi-tu) .... almeno il motivo del tuo risentimento. 19. Se (tu-cambiare) .... idea a proposito di quel progetto che ti ho accennato, (avvertirmi) .... 20. Se Lucio non (essere) .... sempre .... tanto egoista, oggi non (essere) .... solo come un cane. 21. Se Vincenzo (viaggiare) .... un po' per il mondo, forse (perdere) .... quell'aria da provinciale che lo contraddistingue qualsiasi cosa faccia. 22. Se (piovere) ...., l'afa (diminuire) .... 23 Se (potere) ...., Ugo (trascorrere) .... tutta la sua vita al tavolo da gioco. 24. Qualora tu (ricevere) .... notizie di Arianna, (avvertirmi-tu) .... subito. 25. Qualora domani Paolo (stare) .... meglio, (lui-potere) .... partire insieme a noi. 26. Se (tu-tenere) .... alla tua salute, non (fumare-tu) ....! 27. Se Piero non (dovere) .... guadagnarsi da vivere, (diventare) .... un ottimo scrittore. 28. Sei molto agitato: se (tu-non riuscire) .... a dormire, (prendere-tu) .... un sonnifero. 29. Se l'uomo (essere) .... veramente quella creatura superiore che si vanta di essere non (infierire) .... mai contro gli animali. 30. Se (tu-non ascoltare) .... i consigli del dottore, non (guarire) .... 31. Se (tu-volere) .... dimagrire, (essere) .... necessario che tu ti metta a dieta. 32. Se la gente (usare) .... di meno l'automobile, le città non (essere) .... tanto inquinate come sono. 33. Fiorella ha incontrato Gaetano in Grecia: se lei non (decidere) .... di fare quel viaggio, oggi (loro-non festeggiare) .... il loro quinto anniversario di matrimonio. 34. Se (tu-volere) .... sdebitarti con Maria, (farle-tu) .... un bel regalo. 35. Se (tu-avere) .... pazienza, ben presto (vedere) .... i risultati del tuo lavoro.

12. A tua scelta, svolgi uno dei seguenti temi:
1 "Colui che possiede un fisico attraente non è necessariamente dotato anche di valori spirituali. Un'inesatta versione di una massima greca sentenzia: 'Una mente sana alberga in un corpo sano'. Dovrebbe invece essere così concepita: 'Possa una mente sana albergare in un corpo sano'." (Y. Mishima)
2. "L'uomo è libero non per ciò che ha, ma per ciò che può avere." (A. Calderara)
3. "Il privilegio dei grandi è vedere le catastrofi da una terrazza." (J. Giraudoux)
4. "Di eterno nell'amore ci sono soltanto le delusioni." (M. Dietrich)
5. "Quando le candele sono spente tutte le donne sono belle." (Plutarco)
6. "L'uomo giunto al termine della civilizzazione, dovrà tornare alla nudità: non alla nudità inconsapevole del selvaggio, ma a quella conscia e riconosciuta dell'Uomo maturo, il cui corpo sarà l'espressione armonica della sua vita spirituale." (I. Duncan)

13. Volgi dal discorso diretto al discorso indiretto:
1. Maria domandò a Eugenia: "Non credi di esagerare? Sei davvero convinta che Lamberto non ti ami più?" ....

....

2. Stefano rispose: "Ti assicuro che farò tutto quanto mi sarà possibile perché tua sorella sia felice con me". ....

....

3. - Cosa succede? - chiese il conte. - Perché mi fissate in quel modo?" (P. Capriolo) ....

....

4. Il più grande dei ragazzi disse agli altri: "Se non avete davvero paura, dovete dimostrarmelo. Verrete dunque con me questa sera all'imbrunire. Tutti insieme ci nasconderemo all'interno del vecchio cimitero abbandonato. Non rimarremo però tutti insieme, perché così sarebbe troppo facile non avere paura. Ci divideremo: ognuno di noi s'inoltrerà in un diverso sentiero, e alle prime luci dell'alba ci incontreremo accanto al cancello che conduce sulla strada verso la badia". ....

....

....

....

....

....

....

5. La gatta vedova disse al micio rosso che le faceva la corte dacché era morto il suo sposo: "Io sono stata una moglie fedele, non ho mai lanciato languide occhiate ad altri gatti fino a che Mao era vivo. Ma da quando è morto - ormai sono passati due mesi - la vedovanza mi pesa. Al mio bel pelo nero e lucido non dona affatto il collarino a lutto e ripenso con nostalgia al fiocco rosso che tanto spiccava sulla mia pelliccia. Dopo Mao, tu sei il gatto più bello, robusto e dalle unghie affilate che io abbia conosciuto. Adesso il re del quartiere sei tu. Perciò, se davvero lo desideri, acconsentirò a sposarti". ....

....

....

....

....

....

....

....

6. Una vecchia gallina, preoccupata perché non riusciva più a fare nemmeno un uovo, diceva tra sé: "Se continuo così per me è finita. I padroni diranno che mangio il loro pane a ufo e decideranno di mettermi in pentola. Forse però potrei mettermi d'accordo con una collega". E andò a trovare una bella gallinella giovane e bianca a cui fece questa proposta. "Ormai io sono vecchia" le spiegò "e non sono più capace di fare uova e così ho paura che i padroni decidano di farmi la festa. Ma forse ho trovato il modo di salvarmi. Possiedo qualche oggettino di valore, regali ricevuti da uno splendido gallo innamorato di me quando ero giovane. Ho una catenina d'oro da zampa, una cuffietta di pizzo, una mantellina ricamata. Se tu mi darai un uovo al giorno, o anche uno ogni due giorni, in cambio io ti consegnerò i miei tesori." La gallina giovane si mostrò soddisfatta dell'affare e così la vecchia chioccia campò ancora molto tempo, fra lo stupore dei contadini che continuavano a ripetere: "Questa gallina è davvero meravigliosa. Non ci ricordiamo nemmeno più quanti anni abbia tanto è vecchia e fa ancora le uova più belle di tutto il pollaio. Poche, è vero, ma belle e saporite..."

....

....

....

....

....

....

....

....

7. Marisa rispose a Francesco: "Non credo a una sola parola di ciò che mi hai detto. Sono stanca delle tue continue menzogne, dei tuoi inganni, del tuo infantilismo. Fra noi è tutto finito. Domani andrò dall'avvocato per avviare le pratiche del divorzio".

8. Simonetta disse a sua figlia: "Non ho nessuna intenzione di spendere due o tre milioni per il vestito che mi hai chiesto. Se hai intenzione di andare alla festa di Gilda dovrai comprarti un abito che abbia un prezzo più accessibile, altrimenti non ti comprerò niente".

9. Serena e Linda sono due appassionate di un genere particolare di cinema: la commedia musicale americana. Non hanno però gli stessi gusti in fatto di attori e, da anni, fanno delle discussioni feroci. Un anno fa ricordo che arrivarono a litigare e finirono col non parlarsi più per un mese. Quando decisero di far pace, subito Serena disse all'amica: "Però tu non capisci proprio nulla. Fred Astaire è una nullità in confronto a Gene Kelly!" E l'altra gli rispose: "Sei una stupida. Il tuo Gene Kelly è un saltimbanco in confronto alla classe di Astaire!" E c'è da giurare che discutono sempre alla stessa maniera.

10. Roberto chiese a Giulia: "Che cos'hai? Perché sei triste? Io faccio tutto quello che posso per renderti felice: non ti faccio mancare nulla, esaudisco ogni tuo desiderio... Dimmi che cos'è questa spaventosa,

tormentosa malinconia che ti accompagna in ogni momento della giornata e distrugge il tuo sorriso, la tua voglia di vivere..."

11. Paola disse a Erminia: "Esci tu, se ne hai voglia. Io non mi sento troppo bene e preferisco rimanere in casa. Guarderò un film alla televisione. Mi pare che diano un buon film con Robert De Niro".

12. Giulia disse ai suoi due figli: "La prossima estate verrete con me e vostro padre in Irlanda solo se sarete promossi".

13. Luciano disse a suo figlio: "Quando avrai capito di avere sbagliato tutto, sarà troppo tardi per rimediare".

14. Paola disse al suo gatto: "Se non fai il bravo e bevi tutto il tuo latte, non ti darò il pollo che ti piace tanto. E non ti darò nemmeno la panna. Quindi bevi il latte, e non fare capricci, e non fare finta di non capire, perché lo so che mi capisci benissimo".

15. Un grande scrittore, mio buon amico, una volta mi confessò: "Io odio scrivere e amo leggere. Ma per leggere non mi pagano e per scrivere, per mettere sulla carta delle storie che io già conosco e pertanto mi annoiano, mi pagano moltissimo. E perciò devo scrivere, scrivere, e per leggere delle storie che non so come vadano a finire ho sempre pochissimo tempo".

16. Sebastiano disse a Marco: "Attraverso un momento veramente difficile, ma se tu sarai generoso con me e mi aiuterai, saprò come ricompensarti".

17. Il medico disse a Liliana: "Tu non hai niente di grave e quindi non devi preoccuparti, però c'è una cosa che ti raccomando ed è di smet-

tere di fumare. Se non fumerai più in poco tempo molti dei tuoi disturbi passeranno". ....

....

....

18. "Cari ragazzi," iniziò a dire il notaio "io mi occupo degli affari della vostra famiglia da più di trent'anni e vi ho visti nascere. Potrete quindi capire con quanto dispiacere mi accingo alla lettura di questo testamento che è la prova e il ricordo, in questo momento per voi insopportabile, della improvvisa e tragica scomparsa dei vostri genitori. L'unica consolazione per me che fui loro amico è che la morte li abbia condotti via insieme cosicché l'uno non debba dolersi della perdita dell'altra e viceversa. E questo fatto, benché crudele in quanto vi ha privato in sol momento di ambedue i vostri cari, deve essere anche un po' la vostra consolazione... Voi sapete quanto si amassero i vostri cari genitori: è certo inutile che io ve lo ricordi. E ora precederemo, se siete d'accordo, alla lettura del testamento." ....

....

....

....

....

....

....

....

....

....

....

19. Un bambino molto piccolo andò da una fata bellissima e tutta vestita d'oro e le disse: "Cara fatina, a scuola i miei compagni mi deridono sempre perché sono piccolo, non mi fanno giocare con loro, spesso mi picchiano. Ho pensato quindi che, se avessi qualcosa di speciale, di straordinario, questo mi renderebbe un po' più grande ai loro occhi".
"E che cosa vorresti?" gli domandò la fata.
"Vorrei un gatto" rispose il bambino. "Ma non un gatto comune: un gatto grande e tutto d'oro, come te." La fata rispose che avrebbe esaudito il suo desiderio e così il bambino tornò dai suoi compagni scortato da un gigantesco gatto dorato: un leone. ....

....

....

....

....

....

....

....

....

....

20. Dorotea chiese a Lucia: "Che cosa farai quando ti sarai laureata?" ....

....

21. Carla promise a Fernando: "Se avrò bisogno di te ti chiamerò, non mi farò certo pregare. Vedrai: avrai presto mie notizie". ....

....

22. Ernesto disse, a conclusione del suo lungo discorso: "Se qualcuno non è soddisfatto del mio operato, io sono pronto a dimettermi, e senza alcun rimpianto. Solo vorrei che tutti i presenti mostrassero chiarezza e decisione nei miei confronti. Desidero avvertire che domani non sarò disposto a ritornare sulle decisioni che prenderemo stasera. Non ho altro da aggiungere". ....

....

....

....

....

....

14. A tua scelta, svolgi uno dei seguenti temi:

1. "Forse il topo ha il piacere di scoprire, fra un'unghiata e l'altra, che la zampa del gatto è morbida." (Colette)
2. "Non basta fare il bene, bisogna anche farlo bene." (Diderot)
3. "Chi trascura di imparare nella giovinezza perde il passato ed è morto per il futuro." (Euripide)
4. Sei d'accordo con la descrizione dell'uomo che fa A. Campanile? È la seguente: "Spelato, pallido, con una testa piccola e tonda, che ondeggia in cima a tutto, con un piccolo naso, una piccola bocca, piccoli occhi e piccole orecchie, collo meschino, braccia deboli e corte, piedi troppo grandi, sta tra il geco, la papera, il filugello, il canguro e il pollo spennato. Con un solo paio di gambe, senza un bel manto di pelo, senza piume, senza squame argentate, senza un piccolo becco, senza corna, senza nemmeno una misera coda, egli è il più povero e nudo fra tutti gli animali e la sua bruttezza non ha alcuna risorsa".
5. "Il mistero di una gamba femminile, nascosta sotto l'abito, lo si può sempre scoprire, ma chi mai risolverà l'enigma di una gamba che splende, nuda, alla luce del sole?" (E. Hemingway)
6. "La brevità è l'anima stessa della saggezza." (Shakespeare)

Nei racconti, o brani, che seguono, all'infinito fra parentesi sostituisci il verbo nel modo e nel tempo richiesti dalla logica della narrazione:

(1)

A TOCCARE IL NASO DEL RE

Una volta Giovannino Perdigiorno (decidere) .... di andare a Roma a toccare il naso del re. I suoi amici lo sconsigliavano (dire) ....: - Guarda che è una cosa pericolosa. Se il re si arrabbia ci perdi il tuo naso con tutta la testa.

Ma Giovannino (essere) .... cocciuto. Mentre (preparare) .... la valigia, per fare un po' di allenamento, andò a trovare il curato, il sindaco e il maresciallo e (toccare) .... il naso a tutti e tre con tanta prudenza e abilità che (loro-non accorgersene) .... nemmeno.

"Ecco che non è difficile", (pensare) .... Giovannino.

Giunto nella città vicina (lui-farsi) .... indicare la casa del governatore, quella del presidente e quella del giudice e (andare) .... a far visita a quegli illustri personaggi e anche a loro (toccare) .... il naso con un dito o due. I personaggi ci rimanevano un po' male, perché Giovannino (parere) .... una persona bene educata e (sapere) .... parlare di quasi tutti gli argomenti. Il presidente ci si arrabbiò un tantino, ed (esclamare) ....: - Ma che, mi sta prendendo per il naso?

- Per carità, - (dire) .... Giovannino, - (esserci) .... una mosca.

Il presidente (guardarsi) .... intorno, non (vedere) .... né mosche né zanzare, ma intanto Giovannino s'inchinò in fretta e (andarsene) .... senza dimenticarsi di chiudere la porta.

Giovannino (avere) .... un libretto e (tenerci) .... il conto dei nasi che (riuscire) .... a toccare. Tutti nasi importanti.

A Roma però il conto dei nasi (salire) .... tanto rapidamente che Giovannino (dovere) .... comprare un quaderno più grosso. Bastava camminare per la strada e da qui a lì si era sicuri di incontrare un paio di eccellenze, qualche sotto-ministro e una decina di grandi segretari.

Non parliamo poi dei presidenti: (esserci) .... più presidenti che mendicanti. Tutti quei nasi di lusso (essere) ....

segue

abbastanza a portata di mano. I loro proprietari infatti (scambiare) .... la tastatina di Giovannino Perdigiorno per un omaggio alla loro autorità e qualcuno (spingersi) .... fino a suggerire ai suoi dipendenti di fare altrettanto, (dire) ....:

- D'ora in avanti, invece di farmi l'inchino, (voi-potere) .... tastarmi il naso. È un'usanza più moderna e più raffinata.

I dipendenti, in principio, non (osare) .... allungare le mani sui nasi dei loro superiori. Questi però (incoraggiarli) .... con sorrisi larghi così, e allora giù toccatine, strizzatine, tastatelle: i nasi altolocati (diventare) .... lucidi e rossi per la soddisfazione.

Giovannino non aveva dimenticato il suo scopo principale, che (essere) .... di toccare il naso del re, e (aspettare) .... soltanto l'occasione buona. Questa si presentò durante un corteo. Giovannino (notare) .... che ogni tanto qualcuno dei presenti usciva dalla folla, (balzare) .... sui gradini della carrozza reale e consegnava al re una busta, certo una supplica, che il re passava (sorridere) .... al suo primo ministro.

Quando la carrozza (essere) .... abbastanza vicina, Giovannino (saltare) .... sul predellino e mentre il re (rivolgergli) .... un sorriso invitante, lui (dire) ....:

- Compermesso, - allungò il braccio e (strofinare) .... la punta del suo dito indice sulla punta del naso di sua Maestà.

Il re (toccarsi) .... il naso stupefatto, (aprire) .... la bocca per dire qualcosa ma Giovannino, con un salto indietro, (mettersi) .... già .... al sicuro tra la folla. (Scoppiare) .... un grande applauso e subito altri cittadini (affrettarsi) .... con entusiasmo a imitare l'esempio di Giovannino: (loro-saltare) .... sulla carrozza, (acchiappare) .... il re per il naso e (dargli) .... una buona scrollatina.

- È un nuovo segno di omaggio, maestà, - mormorava sorridendo il primo ministro nelle orecchie del re.

Ma il re non (avere) .... più tanta voglia di sorridere: il naso (fargli) .... male e (cominciare) .... a colare e lui non (avere) .... nemmeno il tempo di asciugarsi la candela perché i suoi fedeli sudditi non (dargli) .... tregua e (continuare) .... a prenderlo per il naso.

Giovannino (tornare) .... al paese soddisfatto.

(*G. Rodari*, da *Favole al telefono*)

(2)

LA MAMMA DI SAN PIETRO

Si racconta che la mamma di San Pietro (essere) .... una donna molto avara. Mai che facesse un'elemosina, mai che (lei-spendere) .... un centesimo per il prossimo. Un giorno stava mondando i porri quando (passare) .... una povera che (chiederle) ....: "Mi fate la carità, devota donna?"

"Sì... tutti qua (voi-dovere) .... venire a chiedere... Bé, basta, (prendere-tu) .... questa!" e la spilorcia (dare) .... alla mendicante una foglia di porro.

Quando il Signore (chiamare) .... la madre di San Pietro all'altra vita, (mandarla) .... all'Inferno.

Guardiano del Paradiso (essere) .... San Pietro che, mentre (starsene) .... seduto sulla porta con le chiavi in mano (sentire) .... una voce che (urlare) ....: "Pietro figlio mio! Ahi, (guardare-tu) .... come (io-arrostirmi) ....! (Andare-tu) .... dal Maestro! (parlargli-tu) ...., (farmi-tu) .... uscire di qui!"

San Pietro (andare) .... dal Signore. "Maestro," (dirgli) .... "mia madre è giù all'Inferno e (chiedere) .... la grazia di uscire."

Il Signore (rispondere) ....: "Tua madre non (fare) .... mai .... del bene in vita sua. Tutto ciò che (lei-donare) .... è una foglia di porro. (Provare-tu) .... a far così: (darle-tu) .... questa foglia di porro perché (lei-afferrarcisi) .... e (tirarla-tu) .... su in Paradiso".

Calò nell'Inferno un angelo che (dire) .... alla donna: "(Afferrarti-tu) .... qua!". La madre di San Pietro (aggrapparsi) .... con tutte le sue forze alla foglia che l'angelo (tenderle) .... e (lei-stare) .... per essere tirata su dall'Inferno quando gli altri dannati che (trovarsi) .... con lei, a vederla salir su, (attaccarsi) .... all'orlo della sua veste. E così, mentre l'angelo (tirare) .... su lei, (tirare) .... su anche gli altri. Ma quell'egoista non (intendere) .... far del bene e (incominciare) .... a gridare: "No, non voi! Andatevene! Solo io! Solo io posso salire! Voi non (avere) .... un figlio come il mio!" Mentre urlava (lei-incominciare) .... a dibattersi e (agitarsi) .... tanto, per far cadere quelli che (starle) .... aggrappati, che la foglia di porro (rompersi) .... e lei (ripiombare)

segue

.... nel fondo dell'Inferno.

(Libero adattamento da *Fiabe italiane,* raccolte e trascritte da *I. Calvino*)

(3)

LA MORTE NEL FIASCO

C'era un locandiere ricco e generoso che (mettere) .... fuori della sua locanda un'insegna che diceva: "Chi (venire) .... nella mia locanda, (mangiare) .... gratis". La gente (affollarsi) .... davanti al luogo che (prometteva) .... un trattamento tanto generoso, e l'oste (dare) .... da mangiare gratis.

Una volta (trovarsi) .... a passare di lì il Maestro con i suoi dodici apostoli. Quando tutti (leggere) .... l'insegna, San Tommaso disse: "Maestro, se io non (vedere) .... con i miei occhi e non (toccare) .... con la mia mano, non (crederci) .... (Entrare-noi) .... in questa locanda".

E Gesù e gli apostoli (entrare) .... (Loro-mangiare) .... e (bere) .... e il locandiere (trattarli) .... da gran signori. Al momento di andarsene, San Tommaso (chiedere) .... al locandiere: "Buon uomo, perché (voi-non domandare) .... una grazia al Maestro?"

Allora il locandiere (dire) .... a Gesù: "Maestro, io ho quest'albero di fico qui nell'orto, ma non (riuscirmi) .... mai di mangiare un fico. Via via che i frutti maturano, i ragazzi (arrampicarsi) .... sull'albero e me li mangiano. Ora io (volere) .... una grazia: che chi sale su quest'albero non (potere) .... più scendere senza il mio permesso".

"Ti sia concesso!" disse il Signore e (benedire) .... l'albero.

L'indomani, il primo che (capitare) .... a rubare fichi, (restare) .... appeso all'albero con una mano; al secondo (rimanergli) .... attaccato un piede; il terzo non (sapere) .... più staccare la testa da una biforcatura dei rami. Il locandiere (fare) .... a tutti una gran lavata di capo, e poi

segue

(lasciarli) .... scendere. Quando (sapere) .... la virtù di quell'albero, i ragazzini del paese decisero che (essere) .... meglio rimanerne lontani e finalmente il locandiere (potere) .... mangiarsi i suoi fichi in santa pace.

Passarono anni e anni. L'albero (diventare) .... vecchio e non (dare) .... più frutti. Il locandiere (chiamare) .... un mastro d'ascia e (fargli) .... abbattere il fico. Poi gli disse: "Voi (essere) .... capace di farmi un fiasco col legno di quest'albero?"

Il mastro d'ascia (fare) .... dunque un fiasco, e questo fiasco (conservare) .... la virtù dell'albero: cioè chi (entrarci) .... dentro non (potere) .... più uscire senza il permesso del locandiere.

Anche il locandiere s'era fatto vecchio, e un giorno la Morte (venire) .... a prenderselo. Lui (dire) ....: "Prego, andiamo pure. Però, senti una cosa, Morte: prima (tu-dovere) .... farmi un favore. Ho questo fiasco pieno di vino, ma c'è una mosca dentro e (farmi) .... schifo berlo. (Entrarci) .... dentro e (levarmi) .... la mosca, così (io-potere) .... bere ancora una volta prima di partire con te".

La morte (acconsentire) .... ed (entrare) .... nel fiasco. Allora il locandiere (mettere) .... il tappo al fiasco e disse: "Ora (tu-esserci) .... e (tu-restarci) ....".

Con la morte lì chiusa e tappata, nel mondo non (morire) .... più nessuno. E dappertutto (vedersi) .... gente con la barba bianca fino ai piedi. Gli apostoli, (vedere) .... questo stato di cose, decisero di parlarne al Maestro. A sua volta il Signore (capire) .... che (dovere) .... andare a parlare con il locandiere.

"Mio caro," lo apostrofò "ti sembra bello tenermi la Morte rinchiusa per tanti anni? Cosa (io-dovere) .... fare, secondo te, di tutti questi poveri vecchi cadenti che devono continuare a campare senza poter mai morire?"

"Maestro," (rispondere) .... il locandiere "(voi-volere)

segue

.... che (io-farvi) .... uscire la morte dal fiasco? (Promettermi-voi) .... di mandarmi in Paradiso e io (stappare) .... il fiasco."

Il Signore (pensarci) .... un po' su e poi (decidere) .... di esaudire la richiesta del locandiere.

Il fiasco fu sturato e la Morte (tornare) .... in libertà. Il locandiere venne lasciato in vita ancora qualche anno per dargli il tempo di guadagnarsi il Paradiso, e poi la Morte (tornare) .... a prenderselo.

(Libero adattamento da *Fiabe italiane,* raccolte e trascritte da *I. Calvino*)

(4)

IL SOLE E LA NUVOLA

Il sole viaggiava in cielo, allegro e glorioso sul suo carro di fuoco, (gettare) .... i suoi raggi in tutte le direzioni, con grande rabbia di una nuvola di umore temporalesco che borbottava:

- Sciupone, mano bucata, butta via, butta via i tuoi raggi, (tu-vedere) .... quanti (rimanertene) ....

Nelle vigne ogni acino d'uva che (maturare) .... sui tralci (rubare) .... un raggio al minuto, o anche due; e non (esserci) .... filo d'erba, o ragno, o fiore, o goccia d'acqua, che non (prendersi) .... la sua parte.

- Lascia, lascia che tutti (derubarti) ....: (tu-vedere) .... come (ringraziarti) ...., quando (tu-non avere) .... più niente da farti rubare.

Il sole (continuare) .... allegramente il suo viaggio, (regalare) .... raggi a milioni, a miliardi, senza contarli.

Solo al tramonto (lui-contare) .... i raggi che (rimanergli) ....: e guarda un po' non (mancargliene) .... nemmeno uno. La nuvola, per la sorpresa, (sciogliersi) .... in grandine. Il sole (tuffarsi) .... allegramente nel mare.

(*G. Rodari,* da *Favole al telefono*)

(5)

LO SPAVENTAPASSERI

Gonario era l'ultimo di sette fratelli. I suoi genitori non (avere) .... soldi per mandarlo a scuola, perciò lo mandarono a lavorare in una grande fattoria agricola. Gonario (dovere) .... fare lo spaventapasseri, per tener lontani gli uccelli dai campi. Ogni mattina gli davano un cartoccio di polvere da sparo e Gonario, per ore e ore, (fare) .... su e giù per i campi, e di tratto in tratto (fermarsi) .... e (dare) .... fuoco a un pizzico di polvere. L'esplosione (spaventare) .... gli uccelli che (fuggire) ...., (temere) .... i cacciatori.

Una volta il fuoco (appiccarsi) .... alla giacca di Gonario, e se il bambino non (essere) .... svelto a tuffarsi in un fosso certamente (morire) .... tra le fiamme. Il suo tuffo (spaventare) .... le rane, che (fuggire) .... con clamore, e il loro clamore (spaventare) .... i grilli e le cicale, che (smettere) .... per un attimo di cantare.

Ma il più spaventato di tutti era lui, Gonario, e (piangere) .... tutto solo in riva al fosso, bagnato come un brutto anatroccolo, piccolo, stracciato a affamato. Piangeva così disperatamente che i passeri (fermarsi) .... su un albero a guardarlo, e (pigolare) .... di compassione per consolarlo. Ma i passeri non (potere) .... consolare uno spaventapasseri.

Questa storia (accadere) .... in Sardegna.

(*G. Rodari,* da *Favole al telefono*)

(6)

Continuavo a pensare alla grande Giò.

Sapevo che lei, da qualche parte, mi stava immaginando nell'atto di sdraiarmi sul letto, cosa che appunto (io-fare) .... in quel momento, mentre (spuntare) .... la luce dell'alba. Che ra-

segue

gione (io-avere) .... per quella certezza: di essere immaginato da lei come un amante che (starla) .... aspettando? Nessuna. Non (vederla) .... più ...., dopo l'incontro al Caffè Greco, e anche la (*) Violante (scomparire) .... da quel giorno.

Eppure la certezza (farsi) .... più forte: (io-potere) .... dire: più concreta. A mia volta, (io-immaginare) .... il suo sguardo. Anzi, (sentirlo) .... posarsi sul mio, girato verso la finestra, sui gesti con cui (accendermi) .... la sigaretta.

Ci fu un rumore di passi, fuori, sulla ghiaia. Il desiderio (trasformarsi) .... in una decisione. (Io-alzarmi) ...., (vestirmi) .... e (uscire) .... di casa. Dapprima (apparirmi) .... soltanto la foschia, e sopra la foschia il vago chiarore che (farsi) .... strada fra le nuvole opache.

Poi (io-distinguerla) .... (Lei-sedere) .... al di qua del cancello, con una giacca lilla, una lunga gonna nera. Sulla sua spalla destra, fasciato progressivamente dai colori splendenti col crescere della luce, il Piccolo Giò.

(Io-fare) .... l'atto di raggiungerla, ma la Grande Giò (fermarmi) .... con un gesto. (Lei-sapere) .... che, se (io-essere) .... in grado di afferrare la sua immaginazione a distanza, (io-potere) .... benissimo leggere in quelle dita mosse e che (dirmi) ....:

"Non ora. Non oggi. (Io-tornare) ...., comunque. Presto".

(Io-lasciare) .... che (lei-scomparire) .... oltre il cancello.

Nel pomeriggio, (arrivare) .... anche la Violante. (Essere) .... tale l'emozione che l'apparire della Grande Giò (procurarmi) ...., che (io-ricordarmi) .... di quando la ragazza, forse per provocarmi o forse per sentirsi in libertà, (perdersi) .... per la casa e poi udivo lo scroscio della doccia.

Mi comportai come tutte le volte che questo (succedere) .... (Io-fingere) .... di distrarmi da lei e di concentrarmi su fogli in cui non appuntai che frasi senza senso. Ed ecco lo scroscio della doccia.

(Io-raggiungerla) .... Lei (aprire) .... la

segue

tenda di plastica, per lasciarsi ammirare. (Io-aiutarla) ....,
mentre (asciugarsi) .... Mai eravamo arrivati così vicini ad abbracciarci, a fare l'amore. Poi (noi-scambiarci) .... uno sguardo che (equivalere) .... al gesto che la Grande Giò (rivolgermi) .... nella foschia:

"Non ora. Non oggi. Presto".

La Violante (rivestirsi) .... Ci sedemmo in due poltrone, di fronte.

"(Raccontare-tu) ...." la invitai.

E la Violante (riprendere) .... a raccontare, di sé e della Grande Giò.

(*) In italiano non si usa l'articolo davanti al nome proprio di persona che non sia accompagnato da aggettivo. L'uso dell'autore è dialettale, limitato per lo più all'area settentrionale.
(*A. Bevilacqua,* da *La Grande Giò*)

(7)

L'UOMO IN PIGIAMA

Passeggiavo nel corridoio, in pantofole e pigiama, (scavalcare) .... di tanto in tanto un cumulo di biancheria sudicia. Il mio albergo (essere) .... di prima categoria perché aveva due ascensori e un montacarichi (quasi sempre guasti) ma non (disporre) .... di un ripostiglio per lenzuola, federe e asciugamani in provvisorio disuso e le cameriere (dovere) .... ammucchiarli qua e là negli angoli morti. A notte inoltrata (arrivare) .... io, e perciò le cameriere non (amarmi) .... Tuttavia, dopo aver dato qualche mancia, (io-ottenere) .... il tacito permesso di deambulare dove volevo. (Essere) .... la mezzanotte passata. (Trillare) .... piano piano il telefono. Che (essere) .... nella mia stanza? (Io-avviarmi) .... con passi felpati ma (sentire) .... che qualcuno (rispondere) ....; era al numero 22, la stanza vicina alla mia. (Stare) .... per ritirarmi quando la voce che (rispondere) ...., una voce di donna, (dire) ....: "Non venire ancora Attilio: (esserci) .... un uomo in pigiama nel corridoio. Passeggia in su e in giù e (potere) .... vederti".

segue

(Io-sentire) .... dall'altra parte un confuso gracidio. "Mah?" rispose lei "non so chi (essere) .... Non venire, ti prego. È un disgraziato che (fare) .... sempre così. Non venire, semmai (avvisarti) .... io." (Lei-riattaccare) .... con un tonfo, (io-udire) .... passi nella camera. Mi allontanai d'urgenza (scivolare) .... come sui pattini. In fondo al corridoio (esserci) .... un sofà, un secondo cumulo di biancheria e un muro. Sentii la porta della camera 22. Fulmineamente (io-esaminare) .... le varie ipotesi possibili. 1) Tornare nella mia stanza e chiudermici dentro; 2) idem con variante, informare cioè la signora che (io-sentire) .... tutto e (intendere) .... farle cosa grata ritirandomi; 3) chiederle se proprio (lei-tenerci) .... a ricevere Attilio o se io ero un pretesto da lei scelto per esimersi da un non grato incontro notturno; 4) ignorare il colloquio telefonico e continuare nella mia passeggiata; 5) chiedere alla signora se (intendere) .... eventualmente sostituirmi all'uomo del telefono ai fini di cui al numero tre; 6) esigere spiegazioni sul termine "disgraziato" col quale (lei-credere) .... di designarmi; 7) ... la settima stentava a formarsi nel mio cervello. Ma ormai ero davanti allo spiraglio. Due occhi neri, una liseuse rossa su una camicia di seta, una capigliatura corta, piuttosto ricciutella. Fu un attimo, lo spiraglio (richiudersi) .... di colpo. Il cuore (battermi) .... forte. (Io-entrare) .... nella mia camera e (sentire) .... il telefono trillare ancora al numero 22. La donna (parlare) .... piano, non sentivo le parole. (Io-tornare) .... nel corridoio con passo da lupo, e allora qualcosa (io-riuscire) .... a distinguere: "È impossibile, Attilio (io-dirti) .... ch'è impossibile". Poi il clac del ricevitore riattaccato e il passo di lei verso la porta. Con un salto (io-precipitarmi) .... verso il cumulo di immondizie numero due, (rimuginare) .... in cuor mio le ipotesi 2, 3, 5. Lo spiraglio (aprirsi) .... ancora. Fermo là (essere) .... impossibile restare. Mi dissi: sono un disgraziato, ma lei come (fare) .... a saperlo? E se passeggiando (io-salvarla) .... da Attilio? Oppure (io-salvare) .... Attilio da lei? Non sono fatto per essere l'arbitro di nulla, tanto meno della vita degli altri. (Io-tornare) .... indietro (trascinare) .... una federa con una pantofola. Lo spiraglio era più largo, la testa ricciuta (sporgere) .... di più. (Io-essere) .... a un metro da quella testa. (Io-irrigidirmi) .... sugli attenti dopo essermi liberato con un

segue

calcio della pantofola. Poi dissi con voce troppo forte che (rintronare) .... nel corridoio: "(Io-finire) .... di passeggiare signora. Ma come sa che (io-essere) .... un disgraziato?" "Lo sono tutti" (dire) .... lei e (richiudere) .... la porta di scatto. (Trillare) .... ancora il telefono nell'interno.

(*E. Montale,* da *Farfalla di Dinard*)

(8)

Dopo la morte di mia madre, il grande silenzio dei boschi del Norrland invase la nostra casa in Börn: un'uggia fredda e umida appannò i vetri delle finestre, i cristalli, le terrecotte nelle credenze, un fiato verdastro (velare) .... i piatti di rame appesi alle pareti, le maniglie di ottone; chiazze bianche di muffa (apparire) .... e (allargarsi) .... viscide e lente sui muri. Mio padre, pastore nella chiesa di Börn, cercò inutilmente di difendere la casa dall'insidia umida dei boschi: (accendere) .... grandi fuochi nei camini, (mettere) .... bracieri in ogni angolo, (fare) .... perfino abbattere gli antichi e venerandi abeti del cortile, alberi di famiglia; l'umidità (gonfiare) ...., (storcere) .... (ingobbire) .... il legno delle pareti e dei pavimenti, gli usci, i mobili, le imposte, schiodava e (sconvolgere) .... i tronchi del tetto. Più volte mio padre (essere) .... sul punto di dar fuoco a tutta la casa, per non vederla morire così, a poco a poco; ma non (stancarsi) .... di difenderla, con un cupo amore fatto d'angosce e d'ire improvvise, finché, (disperare) .... ormai e (stimare) .... di non doversi mettere contro i segni di Dio, (ritrarsi) .... nella stanza più buia e (abbandonare) .... la casa senza difesa.

Da quel giorno anch'io (rimanere) .... senza difesa. Nessuno (venire) .... a trovarci, nessuno, mai uscito di chiesa, mostrava di rammentarsi di mio padre, che (farsi) .... muto e sdegnoso, e (guardare) .... tutti in faccia come nemici. La gente di Börn, quando (passare)

segue

.... davanti alla nostra casa, (guardare) ....
curiosa e insospettita la porta chiusa e (alzare) .... gli occhi alle finestre per sincerarsi di quel che si andava dicendo di me, prigioniera e malata nella triste casa in rovina. Ma nessuno (osare) .... interrogare mio padre: quando, nella penombra della chiesa, egli (volgere) .... per la predica domenicale, verso la folla dei devoti, quel suo viso pallido tormentato di righe, dagli occhi infossati e dalla bocca sdegnosa, la buona genete di Börn (avere) .... compassione di lui e (rimproverarsi) .... in cuor suo d'averlo lasciato solo, d'averlo abbandonato al suo dolore e alla sua solitudine. Com'era mutato, da quando mia madre (uscire) .... con lui per le strade bianche fra gli abeti scuri, verso le segherie e le fattorie sparse dentro il cerchio sonoro delle campane di Börn. De' suoi spaventi, delle sue smanie, della sua tetra disperazione, si parlava a bassa voce come di una sofferenza comune, di cui (sentirsi) .... tutti un po' colpevoli. Qualcuno, tra i più giovani, (avere) .... parole dure per la sua pazzia, rimproverandogli di tenermi rinchiusa in quella tetra casa di legno fradicio e di pietra ammuffita. Ma i più vecchi del paese, che (conoscere) .... il loro pastore quand'era giovane e sereno, (dire) .... che io (ereditare) .... il carattere debole e rassegnato di mia madre, e non (mostrare) .... di meravigliarsi della mia volontaria prigionia.

In quell'uggia umida e fredda i miei giorni (essere) .... eguali e lenti. Mio padre, che (avere) .... per me un amore geloso e inquieto, non (permettermi) .... nessun gesto, nessuna parola di gioia, né di pietà e di affetto. (Bastare) .... un sorriso a ferirlo. "Anna! Anna! ho paura!" gridò una volta dal fondo della sua stanza buia, (udirmi) .... cantare. "Va' via!" mi disse con voce strozzata, (allontanarmi) .... bruscamente, un giorno ch'io (fare) .... l'atto di appoggiare il capo sulla sua spalla: aveva gli occhi pieni di lacrime, ma il suo sguardo (essere) .... cattivo. Ogni tanto (lui-nascondersi) .... per piangere nell'angolo più oscuro della casa: (piangere) .... come un bambino con i pugni sugli occhi (singhiozzare) .... Spesso (io-udirlo) .... gridare all'improvviso: (io-aspettare) .... allora ch'egli (chiedere)

segue

.... aiuto, come (fare) .... sempre quando (essere) .... stanco di urlare ("aiuto! aiuto!" gridava a un tratto e subito taceva), ed (io-entrare) .... in punta di piedi nella sua stanza, per rimettere in ordine gli oggetti che nelle sue furie egli (mettere) .... a soqquadro. Col viso nascosto fra le braccia incrociate sulla scrivania, (lui-fingere) .... di dormire (trattenere) .... il respiro. Ma quando era preso da qualche improvvisa paura, (venirmi) .... incontro con aria torva e sospettosa, e (volgere) .... gli occhi intorno come se (sentirsi) .... qualcuno dietro le spalle.

Mio padre (avere) .... per gli specchi una matta avversione: (cercarli) .... dappertutto, (frugare) ...., (rovistare) .... negli armadi, nelle cassepanche, nei vecchi mobili chiusi da anni, e allungava il viso, (fiutare) .... l'aria, quasi, (seguirne) .... l'odore; trovandone uno, rarissimo caso, l'alzava con tutte e due le mani, (torcere) .... gli occhi per non vedersi, e (correre) .... alla cieca, (gridare) .... e (inciampare) ...., a buttarlo dalla finestra. Allo schianto del vetro, il suo viso (rasserenarsi) .... Poi (lui-mettersi) .... a girare per la casa con aria di trionfo, e (mostrarsi) .... di buon umore per tutto il resto della giornata.

Per vestirmi (io-dovere) .... specchiarmi di nascosto nei vetri delle finestre. Mio padre non voleva che (io-acconciarmi) .... a modo mio: (io-dovere) .... smettere, per non farlo soffrire, i vestiti che (portare) .... prima della morte di mia madre e indossare senza adattarli, quelli della povera mamma. Avvolta nelle larghe pieghe dei vecchi velluti e delle stoffe sgualcite e stinte, chiusa nel raso sfilacciato di un alto busto, (sentirmi) .... rassegnata alla tristezza di passate stagioni. Spesso mi sorprendevo ad ascoltare i gemiti del legno fradicio negli angoli oscuri, il suono eguale di un pèndolo, il rombo del vento fra gli abeti. (Sembrarmi) .... che il tempo non (avere) .... età. Avevo un ricordo confuso di stagioni lontane. A volte, (guardarmi) .... nel vetro di una finestra, (io-riconoscere)

segue

.... il viso di mia madre nel mio, e (piangere) .... nel vederla così pallida, così stanca. "Maria! m'implorava mio padre (chiamarmi) .... col nome della povera mamma: Maria!" e (lui-rimanere) .... a guardarmi estatico da lontano, gli occhi opachi nel viso bianco, non (osare) .... avvicinarsi.

(*C. Malaparte,* da *La figlia del pastore di Börn*)

(9)

Signori, eccomi qua. Un po' malconcio, con mille acciacchi e col cuore in disordine, ma ancora in piedi. O, meglio, sulla soffice rena alla blanda carezza del sole, in questa Portofino ch'è un Paradiso.

Per tutte le bolge dell'inferno! Che cosa mai (io-dire) ....? Pazienza, m'è scappata. Nominare il Paradiso, io, che (essere) .... il Diavolo! Perché, non l'avete ancora capito? Proprio Satana in persona, con corna e coda, il Grande Nemico, la quintessenza del male. No, no, (io-non essere) .... al centro della terra, come (scrivere) .... un certo poeta, che pure (indovinare) .... molte cose. Al centro della terra! Io sono dappertutto, camuffato, mimetizzato, nascosto nelle piccole come nelle grandi cose. I poeti (scrivere) .... troppo, (stare) .... troppo chiusi in se stessi e ne' loro studi per vedere quel che (succedere) .... intorno.

Sono qui, sulla spiaggia, a godermi gli ultimi raggi del sole che sta tramontando. No non (cercarmi-voi) .... perché (voi-non trovarmi) ...., o (voi-credere) .... di trovarmi troppe volte, anche dove non sono. Son bizzarro ed amo cambiar forma assai spesso; è quasi una civetteria, la mia. Ora vedete un signore grasso e calvo che (giocare) .... in modo ridicolo a palla al volo e porta mutandoni color fragola, ora una fragile "miss" con occhialoni allucinanti, che (fremere) .... e (sospirare) .... a ogni passaggio dell'erculeo bagnino, ora un bambino terribile che (asfissiare) .... tutti con la sua indesiderata presenza e con l'alito corrotto dalle frequenti indigestioni di gomma da masticare. Ecco lì (essere) .... il Diavolo, lì (essere) .... io, Satana. Ma (voi-non sapere) .... tro-

segue

varmi. Non vi potrebbe aiutare neppure quel famoso odorino di zolfo, perché adesso mi sono raffinato e (io-usare) .... i profumi francesi.

Sono un personaggio insolito in una storia terrena, ma pure chissà quante volte (infilarmi) .... di soppiatto ne' vostri sogni. E, se il credere alla mia realtà, qui, sulla terra (sconcertarvi) .... e (atterrirvi) ...., (fare-voi) .... pure conto di aver sognato un lungo sogno. In definitiva, la vita umana non è che un sogno tormentoso. Beato chi (potere) ...., con giustizia, tener dietro lietamente al suo sogno!

Bene, non divaghiamo troppo. (Io-essere) .... qui a Portofino per ragioni di salute. (Io-stare) .... male, veramente male. Il medico (spiegarmi) .... tutto, ma con parole difficili, perché anche ai medici (piacere) .... talvolta le diavolerie. In parole povere, ho bisogno di un po' di riposo: cuore in disordine. Ce lo vedete voi Satana col cuore in disordine? Tutti (credere) .... che io (non-averlo) ...., questo benedetto cuore. Eppure, anche se espresso con parole enigmatiche, il giudizio del medico (essere) .... categorico: cuore malandato. Molto riposo, accompagnato dalla solita raccomandazione che proprio non (andarmi) .... giù: niente vino, niente fumo, niente donne. Peggior tegola non (potermi) .... capitare.

(*C. Galasso,* da *Satana infermo*)

(10)

Di venerdì, la madre di Barbino partiva con la bicicletta per andare al mercato, da Vighizzolo a Montichiari, e stava via per due ore buone: quattro chilometri ad andare, quattro a ritornare. E il tempo che (volerci) .... per tirare sulla lira.

Aveva un piccolo commercio di conigli che (lei-allevare) .... in due gabbie coperte di iuta in fondo all'orto. Da quando, una decina d'anni prima, con uno di quelli, anzi con il solo che c'era, ed (essere) .... d'angora, bianco e bellissimo e grasso, lei (salvare) .... Dolfo, il secondo figlio che stava morendo di polmonite, i conigli (diventare) .... tutti bianchi, tutti della stessa razza. Suo suocero a quel tempo le disse chiaro e tondo (...) che i figli che non (farcela) .... da soli, li si la-

segue

scia morire, e che se lei (volere) .... i soldi delle medicine e il calesse per andare in città a Brescia, un modo (esserci) .... Lei (supplicare) ....; Dolfo (sembrare) .... abbassare la testolina ogni istante di più. (Esserci) .... anche la neve. Il vecchio Angelo in questo non era un violento, cioè con le donne. Deve averla guardata con quei suoi occhi azzurri e gelidi e dolci, (leccarsi) .... il baffo sinistro, (aspettare) .... che anche questa nuora, quella che (resistergli) ...., (immolarsi) .... Lei invece (chiamare) .... Dario, il figlio più grandicello, gli aveva detto "fa' il bravo", (spiegargli) .... alla svelta che (lei-stare) .... via per qualche giorno, che non (sapere) .... quando (tornare) .... e di non dire niente, niente, che altrimenti lui sarebbe venuto a cercarla, e di non preoccuparsi che lei (dovere) .... pensare a Dolfo, che Dolfo stava morendo, e di guardare se (venire) .... qualcuno verso il pollaio, di farle un fischio caso mai, che lei (mettere) .... il coniglio bianco nella sporta. E di far finta di niente, di portare il coniglio nella sporta dietro la cappelletta della Macina, dove lei sarebbe stata ad aspettarlo con Dolfo sulla canna della bici (...) Il gallo (essere) .... ben lontano dal cantare e nessuno (accorgersi) .... di niente. Dolfo non (stare) .... in equilibrio sulla canna della bici, forse era addirittura già morto, e prima di arrivare sulla provinciale (esserci) .... una salita di più di tre chilometri, e poi altri quindici per arrivare a Brescia. (Esserci) .... una gelata quella notte. Lei non (versare) .... neppure una lacrima; aveva "paura di perdere tempo". Era stata via due giorni e due notti; (vendere) .... il coniglio proprio ad un farmacista, poi lui e sua moglie (insistere) .... perché (lei-restare) .... lì, avevano chiamato un dottore. Lei (fare) .... anche un centro tavola per riconoscenza. Dolfo (salvarsi) .... ed era rimasto là un altro mese. Lei era rientrata. (Lei-essere picchiata) .... a sangue, dal vecchio Angelo e dalla cognata che (vantare) .... la proprietà del coniglio. Da allora lei i conigli (allevarli) .... solo per venderli agli altri e guai a nominarle la carne di coniglio o di cavallo, (rabbrividire) ...., (venirle) .... il vomito. Non capiva come (esserci) ....

segue

qualcuno che (potere) .... mangiarli. (Essere) .... animali sacri.

(*A. Busi,* da *Seminario sulla gioventù*)

(11)

Generalmente la gente per bene crede che uno (diventare) .... ladro perché nasce con quella inclinazione. Non suppone che (potersi) .... arrivare al furto per invidia, ad esempio, per rabbia, per dispetto di qualcuno o per desiderio di qualcosa. Così la gente crede che l'infanzia di un ladro (essere) .... necessariamente quella del ragazzaccio di strada, del discolo, di uno che non (avere) .... una famiglia che (badargli) .... o, se l'ha, deve essere composta di disonesti, di degenerati. Non nego che in molti casi (essere) .... proprio così, e che tutti (incominciare) .... dalla strada. Ma considerate il mio caso: è un fatto che, quand'(essere) .... ragazzino, per le strade (starci) .... ben poco. (Piacermi) .... certamente, ma non che (soffrire) .... di non poterlo fare. Sapevo che se mio padre (vedermi) .... giocare sul marciapiede in compagnia di ragazzi da lui giudicati teppisti (darmene) .... di santa ragione. Qualche volta (accadere) ....: senza fare tante scene mi rimorchiava su, al terzo piano, (tenermi) .... per un orecchio. Chiusa la porta (luisfilarsi) .... la cinghia dei pantaloni e quel gesto, più che i colpi, abbastanza fiacchi, (farmi) .... tremare di terrore e di collera.

Mio padre, e lo stesso posso dire di mia madre, di mio zio e delle mie sorelle, (essere) .... veramente una persona perbene.

Sono sicuro che né da ragazzo, né da uomo (provare) .... mai .... la tentazione di rubare. Quando (lui-sgridarmi) .... o (ammonirmi) ...., il suo ritornello (essere) .... questo: "Io mi sono sempre saputo accontentare di quel poco che (avere) ....". Invece, per me, il guaio è stato che non (sentirmi) .... mai .... contento di ciò che ho avuto: la roba degli altri (farmi) .... sempre .... gola. La tentazione vera e

segue

propria di rubare (provarla) .... presto, intorno agli otto anni; credo anche perché (io-fantasticare) .... troppo e (annoiarmi) .... Poi mi passò, non (pensarci) .... più per alcuni anni, fino all'adolescenza.

(*L. Bigiaretti*, da *La scuola dei ladri*)

(12)

S'era coricato tranquillo come ogni sera e specialmente quelle sere in cui finalmente dopo di aver mangiato tutto quello che le era stato offerto, la giovinetta se n'era andata.

(Lui-prendere) .... presto sonno. (Ricordare) .... poi di aver sognato, ma tanto confusamente che egli niente più (ricordare) .... Molte persone dovevano averlo circondato (urlare) ...., (discutere) .... con lui e fra di loro; poi tutte (allontanarsi) .... ed egli, frastornato, (sdraiarsi) .... su un sofà per riposare. Allora su un tavolino proprio all'altezza del sofà (vedere) .... un grosso topo che (guardarlo) .... con i suoi piccoli occhi lucenti. V'era un riso, anzi una derisione in quegli occhi. Poi il topo (sparire) ...., ma egli con spavento (accorgersi) .... che era penetrato nel suo braccio sinistro e (scavare) .... furiosamente procedeva verso il petto causandogli un dolore insopportabile.

(Destarsi) .... ansante, coperto di sudore. (Essere) .... un sogno, ma qualche cosa di reale (restare) ....: il dolore insopportabile. L'immagine dell'oggetto che causava il dolore subito (mutare) .... Non (essere) .... più un topo, ma una spada confitta nella parte superiore del braccio e di cui la punta (arrivare) .... allo sterno; arcuata, non tagliente ma ruvida e velenosa perché dove (toccare) .... (comunicare) .... il dolore. Non gli permetteva il respiro e alcun movimento. La spada (potersi) .... spezzare squarciandolo se egli (muoversi) .... Egli urlava e lo sapeva perché lo sforzo di farsi sentire (ledergli) .... la gola, ma non (sentire) .... con certezza il suono che (lui-emettere) .... (Esserci)

segue

.... molti rumori in quella stanza vuota. Vuota? In quella stanza (esserci) .... la morte. S'avvicinava a lui dal soffitto un'oscurità profonda, una nube che quando (raggiungerlo) ...., (sopprimergli) .... il piccolo respiro che ancora gli era concesso e (tagliarlo) .... per sempre da ogni luce (mandarlo) .... fra le cose basse e sudicie. L'oscurità (avvicinarsi) .... lentamente. Quando (raggiungerlo) ....? Oh! Certo! Poteva anche dilatarsi da un momento all'altro e avvilupparlo e strangolarlo in un attimo. Così era fatta la morte di cui (lui-sapere) .... dall'infanzia in su? Così insidiosa e accompagnata da tanto dolore? Egli si sentiva colare le lagrime dagli occhi. (Piangere) .... dal terrore e non per destare pietà, perché egli (sapere) .... che pietà non (esserci) .... E il terrore (essere) .... tanto grande che a lui (parere) .... di essere privo di colpa e di peccato. Veniva strangolato a quel modo, lui buono e mite e misericordioso.

Quanto tempo (durare) .... quel terrore? Egli non (sapere) .... dirlo e avrebbe potuto credere che (durare) .... tutta una notte se la notte poi non (essere) .... tanto lunga. Gli parve che prima si fosse allontanata da lui l'oscurità minacciosa e poi il dolore. La morte non (esserci) .... più e il giorno appresso egli (risalutare) .... il sole. Poi il dolore (muoversi) .... e fu subito un sollievo. Fu esiliato più in alto verso la gola donde poi (sparire) .... Egli (avvolgersi) .... nelle coperte. (Battere) .... i denti dal freddo e un tremito convulso (impedirgli) .... il riposo. Il ritorno alla vita era però completo. Egli non (gridare) .... più e fu lieto che il suo lamento non fosse stato udito. La donna di casa - maliziosa - (ritenere) .... causa del male la visita della fanciulla della sera prima, per questa via egli (ricordare) .... la fanciulla e, subito, (pensare) ....: - Io all'amore non faccio più!

(*I. Svevo*, da *La novella del buon vecchio e della bella fanciulla*)

(13)

"Non avrei mai dovuto diventare suo amante", rifletteva con rabbia, "diventandolo ho perso ogni autorità e (fare) .... il suo

segue

gioco." D'altra parte gli pareva di amare Andreina più di se stesso e più di ogni altra cosa o persona che (essere) .... al mondo, e questo sentimento unito alla decisione ferma e determinata di riparare gli errori commessi e, anche a costo della propria rovina, cambiare le condizioni e l'animo dell'amante, (consolarlo) .... un poco.

Poiché tra questi pensieri (lui-non aprire) .... bocca come chi, non (avere) .... più nulla da opporre, si dia alfine per vinto, anche Andreina (tacere) .... a sua volta e dopo avergli dato un bacio o due, districato il braccio dal suo, si rannicchiò da una parte del letto e (parere) .... assopirsi quasi subito. Desto (rimanere) .... invece Pietro e con gli occhi spalancati nel buio, ora (ascoltare) .... i rumori della strada, passi sonori sui marciapiedi, lunghi ronzii di automobili sopra l'asfalto, ora amaramente e lucidamente (riflettere) .... Ogni tanto il raggio di una macchina (penetrare) .... attraverso le stecche delle imposte dentro la stanza, ed egli (vedere) .... le sbarre luminose passare rapidamente dal soffitto alla parete e da questa al letto, sovrapponendosi per un momento alla coperta che (avvolgere) .... le forme rilevate dei loro corpi vicini ed immobili, alle bianche spalle ignude, alla testa nera e arruffata di Andreina assopita. Allora, (interrompere) .... il corso logico ed inevitabile delle sue rabbiose riflessioni, alla vista dell'amante addormentata un affetto (invadergli) .... l'animo, insieme fraterno e pieno di speranze. (Egli-volere) .... destarla e dirle come (lui-amarla) .... e con quanto desiderio di vederla mutata. Ma poi, bruscamente, come era venuta, la luce (scomparire) ...., (tornare) .... la notte e con essa si rifaceva nella sua mente il contrasto tra le sue aspirazioni, quello che era accaduto e quello che nonostante i suoi sforzi (essere) .... quasi certamente per accadere.

(*A. Moravia*, da *Le ambizioni sbagliate*)

(14)

Mangiarono pochissimo o niente. Le portate, sebbene più ricche dell'ordinario, per come s'era ingegnato di condirle un secondino volenteroso, (avere) .... un sapore nemico, né (esservi)

segue

.... boccone che in gola non (diventare) ....
una cenere. L'inappetenza, si sa, è d'obbligo nelle serate d'addio. Per cui, essendo l'esecuzione fissata ai primi barlumi dell'indomani, il barone non (finire) .... di accalorarsi per questa ipocrisia di concedere ai condannati inutili ghiottonerie, mentre non s'aveva scrupolo di attossicargliele col pensiero della scadenza imminente.

"A pancia vuota non sarà un bel morire", (lamentarsi) .... "Così di buon mattino, poi! Quando la luce ci appassiona di più..."

Saglimbeni (dargli) .... ragione nei suoi soliti poetici modi: "In effetti il tramonto (essere) .... un'ora più acconcia. Col mezzo lutto, le nuvole basse, le ombre cremisi e viola che (persuadere) .... umanamente alla quiete. Così, viceversa, (parerci) .... di subire un insopportabile sfratto".

Il soldato non (dire) .... nulla e (parere) .... guardarsi le scarpe. S'era tirato sul collo il bavero del camiciotto come se (avere) .... freddo. Ma Narciso: "Sera o mattina, che differenza (fare) ....?" (balbettare) .... e senza educazione (mettersi) .... a piangere.

(*G. Bufalino*, da *Le menzogne della notte*)

(15)

Marcello mi aveva parlato spesso di sua moglie, così sapevo ch'erano colleghi d'università e forse di liceo (era stato il loro uno di quei fidanzamenti come usavano un tempo, dalle nostre parti), e che le piaceva leggere molto, e ch'era sensibile e affettuosa, e che (adorare) .... il loro bambino ... che più? Erano state innumerevoli e minuziose, le descrizioni di Marcello sulla moglie ogni volta che me ne aveva parlato e adesso, ecco, non avrei saputo individuarla, lì in mezzo, né dire come me la figurassi. Ma m'era di fronte, ormai, sarebbe stato inutile affannarsi a immaginarla sul ricordo delle parole di Marcello, (lei-essere) .... qui con lui di fronte a me e (io-osservarla) .... sorridendo, m'aveva fatto subito simpatia: (essere) .... una giovane donna dall'aria molto calma e domestica, senza cappello, con una fronte che (sembrare) .... più vasta essendo leggermente stempiata ai lati.

segue

(Lei-essere) .... bruna, alquanto pallida, alta: (indossare) .... un abito di lana verde molto aderente e (sembrare) .... anche magra. (Lei-avere) .... una bella mano. Ma forse l'avevo immaginata diversa; e poiché ero stato a mia volta descritto a lei abbondantemente da Marcello, non (io-dovere) .... farle uguale impressione. (Lei-confermarmelo) .... subito, anzi, con una voce gentile che non avrei saputo dire se piagnucolosa o solamente cantante, un poco: "Sa che (io-pensarla) .... più vecchio? Sì, Marcello mi aveva fatto anche il suo ritratto, lui (essere) .... straordinario in queste cose. Ma (io-pensarla) .... più anziano, ecco, e forse più triste. (Io-potere) .... dire", e (lei-sorridere) .... "più musone, o più mattone?"

(Sorridere) .... anch'io, e (dire) ....: "Aspetti a giudicare, prima di smentirlo. E poi è naturale, i primi incontri (deludere) .... sempre".

(Lei-non rilevare) .... la mia gaffe e girandosi verso il sofà dove il marito era tornato a sedersi con Bardi (portava i capelli molto corti, di profilo sembrava una riflessiva bambina): "Marcello", (lei-dire) .... "usciamo, tutti e tre? Mi piacerebbe prendere un poco d'aria".

"Andiamo a salutare Zoltan, allora" (dire) .... pronto il marito e Bardi (venire) .... con noi, (lui-non rinunciare) .... a perdere il suo uditorio. Ma poi (io-non ricordare) .... più se (noi-uscire) ....: (noi-dovere) .... trattenerci a parlare ancora, nel gruppo di Zoltan, e così involontariamente (noi-rinunciare) .... alla passeggiata. Quella sera non mi pare di aver scambiato molte parole, con lei.

(Io-rivederla) .... alcuni giorno dopo in un caffè: io (essere) .... con amici, lei (prendere) .... un aperitivo al banco e (indossare) .... lo stesso abito verde, (portare) .... la borsa e qualche pacchetto stretto sotto l'ascella. La sera dopo, al cinema, all'accendersi della luce (io-sentermi) .... battere sulla spalla: (essere) .... Riva, in compagnia della moglie, e dopo i saluti (noi-scambiare) .... qualche commento sulla pellicola ma poi all'uscita ci perdemmo. Giovanna (indossare) .... un soprabito nero, così (sembrarmi) ....

(*M. Prisco,* da *La moglie*)

INDICE

INDICE DELLE LETTURE